MOEWIG

Georgette Heyer

Frühlingsluft

MOEWIG

Verlagsunion Erich Pabel–Arthur Moewig KG, Rastatt

Titel der Originalausgabe: Spring Muslin
Aus dem Englischen von Pia von Hartungen

Dieser Titel erscheint bei Moewig mit freundlicher Genehmigung der Paul Zsolnay Verlags GmbH, Wien
Umschlagentwurf und -gestaltung: Werbeagentur Zeuner, Ettlingen
Umschlagfoto: VPM-Redaktionsservice
Auslieferung in Österreich:
Pressegroßvertrieb Salzburg Gesellschaft m.b.H.,
Niederalm 300, A-5081 Anif
Printed in Germany 1991
Druck und Bindung: Elsnerdruck, Berlin
ISBN 3-8118-7226-5 (60er Kassette)

1

Mrs. Wetherby freute sich ungemein über den Vormittagsbesuch ihres einzigen noch lebenden Bruders. Sie fand aber wegen ihrer vor Begeisterung wild ducheinanderschreienden Sprößlinge während der ersten halben Stunde keine Gelegenheit, mehr als einige belanglose Redensarten mit ihm zu wechseln.

Denn Sir Gareth Ludlow war just in dem Augenblick in der Mount Street eingetroffen, in dem Miss Anna, eine lebhafte junge Dame, die im kommenden Jahr in die Gesellschaft eingeführt werden sollte, Miss Elizabeth und Master Philip von einem Spaziergang durch den Park zurückkehrten, den sie unter der Aufsicht ihrer Gouvernante unternommen hatten. Kaum hatten die sonst so wohlerzogenen Kinder die hohe elegante Gestalt ihres Onkels erblickt, als sie alle ihnen von Miss Felbridge sorgfältig beigebrachten Lehren feinster Lebensart in den Wind schlugen, mit dem durchdringenden Ruf »Onkel Gary! Onkel Gary!« Hals über Kopf die Straße hinabrasten und vor der Haustür über ihn herfielen. Als sie Miss Felbridge, nachsichtig scheltend, einholte, öffnete der Butler soeben die Tür, und Sir Gareth wurde von seinen begeisterten jungen Verwandten im Triumph ins Haus geführt. Sie bombardierten ihn mit Fragen und vertrauten ihm ihre kleinen Geheimnisse an. Seine älteste Nichte hängte sich liebevoll an einen Arm, während sein jüngster Neffe seine Aufmerksamkeit dadurch zu erreichen suchte, daß er ihn ungestüm am andern zog. Sir Gareth vermochte sich aber lange genug zu befreien, um Miss Felbridge die Hand zu reichen. Er wendete sich ihr mit einem Lächeln zu, das nie verfehlte, ihr Herz im keuschen Busen heftig erbeben zu lassen. »Guten Tag, Miss Felbridge. Bitte schelten Sie nicht. Es ist wirklich nur meine Schuld – wenn ich auch nicht weiß, was ich getan habe, um diese demoralisierende Wirkung auf die Kinder auszuüben. – Fühlen Sie sich wieder ganz wohl? Als wir uns das letzte Mal sahen, litten Sie doch an einem bösen rheumatischen Anfall.«

Miss Felbridge dankte und wehrte errötend ab. Wie sieht es dem lieben Sir Gareth ähnlich, dachte sie, sich einer so unwichtigen Sache zu erinnern, wie es der Rheumatismus einer Gouvernante ist. Ein weiterer Gedankenaustausch wurde durch die Ankunft Mr. Leigh Wetherbys etwas plötzlich unterbrochen, der aus der auf der Rückseite des Hauses gelegenen Bibliothek herausstürzte und ausrief: »Ist das nicht Onkel Gary? Beim Zeus, Sir, ich bin verteufelt froh, Sie zu sehen! Denn ich möchte Sie etwas ganz Spezielles fragen.«

Hierauf schleppte die ganze Gesellschaft Sir Gareth nach oben in den Salon, wobei alle aus voller Kehle durcheinanderschrien, taub für die schüchternen Versuche Miss Felbridges, die ihre Schützlinge davon abhalten wollte, in dieser anstößigen Weise bei ihrer Mama einzudringen.

Es wäre selbstverständlich vergebens gewesen, darauf zu bestehen. Denn die jungen Wetherbys, angefangen von Leigh, der sich für seine noch im selben Jahr stattfindende Aufnahme in die Universität vorbereitete, bis zu Philip, der sich mit seinen ersten Schreibversuchen abplagte, waren einstimmig der wohlüberlegten Ansicht, daß es keinen bewunderungswürdigeren Onkel gäbe als Sir Gareth. Ein Versuch, die jüngeren Kinder ins Schulzimmer zu befördern, war von vornherein zum Scheitern verurteilt oder hätte bestenfalls zu länger anhaltender übler Laune geführt.

In auserlesenen Worten erklärte Mr. Leigh Wetherby, daß Sir Gareth der flotteste Bursche sei, der je geatmet habe. Wenngleich ein berühmtes Mode-Ideal, war er nie zu hochmütig, um seinem Neffen, der den Titel eines perfekten Dandy anstrebte, zu zeigen, wie man ein Halstuch knüpfte. Master Jack Wetherby hingegen, den derlei Gekkenhaftigkeiten noch nicht interessierten, rühmte seine Freigebigkeit in den wärmsten Tönen und das volle Verständnis, das er für die dringenden Bedürfnisse eines jungen Gentleman hatte, der die Entbehrungen eines Lebens in Eton College erdulden mußte. Miss Anna, noch nicht in die Gesellschaft eingeführt, kannte keinen größeren Stolz und keine größere Freude, als in seinem Sportkabriolett neben ihm sitzen und als Gegenstand des Neides aller anderen, weniger begünstigten jungen Damen – wie sie überzeugt war – ein oder zwei Runden durch den Park machen zu dürfen. Was Miss Elizabeth und Master Philip betrifft, betrachteten sie ihn als die Quelle so berauschender Vergnügungen, wie es der Besuch von Astleys Amphitheater oder eines Riesenfeuerwerks war, und vermochten daher nichts an ihm auszusetzen.

Das war nichts Außergewöhnliches: denn sehr wenige Menschen

fanden an Gareth Ludlow etwas auszusetzen. Während Mrs. Wetherby ihm zusah, wie er die zauberhaften Eigenschaften seiner Repetieruhr zum Ergötzen des kleinen Philip unermüdlich spielen ließ, und es ihm gleichzeitig gelang, dem außerordentlichen Problem, das Leigh beschäftigte, ein Ohr zu leihen, dachte sie, daß es einem schwerfallen würde, einen attraktiveren Mann zu finden. Sie wünschte sich, wie tausendmal zuvor, es möge ihr gelingen, ein Mädchen zu finden, das reizvoll genug wäre, die Erinnerung an seine tote Liebe aus seinem Herzen zu bannen. Weiß Gott, sie hatte in den sieben Jahren seit Clarissas Tod keine Mühe gescheut, um dieses Ziel zu erreichen. Sie hatte seine Aufmerksamkeit auf eine Unzahl heiratsfähiger junger Mädchen gelenkt, unter denen einige ebenso klug wie schön waren; dennoch war es ihr nie gelungen, in seinen grauen Augen auch nur das Aufflackern jenes Blicks zu entdecken, der so warm leuchtete, wenn er auf Clarissa Lincombe ruhte.

Diese Erwägungen wurden durch den Eintritt Mr. Wetherbys unterbrochen, eines zuverlässig aussehenden Mannes Anfang Vierzig, der, die Hand seines Schwagers ergreifend, nur kurz sagte: »Ha, Gary! Freue mich, dich zu sehen!« und keine Zeit verlor, seine Sprößlinge zu ihren verschiedenen Obliegenheiten zu schicken. Nachdem dies geschehen war, sagte er seiner Frau, sie solle die Fratzen nicht auch noch dabei unterstützen, ihren Onkel zu belästigen.

Sir Gareth, der Uhr und Monokel wieder an sich genommen hatte, schob die eine in seine Tasche und hängte das andere an einem langen schwarzen Seidenband um den Hals, während er sagte: »Sie belästigen mich durchaus nicht. Ich glaube, es wäre ganz gut, wenn ich Leigh nächsten Monat nach Crawley Heath mitnehmen würde. Ein scharfes Training wird ihn auf andere Gedanken bringen, als sich über den Schnitt seiner Anzüge den Kopf zu zerbrechen. Ich weiß, Trixie, daß du den Boxsport ablehnst, wenn du aber nicht sehr aufpaßt, wird der Junge alles daransetzen, sich mit den Modenarren anzufreunden.«

»Unsinn! Du wirst dich doch nicht mit einem kleinen Schuljungen belasten!« sagte Warren, der seine Befriedigung über die Einladung nur sehr unvollkommen zu verbergen vermochte.

»Doch, das will ich, denn ich habe Leigh sehr gern. Ihr braucht durchaus nicht zu befürchten, daß ich ihn Unfug treiben lasse.«

Jetzt ergriff Mrs. Wetherby das Wort, um ihren Gedanken Ausdruck zu verleihen. »Mein lieber Gary, wenn du nur wüßtest, wie sehr ich mich danach sehne, noch zu erleben, daß du einen eigenen Sohn verwöhnst!«

Er lächelte. »Tatsächlich, Trixie? Nun, der Zufall will es, daß genau das der Grund ist, der mich heute zu dir führt.« Er bemerkte ihren bestürzten Gesichtsausdruck und brach in Lachen aus. »Nein, nein, ich habe nicht die Absicht, dir die Existenz eines kräftigen Kindes der Liebe zu beichten. Sondern lediglich, daß ich glaube – oder vielmehr hoffe –, in kurzer Zeit deine Glückwünsche empfangen zu dürfen.«

Einen Augenblick glaubte sie, nicht richtig gehört zu haben, dann rief sie: »Oh, Gary, ist es Alice Stockwell?«

»Alice Stockwell?« wiederholte er überrascht. »Das hübsche Kind, das du mir immer in den Weg schobst? Mein Gott, nein!«

»Hab's dir gleich gesagt«, bemerkte Mr. Wetherby mit stiller Genugtuung.

Mrs. Wetherby war sehr enttäuscht, denn Miss Stockwell erschien ihr unter all ihren Protegés am begehrenswertesten. Immerhin unterdrückte sie ihre Enttäuschung in anerkennenswerter Weise und sagte: »Dann habe ich tatsächlich nicht die geringste Ahnung, wer es sein könnte. Außer – oh, bitte Gary, sag's mir rasch!«

»Nun wohl«, erwiderte er, über ihren Eifer belustigt. »Ich habe Brancaster um die Ehre gebeten, mich Lady Hester erklären zu dürfen.«

Die Wirkung dieser Ankündigung war jedoch recht enttäuschend. Warren, der eben im Begriff war, sich eine Prise Schnupftabak zu genehmigen, war so überrascht, daß er viel zu stark aufschnupfte und einen Niesanfall erlitt; seine Frau, die ihren Bruder anstarrte, als könne sie ihren Ohren nicht trauen, brach in Tränen aus und rief: »Oh, Gary, *nein*!«

»Beatrix!« rief er zwischen Lachen und Ärger.

»Gareth, willst du mich zum besten halten? Sag, daß du mich nur anschwindelst? Ja, natürlich, so ist es! Du würdest doch nie um Hester Theale anhalten!«

»Aber, Beatrix...« rügte er sie. »Warum hast du gegen Lady Hester so eine Abneigung?«

»Eine Abneigung? Das nicht. Aber ein Mädchen – *Mädchen?* Sie ist mindestens neunundzwanzig, wenn nicht mehr – ein weibliches Wesen, das seit mehr als neun Jahren abgetan ist! Das nie schön war oder sich auch nur im geringsten nach der Mode richtet. Du mußt ja verrückt sein! Du mußt doch *wissen*, daß jede, der du das Taschentuch zuwirfst – o Himmel, wie konntest du nur so etwas tun?«

Jetzt hielt es ihr Gatte für an der Zeit einzugreifen. Gareth begann ärgerlich zu werden. Ein charmanter Junge, dachte er, mit einem liebenswürdigen Charakter, der seinesgleichen sucht. Dennoch kann man nicht erwarten, daß er die Kritik seiner Schwester an der Dame, die er zu seiner Braut auserwählt hat, ohne weiteres hinnehmen wird. Daß er unter all den Mädchen, die nur darauf brannten, die Aufmerksamkeit dieses blendend aussehenden und überdies reichen Baronets aus altadeliger Familie zu erregen, gerade Hester Theale auswählte, die sich nach mehreren erfolglosen Saisons aus dem gesellschaftlichen Leben zurückzog, um ihren heiratsfähigen Schwestern Platz zu machen, war gewiß eine große Enttäuschung. Doch war dies keineswegs eine Angelegenheit, auf die näher einzugehen Warren für schicklich hielt. Er warf seiner Frau daher einen verweisenden Blick zu und sagte: »Lady Hester? Ich kenne sie nicht sehr gut, glaube aber, daß sie eine vortreffliche junge Dame ist. Brancaster hat deine Werbung natürlich akzeptiert?«

»Akzeptiert?« rief Beatrix, hinter ihrem Taschentuch auftauchend. »Du meinst wohl, er ist darauf geflogen! Wahrscheinlich ist er vor Freude ohnmächtig geworden!«

»Willst du endlich schweigen«, sagte Warren, erbittert über ihr unnachgiebiges Verhalten. «Verlaß dich drauf, Gary weiß besser als du, wer zu ihm paßt. Lady Hester wird ihm ohne Zweifel eine liebenswürdige Gattin sein.«

»Ohne Zweifel!« erwiderte Beatrix. »Liebenswürdig und sterbenslangweilig. Nein, Warren, ich werde nicht schweigen. Wenn ich an all die hübschen, reizvollen Mädchen denke, die getan haben, was in ihren Kräften stand, um ihn an sich zu fesseln, und er mir dann sagt, daß er sich um ein fades Mädchen bewirbt, das weder Vermögen noch außergewöhnliche Schönheit besitzt und überdies altmodisch und geradezu einfältig schüchtern ist, könnte ich – oh, ich könnte direkt hysterisch werden!«

»Also, Trixie, falls du das wirklich beabsichtigst, mache ich dich rechtzeitig darauf aufmerksam, daß ich den größten Wasserkrug, den ich auftreiben kann, über dich ausgießen werde!« erwiderte ihr Bruder mit unverminderter Herzlichkeit. »Und jetzt sei keine solche Gans, meine Liebe. Du bringst selbst den armen Warren zum Erröten.«

Sie sprang auf, packte die Aufschläge seines exquisit geschnittenen Rocks aus feinstem blauen Tuch, schüttelte ihn und sah ihm in die lächelnden Augen, während ihre eigenen noch voll Tränen standen. »Gary, ihr liebt euch doch nicht, weder du sie, noch sie dich. Ich habe nie das geringste Anzeichen bemerkt, daß sie für dich auch nur eine gewisse Vorliebe hat. Sag mir bloß, was sie dir zu bieten hat?«

Er hob die Hände, umschloß die ihren und entfernte sie mit energischem Griff von seinen Aufschlägen. »Ich habe dich sehr lieb, Trixie, das weißt du, ich kann dir aber nicht gestatten, meinen Rock zu zerknittern. Weston arbeitete ihn. Ein Meisterstück, findest du nicht auch?« Er hielt inne, denn es wurde ihm klar, daß sie nicht abzulenken war; dann sagte er und drückte ihr sanft die Hand: »Kannst du mich denn nicht verstehen? Dabei rechnete ich so damit! Du sagtest mir so oft, daß es meine Pflicht sei zu heiraten – und ich weiß in der Tat, daß das richtig ist, denn es wäre schade, wenn der Name mit mir ausstürbe. Wäre Arthur nicht gefallen – aber seit Salamanca weiß ich, daß ich mein Leben nicht weiterhin in meiner Junggeselligkeit verbringen darf. Also . . .!«

«Ja, ja, Gary, aber muß es gerade diese Frau sein?« fragte sie. »Sie hat doch nichts.«

»Im Gegenteil. Sie ist von guter Familie, hat ausgezeichnete Manieren und, wie Warren schon erwähnte, einen liebenswürdigen Charakter. Ich hoffe, ihr ebensoviel – ja, ich wollte, ich könnte ihr mehr bieten. Aber leider –«

Die Tränen sammelten sich neuerdings in ihren Augen und flossen über. »Ach, mein teuerster Bruder, noch immer? Es ist mehr als sieben Jahre seit –«

»Ja, mehr als sieben Jahre«, unterbrach er sie. »Weine nicht, Trixie! Ich versichere dir, ich trauere nicht mehr um Clarissa, ich denke auch nicht an sie, außer dann und wann, etwa wenn sich etwas ereignet, das sie mir ins Gedächtnis ruft. Ich habe mich aber nie wieder verliebt. Nicht in ein einziges der bezaubernden Mädchen, mit denen du mich so zuvorkommend bekannt machtest. Ich glaube, ich werde nie für eine andere so empfinden, wie ich einst für Clarissa empfand; und so hielte ich es für äußerst schäbig, wollte ich mich um eines jener Mädchen bewerben, die du mir zur Gattin wünscht. Mein Vermögen ist groß genug, um aus mir einen willkommenen Bewerber zu machen. Ich glaube, wenn ich um Miss Alice anhielte, würden die Stockwells ihre Einwilligung geben . . .«

»Das würden sie in der Tat. Und Alice scheint ein *tendre* für dich zu haben, das mußt du doch bemerkt haben. Warum also –«

»Vielleicht eben aus diesem Grund. Ein so schönes, geistvolles Mädchen verdient weit mehr, als ich ihr zu geben vermag. Lady Hester anderseits . . .« Er brach ab, und sein stets bereites Lächeln tauchte in seinen Augen auf. »Was bist du doch für ein Unglücksrabe, Trix! Du zwingst mich, Dinge zu sagen, die mich zum ausgemachten Gecken stempeln!«

»Du meinst«, sagte Beatrix unbarmherzig, »daß Lady Hester viel zu uninteressiert ist, um sich zu verlieben!«

»Durchaus nicht. Ich finde sie wohl schüchtern, aber nicht uninteressiert. Manchmal habe ich sogar das Gefühl, daß sie, wenn sie nicht dauernd von ihrem Vater und ihren widerwärtigen Schwestern schlecht behandelt würde, einen stark entwickelten Sinn für alles Lächerliche hätte. Stellen wir daher lediglich fest, daß sie keine romantische Veranlagung besitzt. Und da ich ganz bestimmt über das romantische Alter hinaus bin, glaube ich, daß wir mit Hilfe gegenseitiger Sympathie recht erfreulich miteinander auskommen könnten. Derzeit befindet sie sich in einer ziemlich unglücklichen Lage, was mich hoffen läßt, daß sie meine Werbung günstig aufnehmen wird.«

Mrs. Wetherby ließ einen zornigen Ausruf vernehmen, und selbst ihr unerschütterlicher Gemahl kniff erstaunt die Augen zusammen. Daß Gary seine unverkennbare Anziehungskraft gering einschätzte, war eine seiner liebenswerten Eigenschaften, das war aber denn doch zu stark. »Darüber besteht kein Zweifel«, sagte Warren trocken. »Ich kann dir ebensogut gleich Glück wünschen, Gary – du wirst, wie ich bestimmt hoffe, auch glücklich werden. Außer wenn – wie dem auch sei – mich geht's nichts an. Du mußt am besten wissen, wer zu dir paßt.«

Es war nicht zu erwarten, daß Mrs. Wetherby es über sich bringen würde, sich dieser Erklärung anzuschließen; sie schien sich aber über die Wirkungslosigkeit weiterer Argumente im klaren zu sein und prophezeite lediglich ein Unglück. Hierauf schwieg sie, bis sie mit ihrem Gatten allein war. Dann aber hatte sie eine Menge zu sagen, ein Umstand, den er mit großer Langmut ertrug und gegen den er so lange keine Verwahrung einlegte, bis sie bitter erklärte: »Wie sich ein Mann, der mit Clarissa Lincombe verheiratet war, um eine Hester Theale bewerben kann, ist etwas, das weder ich noch sonst jemand verstehen wird!«

Jetzt furchte sich jedoch Warrens Stirn, und er sagte zweifelnd: »Nun, ich weiß nicht –«

»Was du nicht sagst! Erinnere dich nur, wie reizvoll Clarissa war, wie fröhlich und temperamentvoll, und dann male dir Lady Hester aus!«

»Ja, aber das meine ich auch nicht«, erwiderte Warren. »Ich will durchaus nicht behaupten, daß Clarissa kein famoser Kerl war, denn der Himmel weiß es, das war sie – aber, wenn du mich fragst – war sie denn doch etwas *zu* lebhaft.«

Beatrix starrte ihn an. »Das hast du früher nie gesagt.«

»Hab ich es früher nie gesagt? Ich konnte es nicht sagen, solange Gary mit ihr verheiratet war, und als das arme Geschöpf tot war, hatte es keinen Zweck mehr. Aber ich dachte mir, daß sie verteufelt eigensinnig war und daß sie Gary recht übel mitgespielt hat.«

Beatrix öffnete den Mund, um diese Ketzerei zu widerlegen, schloß ihn aber wieder.

»Tatsache ist, meine Liebe«, fuhr ihr Gatte fort, »daß du ihre Fehler nie bemerktest, vor lauter Stolz, daß es dein Bruder war, der sie eroberte. Ich will damit nicht andeuten, es sei etwa kein Triumph gewesen, denn das war es. Wenn ich an all die jungen Leute denke, die ihr die Cour machten – du lieber Gott, wenn sie gewollt hätte, wäre sie Herzogin geworden. Yeovil machte ihr dreimal einen Heiratsantrag. Er selbst erzählte es mir bei ihrer Beerdigung. Wenn ich es genau überlege, bewies sie nur ein einziges Mal etwas Verstand. Damals, als sie Gary vor Yeovil den Vorzug gab«, fügte er gedankenvoll hinzu.

»Ich weiß schon, daß sie oft ein wenig zu wild war, aber es geschah so reizend und auf so liebenswürdige Art. Ich bin überzeugt, sie hätte es mit der Zeit gelernt, auf Gary zu hören, denn sie liebte ihn aufrichtig.«

»Sie liebe ihn nicht genug, um auf ihn zu hören, als er ihr verbot, die Grauschimmel zu kutschieren«, sagte Warren grimmig. »Sie machte sich im selben Augenblick über ihn lustig, als er den Rücken kehrte –

und brach sich obendrein das Genick! Nun, Gary tat mir verteufelt leid, aber, Trix, ich stehe nicht an, dir zu bekennen, daß es meiner Meinung nach für ihn besser war, als er ahnt.«

Nach einiger Überlegung sah sich Mrs. Wetherby gezwungen, zuzugeben, daß in dieser strengen Kritik ein gewisses Maß von Gerechtigkeit liegen könnte.

Dennoch vermochte sie sich keineswegs mit der bevorstehenden Verlobung ihres Bruders mit einer Dame auszusöhnen, die ebenso gesetzt war, wie die verewigte Clarissa flatterhaft.

Selten hatte eine Heirat allgemeinere Zustimmung gefunden als die von Gareth Ludlow und Clarissa Lincombe. Selbst die enttäuschten Mütter anderer heiratsfähiger Töchter hielten die beiden für ein vollkommenes Paar. War die Braut das gefeiertste junge Mädchen der Stadt, so war der Bräutigam der beliebteste Junggeselle der vornehmen Welt. Er schien in der Tat ein Glückskind zu sein, denn er besaß nicht nur ein reichliches Einkommen und eine tadellose Abstammung, sondern verfügte neben diesen wesentlichen Dingen über ein außergewöhnlich gutes Aussehen, eine elegante, blendende Gestalt, bemerkenswerte Meisterschaft in den verschiedensten Sportzweigen und einen so freigebigen, großherzigen Charakter, daß es selbst seinen engsten Rivalen unmöglich war, ihn um den Erfolg zu beneiden, Clarissa erobert zu haben. Mrs. Wetherby blickte traurig auf die friedliche Zeit zurück, bevor der tödliche Wagenunfall Clarissas Charme und Schönheit für immer in die kalte Erde verbannte und – Gareths Herz dazu.

Man nahm allgemein an, daß er sich von diesem Schlag völlig erholt habe, und alle waren froh, daß die Tragödie ihn nicht veranlaßte, sich einem übertriebenen Schmerz hinzugeben, der ihn etwa zum Verkauf seiner prachtvollen Pferde verleitet hätte, oder den Rest seines Lebens Trauer zu tragen. War sein Lächeln auch immer ein wenig traurig, so war er doch imstande, wieder zu lachen; und wenn ihm die Welt leer erschien, so war das sein Geheimnis, das er stets für sich behielt. Selbst Beatrix, die ihn anbetete, wagte zu hoffen, daß er aufgehört hatte, um Clarissa zu trauern, und sie hatte keine Mühe gescheut, seine Aufmerksamkeit auf alle jungen Mädchen zu lenken, die ihn möglicherweise fesseln könnten. Aber nicht der kleinste Flirt belohnte ihre Mühe, was sie allerdings nicht übermäßig bedrückte. Wie bescheiden er auch sein mochte, mußte er doch bemerkt haben, daß er auf dem Heiratsmarkt an allererster Stelle stand; und sie kannte ihn zu gut, um anzunehmen, er könnte in einer Mädchenbrust Hoffnungen erwecken, die er nicht zu erfüllen beabsichtigte. Bis zu diesem schmerzlichen Tag hatte sie bloß geglaubt, sie habe die richtige Frau noch nicht gefunden, nie aber, daß die richtige Frau nicht existiere. Als sie seine Ankündigung vernahm, waren es daher weniger Tränen der Enttäuschung als der plötzlichen Erkenntnis, daß mehr als Clarissas Reize bei dem tödlichen Unglück vor sieben Jahren vernichtet wurde. Denn Gareth hatte mit ihr wie ein Mann gesprochen, der seine Jugend mit all ihren Hoffnungen und brennenden Wünschen hinter sich hat und nun einer gemächlichen Zukunft entgegensieht, die vielleicht bequem, aber nicht einmal vom leisesten Hauch der Romantik belebt war. Als sich Mrs. Wetherby darüber klar wurde und sich den jungen Gareth ins Gedächtnis zurückrief, der das Leben immer als ein fröhliches Abenteuer betrachtet hatte, weinte sie sich in den Schlaf.

Aber auch Lady Hester weinte, als man ihr die Nachricht von Sir Gareths außerordentlich schmeichelhafter Bewerbung überbrachte.

2

Der Landsitz des Earl von Brancaster lag, wenige Meilen von Chatteris entfernt, im Herzen des Marschlandes. Das Herrenhaus war ebensowenig berühmt wie dessen landschaftliche Umgebung. Da Seine Lordschaft in beschränkten Verhältnissen lebte, was er seiner Leidenschaft für das Spiel verdankte, wies es viele Anzeichen der Vernachlässigung auf. Theoretisch unterstand es der Oberaufsicht der ältesten Tochter Seiner Lordschaft. Da sein Sohn und Erbe, Lord Widmore, es aber vorteilhafter fand, mit seiner Frau und seinen heranwachsenden Kindern unter dem Dach seines Vaters zu leben, hatte Lady Hester in Wirklichkeit überhaupt nichts zu reden. Nach dem vor einigen Jahren erfolgten Tod ihrer Mutter dachten Leute, die den Earl nicht besonders gut kannten, es treffe sich glücklich, daß sie sitzengeblieben war. Die Optimisten behaupteten, sie werde imstande sein, ihren kummergebeugten Vater zu trösten und den Platz ihrer Mama als Herrin von Brancaster Park und Green Street auszufüllen. Da jedoch der Earl seine Frau verabscheut hatte, war er durch ihren

Tod keineswegs kummergebeugt, und da er sich auf ein fesselloses Junggesellendasein gefreut hatte, betrachtete er seine älteste Tochter nicht als Trost, sondern vielmehr als Hindernis. Man hatte ihn in leicht angesäuseltem Zustand tatsächlich sagen hören, er sei jetzt nicht besser dran als zuvor.

Als er sich von seiner sprachlosen Verblüffung erholt hatte und sich darüber klar wurde, daß Sir Gareth Ludlow tatsächlich um die Erlaubnis gebeten hatte, seine Tochter heiraten zu dürfen, überwältigten ihn fast seine Gefühle. Er hatte alle Hoffnung aufgegeben, diese Tochter leidlich gut verheiratet zu sehen – daß sie aber eine so brillante Hochzeit machen könnte, war ihm nicht einen Augenblick in den Sinn gekommen. Der unangenehme Verdacht, Sir Gareth könnte zuviel getrunken haben, stieg in ihm auf, aber in Sir Gareths Aussehen und Gehaben war nichts zu finden, um diese Annahme im geringsten zu rechtfertigen. Und so schlug er sich's aus dem Sinn. Doch dann sagte er ohne Umschweife: »Nun ja, ich wäre äußerst erfreut, sie Ihnen zu geben, aber es ist doch besser, Ihnen von allem Anfang an mitzuteilen, daß ihre Mitgift keineswegs ansehnlich ist. Um die Wahrheit zu gestehen – es wird mir verteufelt schwer fallen, das Geld überhaupt aufzutreiben.«

»Das ist völlig belanglos«, erwiderte Sir Gareth. »Wenn Lady Hester mir die Ehre erweist, meine Werbung anzunehmen, werde ich selbstverständlich jede finanzielle Regelung für sie treffen, die unsere Rechtsanwälte für richtig halten.«

Von diesen schönen Worten im höchsten Maße gerührt, erteilte der Earl Sir Gareths Werbung seinen Segen, lud ihn für die folgende Woche nach Brancaster Park ein, sagte drei sportliche Verabredungen ab und verließ London noch am nächsten Tag, um seine Tochter auf den einzigartigen Glücksfall vorzubereiten, der ihr widerfahren werde.

Lady Hester war über seine plötzliche Ankunft sehr überrascht, denn sie hatte angenommen, daß er im Begriffe war, nach Brighton zu fahren. Er gehörte dem Zirkel um den Prinzgemahl an und war während der Sommermonate gewöhnlich in einem Logis am Steyne untergebracht, wenn nicht im königlichen Pavillon selbst; und dort war es ihm eine liebe Gewohnheit, an allen kostspieligen Vergnügungen seines königlichen Freundes teilzunehmen und mit dessen Bruder York um erschreckend hohe Einsätze Whist zu spielen. In die weibliche Gesellschaft, die er in Brighton bevorzugte, waren weder seine Frau noch seine Tochter jemals einbezogen worden. Lady Hester war nach Beendigung der Londoner Season mit ihrem Bruder und ihrer Schwägerin immer nach Cambridgeshire übergesiedelt, von wo aus sie zur gegebenen Zeit die alljährliche, höchst langweilige Besuchsrunde bei den verschiedenen Familienmitgliedern antrat.

Nachdem ihr liebevoller Urheber sie davon unterrichtet hatte, daß nur die Sorge um ihre Wohlfahrt ihn unter großen Unbequemlichkeiten in das Haus seiner Ahnen führe, erklärte er als Einleitung zu der Eröffnung, die er ihr zu machen beabsichtigte, er hoffe, daß sie sich endlich einmal ein wenig gefälliger kleiden werde, denn es gezieme ihr nicht, Gäste in einer uralten Toilette und einem darübergelegten Paisley-Schal zu empfangen.

»Du lieber Himmel«, rief Hester. »Bekommen wir denn Besuch?« Sie richtete ihren leicht kurzsichtigen Blick auf den Earl, und ihrer Stimme war weit mehr Resignation als Freude zu entnehmen. »Ach, Papa, hoffentlich ist es niemand, den ich *besonders* verabscheue?«

»Durchaus nicht«, erwiderte er mürrisch. »Bei meiner Seele, Hester, du könntest selbst die Geduld eines Heiligen auf die Probe stellen! Laß dir gesagt sein, mein Mädchen, daß es sich um Sir Gareth Ludlow handelt, den wir nächste Woche bei uns sehen werden, und wenn du den verabscheust, dann mußt du wahrhaftig übergeschnappt sein!«

Sie hatte ihren Schal ziemlich hilflos über die Schulter gezogen, als könnte sie ihn durch das Neuarrangement seiner fadenscheinigen Falten ihrem Vater weniger widerwärtig machen. Bei seinen Worten ließ sie aber die Hände sinken und sagte ungläubig: »Sir Gareth Ludlow, Sir?«

»Ja, da schaust du!« sagte der Earl. »Und ich glaube, du wirst noch mehr schauen, wenn ich dir sage, weshalb er kommt!«

»Das ist sehr leicht möglich«, sagte sie in nachdenklichem Ton. »Denn ich kann mir nicht vorstellen, was ihn hierherführt oder welche Unterhaltung man ihm in dieser Jahreszeit bieten könnte.«

»Das soll dich nicht bekümmern, Hester. Er kommt, um dir ein Anerbieten zu machen.«

»Ach wirklich?« sagte sie vage und fügte nach einem Moment des Nachdenkens hinzu: »Will er mir ein Hündchen von Junos Wurf abkaufen? Komisch, daß er mir nichts davon sagte, als ich ihn vor einigen Tagen in der Stadt traf. Es steht doch kaum dafür, den weiten Weg hierherzufahren – außer natürlich, wenn er das Hündchen vorher sehen will.«

»Um Himmels willen, Mädchen ...!« wetterte der Earl los. »Was zum Teufel soll Ludlow mit einem deiner jämmerlichen Köter anfangen?«

»Das wundert mich tatsächlich auch«, sagte sie und sah ihn fragend an.

»Strohkopf«, rief Seine Lordschaft ergrimmt. »Ich will verdammt sein, wenn ich weiß, was er sich von dir verspricht! Er kommt, weil er um deine *Hand* anhalten will.«

Sie starrte ihn an; zuerst ziemlich blaß, dann errötete sie und wendete ihr Antlitz ab. »Bitte, Papa ...! Wenn Sie mich zum besten halten wollen – das ist kein gütiger Scherz!«

»Natürlich halte ich dich nicht zum besten«, antwortete er. »Obwohl es mich nicht überrascht, daß du es annimmst. Ich stehe nicht an, dir zu bekennen, Hester, daß ich, als er mir sagte, er bitte um meine Erlaubnis, dir einen Heiratsantrag machen zu dürfen, zunächst annahm, daß entweder er betrunken ist oder ich.«

»Vielleicht seid ihr es – beide gewesen«, sagte sie mit dem Versuch, einen leichteren Ton anzuschlagen.

»Nein, nein, durchaus nicht. Aber daß er sich gerade dich einbildet! Ich glaube, mindestens ein Dutzend Mädchen setzen alles daran, um sein Interesse zu erwecken, wobei jede einzelne aus ebensoguter Familie ist wie du, überdies viel jünger und obendrein verteufelt hübsch – nun, ich war in meinem ganzen Leben noch nie so perplex.«

»Es kann nicht wahr sein. Sir Gareth hatte nie ein besonderes Interesse für mich. Nicht einmal, als ich noch jung war, und, wie ich glaube, recht hübsch«, sagte Hester mit dem Anflug eines Lächelns.

»O Himmel, nein! Doch nicht *damals*«, sagte Seine Lordschaft. »Du sahst bestimmt recht gut aus, aber du kannst doch nicht im Ernst annehmen, er hätte einen Blick an dich verschwendet, solange das junge Ding, die Lincombe, noch lebte!«

»Nein, das ist wahr. Er bemerkte mich nie.«

»Nun, nun«, sagte der Earl großmütig, »sie hat ja alle Konkurrentinnen aus dem Feld geschlagen. Nach allem, was man hört, hat er niemals einem andern Mädchen auch nur einen einzigen Blick geschenkt. Ich nehme an, das ist auch der Grund, weshalb er um dich anhält.« Da er bemerkte, wie erstaunt sie ihn ansah, sagte er etwas ungeduldig: »Also, mein Mädel, sei nicht töricht. Es ist doch sonnenklar, daß Ludlow ein ruhiges, guterzogenes Mädchen haben will, das den Kopf nicht mit allerhand romantischem Unsinn vollgestopft hat, oder das gar erwartet, er werde nun von Leidenschaft hingerissen sein. Je mehr ich darüber nachdenke, desto mehr erweckt es mir den Anschein, als handle er wie ein sehr verständiger Mann. Wenn er Clarissa Lincombe noch immer nicht vergessen hat, würde es ihm gar nicht passen, sich um einen jungen, romantischen Wildfang zu bewerben, der erwarten würde, daß er ihm, überwältigt von der Gewalt seiner Gefühle, ständig nachläuft oder sonst einen Unsinn treibt. Gleichzeitig aber ist es seine Pflicht zu heiraten, und du kannst dich darauf verlassen, daß er sich damals dazu entschloß, als sein Bruder in Spanien getötet wurde. Nun also, Hester, ich trage keine Bedenken, dir zu gestehen, ich hätte nie gedacht, daß dir ein derartiger Glücksfall widerfahren könnte. Und zu denken, daß du eine bessere Partie machen wirst als deine Schwestern – und noch dazu in deinem Alter! Nein, das übersteigt alles!«

»Das übersteigt alles – o ja, *alles*«, sagte sie in einem sonderbaren Ton. »Und er kommt mit Ihrer Zustimmung hierher?! Hätten Sie nicht zuerst mich fragen sollen, wie *meine* Gefühle sind? Papa, ich wünsche mir diese blendende Heirat nicht!«

Er sah sie an, als könne er seinen Ohren nicht trauen. »Du wünschst sie dir nicht?« wiederholte er in verblüfftem Ton. »Du mußt ja übergeschnappt sein.«

»Vielleicht.« Ein gespenstisches Lächeln, halb nervös, halb schadenfroh, geisterte wieder über ihr Antlitz. »Sie hätten Sir Gareth diesbezüglich einen Wink geben sollen, Sir. Ich bin überzeugt, daß er nicht den Wunsch haben kann, eine – Idiotin zu heiraten.«

»Wenn du dir einbildest«, sagte Seine Lordschaft in furchterregender Weise, »deine Bemerkung sei ein guter Scherz, dann lasse dich von mir eines besseren belehren.«

»Nein, Papa.«

Er sah sie etwas unsicher an, denn er fühlte, daß sie sich ihm auf befremdende Weise entzog. Sie war stets eine gehorsame, ja selbst sanftmütige Tochter gewesen, aber manchmal überkam ihn das unbehagliche Gefühl, daß, verborgen hinter der sanftmütigen Fügsamkeit, eine ihm völlig unbekannte Frau existierte. Da er einsah, daß es sich jetzt gezieme, behutsam vorzugehen, unterdrückte er seine Erbitterung und sagte in einer ziemlich guten Imitation väterlicher Besorgnis: »Na, na, meine Liebe, welche Grillen hast du dir jetzt wieder in den Kopf gesetzt? Du wirst mir doch nicht erzählen, daß du nicht heiraten *willst*, denn jedes weibliche Wesen wünscht sich's.«

»Ja, allerdings«, sagte sie seufzend.

»Ist es möglich, daß du gegen Ludlow eine Abneigung hast?«

»Nein, Papa.«

»Na also, *dessen* war ich doch gewiß. Ich glaube, in England gibt es keinen beliebteren Menschen, und was euch Damen betrifft...! Wie viele haben sich ihn angeln wollen! Alle unverheirateten Mädchen Londons werden dich beneiden!«

»Glauben Sie das wirklich, Papa? Das wäre allerdings herrlich. Aber vielleicht wäre ich mir völlig entfremdet, mir selbst unverständlich. Ich würde mich nicht wohlfühlen, mich selbst nicht mehr kennen.«

Diese, wie er dachte, völlig unsinnige Äußerung, die seine Pläne zu vereiteln drohte, brachte den Earl aus der Ruhe. Aber er beherrschte sich und sagte, mit so viel Geduld, als er aufzubringen vermochte: »Schon recht, laß es nur gut sein. Natürlich dachte ich nie, daß er sich bemüht, dein Interesse zu erregen, aber ich weiß ganz bestimmt, daß ich ihn auf den Bällen hunderte Male mit dir tanzen sah. Ja, und wie oft sah ich ihn irgendwo plaudernd mit dir sitzen, wenn man angenommen hätte, er würde einer der blendenden Schönheiten den Hof machen, die nur darauf lauern, ihn für immer zu ködern.«

»Er hat sehr gute Manieren«, erklärte sie. »Außerdem hat er sich angewöhnt, mit mir über Clarissa zu sprechen, weil ich sie ja auch kannte und weil sonst niemand es wagte, in seiner Gegenwart ihren Namen auszusprechen.«

»Was, das tut er noch immer?« rief der Earl und hatte den Eindruck, daß hier des Rätsels Lösung liegen könne.

»O nein«, erwiderte sie. »Schon lange nicht mehr.«

»Also, warum, zum Teufel, befaßte er sich dann mit dir, wenn er nicht über die schöne Lincombe sprechen wollte?« fragte er. »Verlaß dich auf mich, er wollte dich eben an sich fesseln.«

»Er hat meine Gesellschaft nie gesucht«, widersprach sie. »Wenn wir uns gelegentlich auf Bällen trafen, war er zu artig und ein zu großer Herr, um an mir vorbeizugehen und mir nicht mehr als eine alltägliche

Verbeugung zu machen.« Sie hielt inne, seufzte und sah ihren Vater flüchtig an. »Wie töricht ich bin! Ich glaube, Sie haben ganz recht. Wahrscheinlich hatte er diese Absicht schon die ganze Zeit, seit Major Ludlow gefallen ist.«

»Natürlich habe ich recht. Und damit macht er dir ein ungeheures Kompliment.«

»O nein«, sagte sie. Hierauf verfiel sie in Schweigen und sah gedankenvoll vor sich hin.

Der Earl begann sich unbehaglich zu fühlen, denn es war unmöglich, ihrem Gesichtsausdruck etwas zu entnehmen, der wohl traurig, aber völlig gelassen war; nur in ihrer Stimme schwang ein beunruhigender Ton, der ihm ihr halsstarriges Benehmen in Erinnerung rief, als er ihr von der einzigen Werbung Mitteilung machte, die er je um ihre Hand erhalten hatte. Er erinnerte sich, wie demütig sie jede seiner Zornesäußerungen ertragen hatte und wie ehrerbietig sie ihn dafür um Verzeihung gebeten, daß sie ihm ungehorsam war. Das hatte sich vor fünf Jahren abgespielt, und da saß sie nun und war noch immer ledig. Nachdem er sie einige Augenblicke betrachtet hatte, sagte er: »Hester, wenn du dir die Chance entgehen läßt, eine höchst ehrenvolle Verbindung einzugehen, dann bist du eine noch größere Närring, als ich dachte.«

Sie richtete ihre Augen auf sein Antlitz, und einen Moment zitterte ein Lächeln auf ihren Lippen. »Nein, Papa, wie wäre das möglich?«

Er beschloß, diese Bemerkung zu ignorieren. »Du und er, ihr beide seid über das Alter der romantischen Höhenflüge hinaus«, drängte er. »Er ist ein ungemein liebenswürdiger Bursche, und ich zweifle nicht, daß er dir ein güter Gatte wäre. Und großzügig obendrein! Du wirst soviel Nadelgeld bekommen, daß deine Schwestern große Augen machen werden, eine bedeutende gesellschaftliche Position einnehmen und Herrin eines schönen Hauses sein. Es handelt sich auch nicht darum, daß deine Zuneigung anderwärts gebunden wäre: dann sähe die Sache natürlich ganz anders aus. Ich sagte das auch Ludlow; obwohl ich für deine Gefühle ihm gegenüber nicht einzustehen vermochte, konnte ich ihm versichern, daß du keine andere Neigung hast.«

»Aber, Papa, das ist doch nicht wahr«, sagte sie. »Meine Neigung gilt doch jemandem – schon seit vielen Jahren!«

Sie sagte das so nüchtern, daß er dachte, er müsse falsch verstanden haben, und eine Widerholung ihrer Bemerkung verlangte. Sie kam dem bereitwillig nach. Wie vom Donner gerührt, rief er aus: »Ich soll dir also glauben, daß du um einen Geliebten getrauert hast, was? Unsinn! Davon höre ich zum erstenmal etwas. Wer, bitte, soll denn dieser Mann sein?«

Sie erhob sich und zog ihren Schal fester um die Schulter. »Das ist unwichtig, Papa. Er hat ja nie an mich gedacht.«

Damit verschwand sie in der etwas unentschlossen Art, die für sie charakteristisch war, und ließ ihn verblüfft und wütend zurück.

Er sah sie erst wieder, als sich die Familie zum Dinner versammelte; jetzt hatte er die Angelegenheit aber so eingehend mit seinem Sohn, seiner Schwiegertochter und seinem Kaplan besprochen, und zwar mit so sublimer Nichtachtung der Ohren seines Butlers, der beiden Diener und seines Kammerdieners, die alle irgendeinmal in Hörweite gerieten, daß sich kaum eine Menschenseele im ganzen Haus befand, die nichts davon wußte, daß Lady Hester einen äußerst schmeichelhaften Heiratsantrag erhalten hatte und ihn abzulehnen beabsichtigte.

Lord Widmore, infolge eines chronischen Magenleidens ständig übler Laune, war ebenso ärgerlich wie sein Vater; aber seine Gattin, eine derbe Frau von bestürzend schroffem Wesen, sagte mit der Vulgarität, für die sie berühmt war: »Ach was, Faxen, nichts als Faxen! Sir, ich wette fünfhundert Pfund, daß Sie sie zu der Heirat zwingen wollen. Das ist so Ihre Art. Überlassen Sie's mir!«

»Sie ist störrisch wie ein Maulesel«, sagte Lord Widmore wütend.

Darüber mußte seine Frau herzlich lachen. Dann aber sagte sie, er solle nicht wie ein Dummkopf sprechen, denn ein fügsameres Wesen habe es nie gegeben.

Das war ganz richtig. Mit Ausnahme ihrer Untüchtigkeit, heiratsfähige Bewerber für sich zu interessieren, gehörte Hester zu jenen Töchtern, die selbst den anspruchsvollsten Vater zufriedenstellen mußten. Sie tat immer das, was man von ihr verlangte, und erhob nie Einwendungen. Sie gab sich weder üblen Launen noch der Hysterie hin; und war sie auch nicht imstande, den richtigen Mann zu fesseln, so hatte sie wenigstens nie einen falschen ermuntert. Sie war aber auch eine gute Schwester, und man konnte sich immer darauf verlassen, daß sie sich in kritischen Zeiten ihrer jungen Nichten und Neffen annehmen werde, oder daß sie geduldig den langweiligsten Kavalier unterhielt, den man wohl oder übel hatte einladen müssen.

Die erste Person, die mit ihr über Sir Gareths Werbung sprach, war nicht Lady Widmore, sondern der Kaplan des Earl, der Reverend Augustus Whyteleafe, der die erste sich bietende Gelegenheit ergriff, um ihr seine eigenen Ansichten über diese Angelegenheit mitzuteilen.

»Ich weiß, daß Sie nichts dagegen haben werden, wenn ich auf ein Thema anspiele, das für Sie schmerzlich sein muß«, erklärte er. »Wie ich vielleicht erwähnen sollte, erwies mir Seine Lordschaft die Ehre, mich ins Vertrauen zu ziehen, weil er dachte, das Wort eines Mannes in meiner Position könnte bei Ihnen ins Gewicht fallen.«

»Oh, Himmel!« sagte Hester schuldbewußt. »So sollte es wenigstens sein.«

»Ich fühle mich aber verpflichtet«, fuhr Mr. Whyteleafe fort, indem er sich in die Brust warf, »Seiner Lordschaft mitzuteilen, daß ich das Amt, Sir Gareth Ludlows Fürsprecher zu sein, nicht auf mich nehmen kann.«

»Wie mutig von Ihnen«, sagte Hester seufzend. »Ich bin sehr froh darüber, denn ich möchte die Angelegenheit ganz und gar nicht besprechen.«

»Es muß Ihnen in der Tat widerwärtig sein. Sie werden mir dennoch gestatten, Lady Hester, Ihnen für Ihre Entscheidung meine Bewunderung auszusprechen.«

Sie sah ihn leicht überrascht an. »Ach, du meine Güte! Tatsächlich! Ich kann mir nur nicht vorstellen, weshalb.«

»Sie haben den Mut, eine Heirat auszuschlagen, die Ihnen nichts als irdischen Glanz bietet. Eine Heirat, die, wie ich glaube, jeder weniger hochgesinnten Dame nur zu willkommen gewesen wäre. Gestatten Sie mir, Ihnen zu sagen, daß Sie genauso handeln, wie Sie handeln sollen: denn ich bin überzeugt, daß nichts als Elend und Unglück aus einer Verbindung zwischen Ihnen und diesem Modelaffen entstehen könnte.«

»Armer Sir Gareth! Ich fürchte, Mr. Whyteleafe, Sie haben recht: für ihn wäre ich eine unerträglich langweilige Frau, nicht wahr?«

»Ein Mann seines frivolen Geschmacks könnte so denken«, pflichtete er ihr bei. »Doch für einen Mann seriöserer Veranlagung ... aber über dieses Kapitel darf ich im Augenblick nicht mehr sagen.«

Hierauf verbeugte er sich, sah sie bedeutungsvoll an, zog sich zurück und hinterließ sie schwankend zwischen Belustigung und Bestürzung.

Ihre Schwägerin, der dieses Zwiegespräch nicht entgangen war, beobachtete sie vom anderen Ende der langen Galerie, in die sich die Gesellschaft nach dem Dinner begeben hatte und trug keinerlei Bedenken, sie später zu fragen, worüber gesprochen worden sei. »Denn wenn er die Unverschämtheit besessen hat, mit dir über den Antrag zu sprechen, den dein Vater erhielt, so hoffe ich, Hetty, daß du ihn gehörig abgefertigt hast. So eine Anmaßung! Aber ich zweifle keinen Augenblick, daß dein Papa ihn aufgehetzt hat. Ich verspreche dir, keine Hemmungen zu haben, um ihm klarzumachen, daß es in diesem Fall nichts nützt, Hunde auf die Fährte zu setzen.«

»Danke. Das ist äußerst gütig. Aber Mr. Whyteleafe versuchte gar nicht, mich zu überreden. In Wirklichkeit sagte er mir, er habe meinem Papa mitgeteilt, daß er es nicht tun werde, was ich sehr mutig von ihm fand.«

»Ja, deshalb war Lord Brancaster auch verdrießlich wie ein Bär. Ich werde dir etwas sagen, Hetty: du tätest gut daran, Ludlows Antrag anzunehmen, ehe Widmore deinem Papa einredet, daß du einen armseligen Pfaffen zum Gatten nehmen willst.«

»Aber das will ich doch nicht«, sagte Hester.

»Du lieber Gott, das weiß ich. Aber ich habe Augen im Kopf und sehe, daß Whyteleafe mit seinen Aufmerksamkeiten immer sonderbarer wird. Das Teuflische daran ist, daß Widmore es ebenfalls bemerkte, und du weißt, meine Liebe, wie schwer von Begriff er ist. Und dein Vater ist ebenso. Ich zweifle nicht, daß er etwas sagte, was dich in eine Zwickmühle bringt.«

»O nein«, sagte Hester ruhig.

»Auf jeden Fall erzählte er dir, daß Ludlow dem Mädchen noch immer nachtrauert, mit dem er, weiß der Teufel vor wie langer Zeit, verheiratet war«, sagte Lady Widmore in ihrer derben Art. »Wenn du meinem Rat folgst, dann beachtest du ihn gar nicht. Denn ich sah noch nie einen Mann, der weniger schwermütig ist als Ludlow.«

»Nein, in der Tat, das ist wahr. Aber auch keinen Mann, der weniger verliebt ist«, bemerkte Hester.

»Und wenn schon. Ich kann dir nur das eine sagen, Hetty: Es kommt nicht sehr oft vor, daß Leute unseres Standes aus Liebe heiraten. Sieh mich an. Du wirst doch nicht glauben, ich wäre jemals in den armen Widmore verliebt gewesen! Nein, ich war es nie, ebensowenig wie du es bist. Und als mir der Heiratsantrag gemacht wurde, nahm ich ihn an, weil es für ein Mädchen nichts Ärgeres gibt, als sitzenzubleiben.«

»Man gewöhnt sich daran«, sagte Hester. »Kannst du dir denn vorstellen, Almeria, Sir Gareth und ich könnten – könnten zueinander passen?«

»Du guter Gott, natürlich. Warum nicht? Hätte sich mir nur diese Chance geboten, mit beiden Händen hätte ich zugegriffen!« erwiderte Lady Widmore aufrichtig. »Ich weiß, daß du ihn nicht liebst, aber was hat das damit zu tun? Überleg dir's sorgfältig, Hetty. Es ist kaum wahrscheinlich, daß du noch einen Antrag erhältst, keinesfalls aber einen so vorteilhaften, obwohl ich glaube, daß sich Whyteleafe erklären wird, sowie er seine Beförderung erhalten hat. Nimm Ludlow, und du wirst ein schönes Vermögen besitzen, eine erstklassige gesellschaftliche Stellung einnehmen und überdies einen liebenswürdigen Gatten haben. Weisest du ihn aber ab, dann stirbst du als alte Jungfer, gar nicht davon zu reden, daß du gezwungen wärest, dir die Vorwürfe deines Vaters und Widmores für ewige Zeiten anzuhören.«

Hester lächelte schwach. »Man gewöhnt sich auch daran. Ich habe mir manchmal gedacht, daß ich, wenn Papa einmal stirbt, ganz allein für mich in einem kleinen Häuschen leben möchte.«

»Na, das wird dir nie gelingen«, sagte Lady Widmore in schneidenden Tönen. »Deine Schwester Susan würde schön über dich herfallen. *Dafür* verbürge ich mich! Das würde ihr so passen, dich um sich zu haben, damit du ihr ständig zu Diensten stehst und dich überdies noch als Gouvernante für ihre häßlichen Bälger betätigst. Und Widmore würde es für eine erstklassige Idee halten, so daß du weder von ihm noch von Gertrude oder Constance eine Unterstützung erwarten kannst. Und, meine Liebe, es wäre eine völlig unsinnige Vorstellung anzunehmen, daß du gegen sie etwas ausrichten könntest, denn du besitzt nicht für einen Penny Mut. Wenn du dir ein eigenes Heim wünscht, dann mußt du Ludlow nehmen und dich dafür glücklich preisen, denn auf andre Weise erhältst du keines.«

Mit diesen äußerst ermunternden Worten begab sich Lady Widmore in ihr eigenes Schlafzimmer, blieb aber unterwegs stehen, um ihrem Gatten mitzuteilen, vorausgesetzt, daß er und sein Vater den Mund halten könnten, glaube sie, das Kunststück fertiggebracht zu haben.

Lady Hester aber, nachdem sie ihre Kammerfrau entlassen, die Kerzen gelöscht und die Vorhänge dicht um ihr Bett gezogen hatte, vergrub ihr Gesicht in die Kissen und weinte sich still in den Schlaf.

3

Drei Tage nach diesen Ereignissen verließ Sir Gareth London. In glücklicher Unkenntnis der verzweifelten Unschlüssigkeit, in die er seine auserwählte Braut durch seinen Antrag gestürzt hatte, fuhr er in ziemlich gemächlichem Tempo Cambridgeshire entgegen. Er kutschierte sein eigenes Sportkabriolett, vor das ein Paar auffallend schöner, genau aufeinander abgestimmter Füchse gespannt war. Er unterbrach seine Reise auf dem nicht weit von Baldock befindlichen Besitz einer befreundeten Familie, wo er zwei Nächte blieb, um seine Pferde ausruhen zu lassen. Er hatte seinen ersten Reitknecht mitgenommen, jedoch nicht seinen Kammerdiener, ein Umstand, der weit eher den Widerwillen dieses außerordentlich geschickten Gentlemans erregte, als ihn zu überraschen. Sir Gareth, der dem Kreis der eleganten Stutzer angehörte, war stets blendend gekleidet. Er war aber sehr wohl imstande, den erwünschten Effekt auch ohne die Hilfe des Genies zu erzielen, das die Oberaufsicht über seine Garderobe hatte. Der Gedanke, daß fremde Hände seine Röcke bügeln oder minderwertige Schuhpaste für seine hessischen Reitstiefel verwenden könnten, verursachte Sir Gareth nicht die geringste Seelenpein.

Man erwartete ihn nicht vor dem späten Nachmittag in Brancaster Park. Da es aber ein schwüler Julitag war, trat er den Rest seiner Reise zu früher Stunde an, ließ seine Pferde in gemächlichem Tempo traben und unterbrach seine Fahrt, als er sich nach zwanzig Meilen in dem Dörfchen Caxton befand, um einen Imbiß zu nehmen. Der Ort konnte sich nur eines einzigen Postgasthofes rühmen, und der war ziemlich bescheiden; als Sir Gareth ins Gastzimmer schlenderte, fand er den Wirt in einem ziemlich heftigen Disput mit einer jungen Dame begriffen, die ein Kleid aus geblümtem Musselin trug und ein Basthütchen äußerst kleidsam über eine Flut seidenweicher schwarzer Locken gebunden hatte.

Der Wirt ließ die Dame ohne weitere Umstände stehe, sowie er die offensichtlich den höchsten Kreisen angehörende Standesperson auf der Schwelle erblickte, eilte dem Neuankömmling entgegen, verbeugte sich und bat, ihn wissen zu lassen, in welcher Weise er die Ehre haben könne, ihm zu dienen.

»Es hat Zeit, mir zu dienen, wenn Sie die Dame hier bedient haben«, erwiderte Sir Gareth, dem der entrüstete Ausdruck in den großen Augen der Dame nicht entgegangen war.

»O nein, Sir, nein, wirklich nicht. Ich stehe ganz zur Verfügung – und bin sehr glücklich, Euer Gnaden sofort dienen zu dürfen«, versicherte der Wirt. »Ich habe der jungen Person soeben erklärt, sie könne in der ›Rose‹ oder in der ›Krone‹ ein Unterkommen finden.«

Obwohl diese Worte mit gesenkter Stimme hinzugefügt wurden, erreichten sie dennoch die Ohren der Dame und veranlaßten sie, in äußerster Entrüstung zu sagen: »Ich bin *keine* junge Person, und wenn ich in Ihrem abscheulichen Gasthof zu bleiben wünsche, *werde* ich hierbleiben, und es hat keinen Zweck, mir zu sagen, daß Sie kein Zimmer frei haben, weil ich's Ihnen einfach nicht glaube.«

»Ich habe Ihnen schon früher gesagt, Miss, daß dies eine Poststation ist, und daß wir hier keine jungen Per – Frauen – aufnehmen, die hier hereinspazieren und nicht mehr Gepäck haben als zwei Hutschachteln«, sagte der Wirt ärgerlich. »Ich weiß nicht, welcher Beschäftigung Sie nachgehen, ich will es auch nicht wissen, aber für Sie habe ich kein Zimmer, und das ist mein letztes Wort!«

Sir Gareth hatte sich taktvoll in die Fensternische zurückgezogen und betrachtete das wütende kleine Gesichtchen unter dem Basthut. Es war ein bezauberndes Gesicht mit großen dunkeln Augen, einem reizenden, eigenwilligen Mund und einem höchst entschlossenen Kinn. Es war aber auch ein sehr jugendliches, jetzt zorngerötetes Gesicht. Der Wirt betrachtete dessen Besitzerin offenbar als ein völlig unbedeutendes weibliches Wesen. Aber weder die Stimme des Kindes noch ihre entschieden herrischen Manieren deuteten auf niedrige Herkunft. Der Verdacht, sie könnte aus einem Internat für junge Damen durchgebrannt sein, ging Sir Gareth durch den Sinn. Er schätzte, daß sie ungefähr im gleichen Alter wie seine Nichte sein müsse, und sie erinnerte ihn auf unerklärliche Weise an Clarissa.

Nicht, daß sie Clarissa etwa wirklich ähnlich gesehen hätte, denn sie war ja unsagbar schön gewesen. Vielleicht, dachte er mit einem kleinen Herzklopfen, lag die Ähnlichkeit in dem eigenwilligen Blick, in der Haltung des eigensinnigen Kinns. Auf jeden Fall war sie viel zu jung und viel zu hübsch, um unbegleitet durchs Land zu ziehen; man hätte kaum einen unpassenderen Ort für sie finden können als den gewöhnlichen Gasthof, in den der Wirt sie weisen wollte. War sie tatsächlich ein entlaufenes Schulmädel, dann geziemte sich's ohne Zweifel für einen Ehrenmann, sie ihrer Familie wiederzubringen.

Sir Gareth trat vom Fenster zurück und sagte mit gewinnendem Lächeln: »Verzeihen Sie, kann ich Ihnen vielleicht behilflich sein?«

Sie sah ihn unentschlossen an, keineswegs schüchtern, sondern vielmehr den freimütigen Blick forschend auf ihn gerichtet. Bevor sie zu antworten vermochte, erklärte der Wirt, für den Gentleman bestehe durchaus kein Grund, sich zu bemühen. Er hätte sich darüber noch weiter verbreitet, wurde aber daran gehindert. Sir Gareth sagte in freundlichem, aber dennoch gebieterischem Ton: »Mir scheint allerdings beträchtlicher Grund vorzuliegen. Es kommt gar nicht in Frage, daß die junge Dame die Nacht in der ›Rose‹ oder in der ›Krone‹ verbringt.« Er lächelte der jungen Dame wieder ermunternd zu. »Vielleicht sagen Sie mir, wohin Sie sich zu begeben wünschen? Ich glaube nicht, daß Ihre Mama Ihnen gestatten würde, ohne Zofe in irgendeinem Gasthof abzusteigen.«

»Ach was, ich habe keine Mama«, erwiderte die Dame mit triumphierender Miene.

»Wie bitte? Also dann Ihr Papa?«

»Ich habe auch keinen Papa!«

»Ach, ich verstehe, Sie glauben mich jetzt in die Enge getrieben zu haben«, sagte er belustigt. »Da Ihre beiden Eltern tot sind, werden wir wohl nie erfahren, was sie über diesen Punkt gedacht hätten. Wie wäre es, wenn wir die Sache bei einer kleinen Erfrischung besprechen? Was darf ich Ihnen anbieten?«

Ihre Augen leuchteten auf, und sie sagte aufrichtig: »Ich wäre Ihnen *sehr* verpflichtet, Sir, wenn Sie mir ein Glas Limonade bestellen wollten. Ich bin schrecklich durstig, und dieser abscheuliche Mann wollte mir keine bringen.«

Der Wirt sagte aufbrausend: »Euer Gnaden! Die Miss kam hier herein, so wie Sie es sehen, und wollte zuerst von mir wissen, wann die nächste Post nach Huntingdon fällig ist; als ich ihr sagte, daß es vor morgen keine gäbe, fragte sie mich, ob ich ein Zimmermädchen brauche, und als ich ihr sagte, daß ich keines benötigte, stand sie auf und erklärte, sie wolle ein Zimmer für die Nacht mieten. Nun bitte ich Euer Gnaden, selbst zu urteilen ...«

»Lassen Sie das!« unterbrach ihn Sir Gareth, und nur ein kaum merkliches Zittern seiner Stimme verriet das Lachen, das ihn zu überwältigen drohte. »Seien Sie so freundlich, der Dame ein Glas Limonade zu bringen, und für mich einen Krug Ihres Haustrunks. Dann werden wir sehen, wie wir dieses Durcheinander entwirren können.«

Der Wirt begann, etwas von der Achtbarkeit seines Hauses zu murmeln, überlegte sich's aber und zog sich zurück.

Sir Gareth zog einen Stuhl unter dem Tisch hervor, ließ sich nieder und sagte in überredendem Ton: »Und jetzt, da wir ihn los sind, können Sie sich entschließen, mir zu sagen, wer Sie sind, und wie es kommt, daß Sie auf diese etwas ungewöhnliche Weise durchs Land ziehen? Und – wenn ich mich vorstellen darf – mein Name ist Ludlow – Sir Gareth Ludlow, und ich stehe völlig zu Ihren Diensten!«

»Sehr erfreut«, erwiderte die Dame höflich.

»Nun?« sagte Sir Gareth mit spöttischem Augenzwinkern. »Soll ich Sie, wie der Wirt, einfach Miss nennen? Ich kann Sie wirklich nicht mit Madam ansprechen, denn Sie erinnern mich zu sehr an meine älteste Nichte, wenn sie Unfug getrieben hat.«

Sie hatte ihn ziemlich forschend betrachtet. Diese Bemerkung schien sie aber zu beruhigen, was auch beabsichtigt gewesen war. Sie sagte: »Mein Name ist Amanda, Sir. Amanda S-Smith.«

»Amanda Smith, ich bedaure, Ihnen mitteilen zu müssen, daß Sie ein schrecklich verlogenes Mädchen sind«, sagte Sir Gareth ruhig.

»Es ist doch ein sehr anständiger Name«, versuchte sie sich zu rechtfertigen.

»Amanda ist ein bezaubernder Name, und Smith in seiner Art recht verbreitet. Er ist aber nicht Ihr Zuname. Also los!«

Sie schüttelte den Kopf, ein Bild reizenden Eigensinns. »Ich werde Ihnen nichts verraten. Wenn ich es täte, dann wüßten Sie, wer ich bin, und ich habe einen ganz bestimmten Grund, weshalb niemand meinen Namen erfahren darf.«

»Sind Sie aus der Schule durchgebrannt?« fragte er.

Sie richtete sich ärgerlich auf. »Natürlich nicht! Ich bin kein Schulmädel. Ich bin in der Tat fast siebzehn Jahre, und in kurzer Zeit werde ich eine verheiratete Dame sein.«

Er nahm das nur mit einem flüchtigen Blick zur Kenntnis und bat mit geziemendem Ernst um Vergebung. Glücklicherweise kehrte der Wirt in diesem Moment mit der Limonade und dem Bier zurück. Er bot ihnen etwas unwillig frisch gebackene Törtchen an, falls die Miss darauf Lust haben sollte. Sir Gareth beschloß aus dem hoffnungsfrohen Aufleuchten von Amandas Augen, daß sie sehr große Lust darauf hatte, befahl, eine Schüssel davon zu bringen, und fügte hinzu: »Und bitte auch etwas Obst.«

Durch seine Freigebigkeit besänftigt, sagte Amanda herzlich: »Danke! Um die Wahrheit zu gestehen, ich bin schrecklich hungrig. Sind Sie tatsächlich ein Onkel?«

»Wahr und wahrhaftig.«

»Nun, das hätte ich nie gedacht, meine Onkel sind die spießigsten Leute!«

Sie war unterdessen mit sechs Törtchen und dem größten Teil einer Schüssel Kirschen fertiggeworden, und die herzlichste Beziehung zu ihrem Gastgeber war hergestellt. Das Angebot, sie nach Huntingdon zu bringen, nahm sie dankbar an und bat, im »George« abgesetzt zu werden. Als sie die kleine Furche auf Sir Gareths Stirn gemerkte, fügte sie zuvorkommend hinzu: »Oder, wenn Sie es vorziehen, Sir, im ›Fountain‹.«

Die Furche blieb. »Erwartet Sie jemand in einem der Gasthöfe, Amanda?«

»O ja«, erwiderte sie munter.

Er öffnete seine Schnupftabakdose und nahm gemächlich eine Prise. »Ausgezeichnet! Ich werde Sie mit dem größten Vergnügen hinbringen . . .«

»Danke«, sagte sie und lächelte ihn strahlend an.

». . . und Sie der Obhut desjenigen übergeben, der Sie ohne Zweifel dort erwartet«, setzte Sir Gareth liebenswürdig hinzu.

Sie sah ziemlich betreten drein und sagte nach einem inhaltsschweren Augenblick: »Ich glaube nicht, daß Sie das tun sollten, weil sie sich höchstwahrscheinlich verspäten werden.«

»Dann leiste ich Ihnen so lange Gesellschaft, bis sie eintreffen.«

»Sie könnten sich *sehr* stark verspäten.«

»Oder sie könnten überhaupt nicht kommen«, schlug er vor. »Und jetzt hören Sie auf, mich weiter zu beschwindeln, mein Kind! Ich bin viel zu erfahren, um auf diese Art überlistet zu werden. Es kommt bestimmt niemand, um Sie in Huntingdon abzuholen, und Sie können sich damit abfinden, daß ich Sie weder im ›George‹ noch im ›Fountain‹, noch in irgendeinem andern Gasthof absetzen werden.«

»Dann werde ich eben nicht mit Ihnen fahren«, erklärte Amanda. »Was wollen Sie dagegen tun?«

»Das weiß ich noch nicht genau«, erwiderte er. »Aber entweder übergebe ich Sie der Obhut des Distriktspolizisten oder der des Vikars.«

Sie rief zornig: »Ich will aber in niemandes Obhut gegeben werden. Ich finde, Sie mischen sich viel zu sehr in meine Angelegenheiten! Sie sind der widerlichste Mensch, den ich je kennengelernt habe, und ich möchte, daß Sie endlich gehen und es mir überlassen, für mich selbst zu sorgen, wozu ich sehr wohl imstande bin.«

»Das glaube ich Ihnen«, stimmte er zu. »Ich fürchte aber, ebenso spießig zu sein wie Ihre Onkel, was eine äußerst demütigende Feststellung ist.«

»Wären Ihnen alle Umstände bekannt, dann würden Sie, davon bin ich überzeugt, nicht alles verpatzen«, bestürmte sie ihn.

»Aber ich kenne die Umstände nicht«, erklärte er.

»Ja – also – wenn ich Ihnen nun sagen würde, daß ich einer Verfolgung entronnen bin . . .«

»Dann würde ich Ihnen nicht glauben. Wenn Sie nicht aus der Schule durchgebrannt sind, dann müssen Sie von zu Hause weggelaufen sein, und vermutlich geschah es deshalb, weil Sie sich in jemanden verliebten, mit dem Ihre Verwandten nicht einverstanden sind. In Wirklichkeit versuchen Sie, sich entführen zu lassen, und wenn Sie überhaupt jemand in Huntingdon erwartet, dann ist es der Gentleman, mit dem Sie – wie Sie mir selbst mitteilten – in kurzer Zeit verheiratet sein werden.«

»Nun, da irren Sie sich aber gewaltig«, erklärte sie. »Ich beabsichtige nicht, mich entführen zu lassen, obwohl es bedeutend besser wäre und außerdem äußerst romantisch. Das war natürlich mein erster Plan.«

»Und was veranlaßte Sie, davon abzugehen?« fragte er.

»Er wollte nicht mit mir kommen«, sagte Amanda unbefangen. »Er sagte, es gehöre sich nicht, und er wolle mich nicht ohne die Einwilligung meines Großpapas heiraten, weil er ein Mann von Ehre ist. Er ist Soldat, und in einem *sehr* vornehmen Regiment, wenngleich in keinem Kavalleriegiment. Mein Großpapa und mein Papa waren beide Husaren. Neil ist von der Pyrenäischen Halbinsel auf Krankenurlaub gekommen.«

»Ich verstehe. Fieber oder verwundet?«

»Er empfing einen Schuß in die Schulter, und sie konnten die Kugel monatelang nicht herausbringen. Deshalb schickte man ihn nach Hause.«

»Und haben Sie ihn erst vor kurzem kennengelernt?«

»Du lieber Himmel, nein. Ich habe ihn schon immer gekannt. Er wohnt auf – er lebt in der Nähe meiner Heimat. Das heißt, seine Familie lebt dort. Unglücklicherweise ist er ein jüngerer Sohn, was mein Großpapa aufs tiefste verabscheut, weil mein Papa auch ein jüngerer Sohn war. Daher besitzen wir beide auch nur recht bescheidene Vermögen. Da nun Neil unter allen Umständen beabsichtigt, General zu werden, ist das auch ganz unwichtig. Außerdem wünsche ich mir gar kein großes Vermögen. Ich glaube nicht, daß ich irgend etwas damit anzufangen wüßte, außer vielleicht, Neil eine Beförderung zu kaufen, aber selbst das würde ihm nicht passen, denn er zieht es vor, durch eigenes Können zu avancieren.«

»Sehr richtig«, sagte Sir Gareth ernsthaft.

»Ja, das glaube ich auch. Und dann, müssen Sie wissen, im Krieg gibt es immer eine Menge günstiger Gelegenheiten. Neil hat bereits eine Kompanie unter sich, und ich kann Ihnen verraten, daß er, als er nach Hause zurückkehren mußte, bereits Brigademajor war.«

»Das ist bestimmt hervorragend. Wie alt ist er?«

»Vierundzwanzig, aber ich kann Ihnen versichern, er ist ein sehr abgehärteter Krieger, und es ist barer Unsinn, wenn jemand annimmt, daß er nicht für mich sorgen kann. Was denn, er kann doch für eine ganze Brigade sorgen!«

Er lachte: »Vergleichsweise ist *das* vermutlich ein Kinderspiel.«

Plötzlich sah sie übermütig aus. »Nein, denn ich bin die Tochter eines Soldaten, und ich würde Neil nie lästig fallen! Oh, wenn ich ihn nur heiraten könnte, um mit ihm dem Klang der Trommeln zu folgen! Und wenn ich nicht in die Gesellschaft eingeführt werden und zu den abscheulichen Bällen ins Almack gehen müßte, um mit einem widerwärtigen Mann verheiratet zu werden, der ein Riesenvermögen und einen Titel besitzt.«

»Es ist bestimmt sehr unangenehm, mit einem widerwärtigen Mann verheiratet zu sein«, pflichtete er ihr bei, »aber wissen Sie, dieses Los trifft nicht jeden, der ins Almack geht. Glauben Sie nicht, daß es ganz lustig wäre, ein wenig mehr von der Welt kennenzulernen, bevor Sie heiraten?«

Sie schüttelte den Kopf so kräftig, daß ihre dunklen Locken unter dem Hutrand tanzten. »*Nein*! Das hat mein Großpapa auch gesagt, und er veranlaßte meine Tante, mich nach Bath zu bringen. Dort habe ich schrecklich viele Leute kennengelernt, und ich ging auf alle Bälle, obwohl ich noch nicht eingeführt bin, aber ich habe Neil auch dort nicht vergessen. Und wenn Sie vielleicht glauben, Sir, daß ich keinen Erfolg hatte, dann kann ich Ihnen nur sagen, daß Sie sich auf dem Holzweg befinden.«

»Ich bin überzeugt, daß Sie großen Erfolg hatten«, erwiderte er lächelnd.

»Den hatte ich«, sagte sie aufrichtig. »Man machte mir hunderte Komplimente, und ich tanzte jeden Tanz. Sie sehen also, daß ich alles kenne, womit sich die vornehme Welt unterhält, dennoch würde ich viel lieber mit Neil in einem Zelt leben.«

Er fand es einerseits ungemein kindlich und anderseits unreif, und war gerührt. Er sagte leise: »Vielleicht werden Sie eines Tages mit Neil in einem Zelt leben. Aber Sie sind zu jung, um zu heiraten, Amanda, und es wäre viel besser, noch ein oder zwei Jahre zu warten.«

»Ich habe bereits zwei Jahre gewartet, denn ich bin seit meinem fünfzehnten Jahr mit Neil heimlich verlobt. Und ich bin keineswegs zu jung, um zu heiraten, denn Neil kennt einen Offizier von den Fünfundneunzigern, der mit einer Spanierin verheiratet ist, und die ist *viel* jünger als ich.«

Hierauf war nichts zu sagen, und Sir Gareth wechselte das Thema, denn er hatte jetzt schon bemerkt, daß die Aufgabe, Amanda zu beschützen, ziemlich schwierig war. »Sehr gut, da Sie aber im Augenblick nicht beabsichtigen, sich entführen zu lassen, was, wie ich zugeben muß, in Abwesenheit Ihres Brigademajors höchst unwahrscheinlich ist – so möchte ich von Ihnen erfahren, was Sie sich davon erhoffen, von zu Hause davonzulaufen und in dieser etwas unkonventionellen Weise im Lande umherzuziehen?«

»Sir«, sagte Amanda stolz, »das ist Strategie!«

»Ich fürchte«, sagte Sir Gareth sich entschuldigend, »daß ich durch diese Erklärung nicht gescheiter bin als zuvor.«

»Na ja«, sagte sie vorsichtig, »es kann auch Taktik sein. Allerdings sagt man das nur dann, wenn man angesichts des Feindes Truppen verschiebt, und derzeit ist der Feind natürlich nicht zugegen. Ich finde es ziemlich verwirrend, zwischen den beiden Begriffen zu unterscheiden, und es ist wirklich schade, daß Neil nicht hier ist. Denn darauf können Sie sich verlassen, er weiß es ganz genau und könnte Ihnen alles erklären.«

»Ja, ich glaube selbst, es ist jammerschade, daß er nicht hier ist, auch wenn er nicht so zuvorkommend wäre, es mir zu erklären«, pflichtete ihr Sir Gareth bei.

Amanda, die über ihr Problem nachgegrübelt hatte, sagte jetzt: »Ich glaube, der richtige Ausdruck ist: Kriegsplan! Ja, das ist es. Wie dumm von mir! Es überrascht mich gar nicht, daß Sie nicht verstanden, was ich meinte.«

»Ich verstehe noch immer nicht. Worin besteht also Ihr Kriegsplan?«

»Also gut, ich will es Ihnen verraten, Sir«, sagte Amanda, gar nicht unzufrieden, beschreiben zu können, was sie offenbar für das Meisterstück eines Generalstabsplanes hielt. »Als Neil erklärte, daß er mich unter keinen Umständen nach Gretna Green bringen werde, war ich natürlich gezwungen, mir einen anderen Plan auszudenken. Obwohl ich annehme, daß Neil Ihnen recht erbärmlich erscheinen muß, kann ich nur versichern: das ist er keineswegs, und Sie dürfen so etwas nicht von ihm glauben.«

»Beruhigen Sie sich über diesen Punkt: ich glaube es nicht«, erwiderte Sir Gareth.

»Und es ist auch nicht darum, weil er mich nicht heiraten will, denn das will er, und er sagt, er werde mich selbst dann heiraten, wenn wir warten müßten, bis ich großjährig bin«, versicherte sie ernsthaft. Nach einer düsteren Pause fügte sie hinzu: »Aber ich muß gestehen, es bleibt mir ein Rätsel, wie es kommt, daß er, wie alle behaupten, tatsächlich ein guter Soldat ist, wenn er doch nicht die leiseste Ahnung von einem Handstreich oder einer Attacke hat. Glauben Sie, es kommt daher, daß er unter Lord Wellingtons Kommando kämpft, wo er ständig zum Rückzug gezwungen ist?«

»Sehr wahrscheinlich«, erwiderte Sir Gareth mit bewunderungswürdig gefaßtem Gesichtsausdruck. »Stellt Ihre Flucht eine Art Attacke dar?«

»Ja, natürlich. Denn es war ungemein wichtig, unverzüglich zu handeln. Neil kann jetzt jeden Augenblick abkommandiert werden, um zu seinem Regiment zurückzukehren, und wenn er mich jetzt nicht mitnimmt, werde ich ihn möglicherweise viele, viele Jahre nicht wiedersehen! Und es ist zwecklos, mit meinem Großpapa darüber zu streiten oder ihn überreden zu wollen, denn er sagt nur immer wieder, daß ich das alles bald vergessen werde, und dann macht er mir die blödsinnigsten Geschenke.«

Hatte sich Sir Gareth Amandas Großvater je als einen Tyrannen vorgestellt, mußte er jetzt sein Urteil ändern. Er sagte: »Ich erwartete, von Ihnen zu hören, daß er Sie in Ihr Zimmer eingesperrt hat.«

»O nein«, versicherte sie ihm. »Tante Adelaide hat das einmal gemacht, als ich noch ein ganz kleines Mädchen war, aber ich kletterte aus dem Fenster in die große Ulme, worauf Großpapa erklärte, ich dürfte nie wieder eingesperrt werden. Auf eine Weise tut's mir leid, denn ich glaube, wenn ich eingesperrt worden wäre, dann wäre Neil vielleicht einverstanden gewesen, mich zu entführen. Aber da mein Großpapa nichts anderes tut, als mir Geschenke zu machen, über meine Vorstellung bei Hof zu sprechen und mich nach Bath auf Bälle zu schicken, sah Neil natürlich nicht den geringsten Grund gegeben, mich zu befreien. Er sagte lediglich, wir müssen Geduld haben. Aber ich habe gesehen, was dabei herauskommt, wenn man geduldig ist«, sagte Amanda mit kaltem Blick, »nein, *davon* halte ich nichts.«

»Und was kommt dabei heraus?« erkundigte er sich.

»Nichts!« antwortete sie. »Vielleicht werden sie mir nicht glauben, aber Tante Adelaide verliebte sich genau so wie ich, als sie ganz jung war, und es ist *genau* dasselbe geschehen. Großpapa sagte ihr, sie sei zu jung, und er wünsche, daß sie einen vermögenden Mann heirate; hierauf entschloß sie sich, geduldig zu sein. Und was glauben Sie, geschah *dann*?«

»Ich habe nicht die geringste Ahnung. Bitte, sagen Sie's mir.«

»Also gut. Schon nach zwei Jahren heiratete ihr Bewerber ein ekelhaftes Frauenzimmer und mit ihr zehntausend Pfund; sie hatten sieben Kinder, und er starb an einer Lungenentzündung. Aber nichts davon hätte sich ereignet, wenn Tante Adelaide nur einen Funken Entschlossenheit und Mut besessen hätte. Folglich bin ich entschlossen, nicht zu entsagen, denn obwohl die Leute einen für die Entsagung loben, kann ich nicht einsehen, welchem nützlichen Zweck sie dient. Hätte Tante Adelaide ihren Bewerber geheiratet, dann hätte er keine Lungenentzündung bekommen, denn sie hätte bestimmt besser auf ihn aufgepaßt. Und falls Neil nochmals verwundet wird, werde *ich* ihn pflegen, und ich werde *niemandem* gestatten – selbst Lord Wellington nicht –, ihn auf einen dieser schrecklichen Karren zu legen, was, wie er mir erzählte, viel schwerer auszuhalten ist als alles übrige.«

»Davon bin ich überzeugt. Aber nichts von alldem erklärt mir, warum Sie von zu Hause davongelaufen sind«, bemerkte er.

»Ach, einfach deshalb, um meinen Großpapa zu zwingen, seine Zustimmung zu unserer Heiat zu geben«, sagte sie strahlend. »Und auch, um ihm zu beweisen, daß ich kein Kind, sondern im Gegenteil sehr wohl imstande bin, für mich selbst zu sorgen. Er glaubt, weil ich gewöhnt bin, bedient zu werden, könnte ich mich nicht zurechtfinden, wenn ich in Militärquartieren oder vielleicht in Zelten leben müßte. Das ist aber lächerlich, denn das fiele mir nicht schwer. Es hat aber keinen Sinn, dem Großpapa etwas zu *sagen* – man muß es ihm *beweisen*. Sehen Sie, er glaubte nicht, daß ich aus dem Fenster klettern würde, als sie mich in mein Zimmer einsperrten, obwohl ich ihn vorher darauf aufmerksam machte. Zuerst wollte ich mich weigern, etwas zu essen, bis er einwilligte – ich weigerte mich tatsächlich einen ganzen langen Tag, dann wurde ich aber so entsetzlich hungrig, daß ich mir dachte, es sei doch kein so glänzender Plan, besonders weil es zum Dinner zufällig Hummer mit Buttersauce und eine Eisbombe gab.«

»Auf zwei so köstliche Gerichte konnten Sie natürlich nicht verzichten«, sagte er teilnehmend.

»Nein«, gestand sie. »Außerdem hätte es Großpapa auch nicht bewiesen, daß ich wirklich imstande bin, für mich selbst zu sorgen, was, wie ich glaube, sehr wichtig ist.«

»Sehr wahr. Man kann sich der Ansicht nicht verschließen, daß es genau die gegenteilige Vorstellung in ihm erweckt hätte. Jetzt erklären Sie mir aber, warum Sie dachten, daß Sie Ihr Ziel erreichen, wenn Sie durchbrennen?«

»Na ja, damit erreiche ich es auch nicht, wenigstens nicht mit diesem Teil meines Plans. *Dadurch* wollte ich ihn bloß ängstigen.«

»Ich zweifle nicht, daß Ihnen das gelungen ist, aber wollen Sie ihn denn wirklich absichtlich ängstigen?«

»Nein, das gerade nicht... Er ist aber an allem selbst schuld, weil er so unfreundlich und eigensinnig ist. Außerdem handelt sich's um meinen Kriegsplan, und man kann, wenn man eine Schlacht plant, das Zartgefühl des Feindes nicht berücksichtigen«, sagte sie überzeugend. »Sie können sich nicht vorstellen, wie schwierig die Entscheidung war, was am richtigsten ist. Ich war deshalb fast in der größten Verlegenheit, aber da entdeckte ich durch Zufall eine Annonce in der Morning Post. Darin stand, daß eine Dame, die in – na ja, die also nicht weit von St. Neots lebt, ein vornehmes junges Mädchen als Gouvernante für ihre Kinder sucht. Mir war natürlich sofort klar, daß es genau das ist, was ich suchte.«

Ein unterdrückter Laut veranlaßte sie, Sir Gareth forschend anzusehen. »Sir?«

»Ich habe nichts gesagt. Bitte, erzählen Sie weiter. Ich entnehme Ihren Worten, daß Sie sich für diesen Posten geeignet hielten?«

»Selbstverständlich!« entgegnete sie würdevoll. »Ich bin von vornehmer Geburt, ich bin jung und wurde, wie ich Ihnen versichern kann, äußerst sorgfältig erzogen. Und da ich selbst verschiedene Gouvernanten hatte, wußte ich genau, was in einem solchen Falle zu geschehen hat. Ich schrieb also der Dame, gab vor, meine Tante zu sein und den Wunsch zu haben, ihr die Gouvernante meiner Nichte zu empfehlen, die sie in *jeder* Beziehung zufriedengestellt hat und die in jeder Hinsicht ein ungemein talentiertes, vortreffliches junges Mädchen ist. Sie ist nicht nur imstande, Klavierstunden zu geben, sondern auch Unterricht in Aquarellmalerei und Geographie. Außerdem ist sie auch in der Kunst feiner Handarbeit und in Fremdsprachen bewandert.«

»Ein eindrucksvolle Liste«, bemerkte er.

»Na ja, ich glaube schon, daß es sehr gut klingt«, gab sie zu und nahm sein Lob durch rosiges Erröten zur Kenntnis.

»Schön... hm... ist das alles zufällig auch wahr?«

»Natürlich ist es wahr! Das heißt – man behauptet, daß mein Klavierspiel recht gut ist, ich kann aber auch ein wenig singen, und Zeichnen vor allem ist meine Lieblingsbeschäftigung. Ich habe selbstverständlich auch Französisch gelernt und vor kurzem auch mit Spanisch begonnen, denn obwohl Neil behauptet, daß wir im Nu über die

Pyrenäen hinweg sein werden, kann man nie wissen; außerdem könnte es vielleicht sehr nützlich sein, wenn man spanisch konversieren kann. Ich gebe zu, daß ich nicht ganz sicher bin, ob ich diese Dinge auch *unterrichten* könnte, aber das macht nichts, denn ich hatte nie die Absicht, länger als ein paar Wochen Gouvernante zu bleiben. Die Sache ist nämlich die, daß ich nicht viel Geld habe, und wenn ich durchbrenne, bin ich gezwungen, mir so lange mein Brot zu verdienen, bis mein Großpapa kapituliert. Ich habe ihm natürlich einen Brief hinterlassen, in dem ich ihm alles auseinandersetzte und erklärte, nicht nach Hause zu kommen oder ihm zu verraten, wo ich mich aufhalte, bis er mir feierlich verspricht, Neil sofort heiraten zu dürfen.«

»Verzeihen Sie«, warf er ein, »wenn Sie die Verbindung mit ihm abgebrochen haben, wie soll er Sie da von seiner Kapitulation verständigen?«

»Auch dafür ist vorgesorgt«, erwiderte sie stolz. »Ich verlangte, daß er in der Morning Post eine Annonce einschalten läßt! Ich habe nichts dem Zufall überlassen, was ihm beweisen soll, daß ich kein dummes kleines Mädchen, sondern im Gegenteil eine höchst verantwortungsbewußte junge Dame bin, die alt genug ist, um zu heiraten. Ja, und ich habe mir auch keinen Platz in der Postkutsche reservieren lassen, denn das wäre sehr töricht gewesen, weil sie sonst möglicherweise leicht entdeckt hätten, wohin ich gefahren bin. Ich habe mich lieber im Karren des Fuhrmanns versteckt. Diese Absicht hatte ich von allem Anfang an, und es war ein besonders glücklicher Zufall, daß die Dame, die eine Gouvernante sucht, in der Nähe von St. Neots wohnt.«

»Ach, sie engagierte Sie also?« sagte Sir Gareth, außerstande, sein Erstaunen ganz zu verbergen.

»Ja, weil ich mich ihr so angelegentlich empfohlen hatte. Scheinbar mußte die alte Gouvernante ganz plötzlich nach Hause zurückkehren, um ihrem Vater den Haushalt zu führen, weil ihre Mutter unerwartet gestorben war. Nichts hätte sich glücklicher treffen können!«

Darüber mußte Sir Gareth lachen, er sagte aber: »Sie abscheuliches Mädchen! Was werden Sie als nächstes sagen? Wenn Sie aber jetzt unterwegs sind, um diesen erstrebenswerten Plan anzutreten, wie kommt es, daß Sie versuchten, sich in diesem Gasthof als Zimmermädchen zu verdingen? Und warum wollen Sie nach Huntingdon?«

Der triumphierende Blick ihrer Augen erlosch; sie seufzte und sagte: »Ach, das ist eben das Niederträchtige! Nicht wahr, Sie würden kaum glauben, daß mein Plan mißlingen konnte, dieser Plan, den ich mir so sorgfältig ausdachte? Aber es war so. Ich bin gar nicht unterwegs zu Mrs. – zu dieser Dame. In Wirklichkeit ist genau das Gegenteil der Fall. Sie ist das abscheulichste Geschöpf, das es gibt!«

»Ach!« sagte Sir Gareth. »Weigerte sie sich schließlich doch, Sie zu engagieren?«

»Ja, das tat sie«, antwortete Amanda mit vor Entrüstung schwellendem Busen. »Sie fand, ich sei bei weitem zu jung und keineswegs das Mädchen, das sie sich vorgestellt hatte. Sie erklärte, man habe sie betrogen, was eine höchst ungerechte Behauptung ist, denn sie hatte in ihrer Annonce eine *junge* Dame gewünscht.«

»Mein Kind, Sie sind ein unverschämtes, keckes Ding«, sagte Sir Gareth aufrichtig. »Sie haben diese unglückliche Frau doch vom Anfang bis zum Ende betrogen, das wissen Sie sehr gut!«

»Nein, das ist nicht richtig«, erwiderte sie aufgebracht. »Schließlich gab ich vor, Tante Adelaide und meine eigene Gouvernante zu sein – und *das* wußte sie nicht. Ich kann wirklich all die Gegenstände, die ich aufzählte, und ich wäre höchstwahrscheinlich auch imstande, sie anderen Mädchen beizubringen. Doch es half nichts. Sie war widerlich und noch dazu überaus unhöflich und, was das schlimmste ist, auch sehr unvernünftig; mittendrin kam nämlich ihr ältester Sohn herein. Sowie er hörte, wer ich bin, schlug er seiner Mama vor, mich für kurze Zeit zu engagieren, um festzustellen, ob ich mich bewähre, und das kam mir sehr verständig vor. Aber sie wurde nur noch aufgebrachter und schickte ihn aus dem Zimmer, was ich bedauerte, denn er schien sehr liebenswürdig und zuvorkommend zu sein, wenn er auch schrecklich viele Pickel hatte.« Und beleidigt fügte sie hinzu: »Sir, ich verstehe durchaus nicht, weshalb Sie lachen!«

»Das hat nichts zu bedeuten. Erzählen Sie mir lieber, was weiter geschah.«

»Sie befahl ihren Wagen, um mich nach St. Neots bringen zu lassen, und während man ihn anschirrte, begann sie mir eine Menge unverschämte Fragen zu stellen. Da ich merkte, daß sie ungemein argwöhnisch veranlagt war, erzählte ich ihr eine prachtvolle Geschichte, die ich erfunden habe. Danach hatte ich einen armen Vater und Dutzende jüngerer Brüder und Schwestern. Aber anstatt mich zu bedauern, erklärte sie, sie glaube mir kein Wort. Sie sagte, ich sei nicht wie eine arme Person gekleidet, und sie wüßte gerne, wieviel Guineen ich allein für meinen Hut verschwendet habe. So eine Unverschämtheit! Ich sagte also, daß ich ihn ebenso wie mein Kleid gestohlen habe und daß ich in Wirklichkeit eine ganz leichtfertige Abenteurerin bin. Das war natürlich sehr unhöflich, aber zweckentsprechend, denn sie gab es auf, ausfindig zu machen, wo ich hergekommen bin; sie wurde puterrot im Gesicht und sagte, ich sei ein verworfenes Mädchen, und sie wolle nichts mehr mit mir zu tun haben. Schließlich erschien der Diener, um zu melden, daß der Wagen vorgefahren ist. Ich machte also meinen Knicks, und wir schieden voneinander.«

»Verworfen sind Sie ganz bestimmt. Brachte man Sie nach St. Neots?«

»Ja. Bei dieser Gelegenheit kam ich auf den Gedanken, eine Zeitlang Zimmermädchen zu werden.«

»Amanda, lassen Sie sich von mir sagen, daß Ihnen das Leben eines Zimmermädchens keineswegs zusagen würde.«

»*Das* weiß ich. Wenn Sie eine angenehmere und zugleich einträgliche Beschäftigung wissen, Sir, wäre ich Ihnen sehr dankbar«, erwiderte sie und sah ihn mit einem Paar hoffnungsbanger Augen an.

»Es tut mir leid, das kann ich nicht. Es gibt für Sie nur eines: zu Ihrem Großpapa zurückzukehren.«

»Nein, das werde ich niemals tun«, sagte Amanda entschlossen.

»Ich glaube, Sie werden es dennoch tun, wenn Sie ein wenig nachgedacht haben.«

»Nein, habe ich gesagt. Ich habe bereits viel nachgedacht, und jetzt wird mir erst klar, daß es sehr gut war, daß diese Mrs. – also die gewisse Dame – mich nicht engagiert hat. Denn wenn ich mich als Gouvernante in einem achtbaren Haus befände, würde mein Großpapa sich denken, daß ich dort gut aufgehoben bin, und höchstwahrscheinlich versuchen, mich – auszuhungern. Ich glaube aber nicht, daß er es gerne sähe, wenn ich in einem Gasthof Zimmermädchen wäre, glauben Sie nicht auch?«

»Das kann ich wohl sagen!«

»Nun, sehen Sie wohl«, sagte sie triumphierend. »Er würde im selben Augenblick kapitulieren, in dem er erfährt, welchem Beruf ich nachgehe. Die einzige Schwierigkeit besteht jetzt darin, einen geeigneten Gasthof ausfindig zu machen. Ich sah unterwegs nach St. Neots in einem Dorf einen sehr hübschen Gasthof. Und deshalb trafen Sie mich auch hier in diesem abscheulichen Wirtshaus. Nachdem mich der Kutscher abgesetzt hatte, ging ich nämlich zu Fuß dorthin zurück. Leider brauchten sie aber kein Zimmermädchen, was schrecklich traurig ist, weil die Mauern dort von Rosen ganz verdeckt sind. Außerdem hatten sie sechs kleine Kätzchen. Die Wirtin sagte, ich solle nach Huntingdon gehen, denn sie habe gehört, daß man im ›George‹ ein Mädchen sucht; dann zeigte sie mir die Chaussee, und so kam ich hierher.«

»Wollen Sie mir weismachen«, fragte Sir Gareth ungläubig, »daß es Ihnen gelang, die Frau so zu beschwindeln, daß sie Sie für ein Dienstmädchen hielt? Sie müßte doch von Sinnen sein!«

»O nein«, sagte Amanda fröhlich. »Ich hatte mir nämlich eine großartige Geschichte ausgedacht.«

»Wieder einen armen Vater?«

»Nein, eine viel bessere. Ich sagte, ich wäre die Kammerzofe einer jungen Dame gewesen, die mir gütigerweise ihre alten Kleider schenkte, und sei nur deshalb ohne Zeugnis entlassen worden, weil sich ihr Papa höchst ungehörig gegen mich benommen hat. Er ist Witwer, müssen Sie wissen, außerdem war eine Tante da – nicht so eine wie meine Tante Adelaide, sondern eher wie meine Tante Maria, eine entsetzlich gefühllose Frau –«

»Sie können sich den Rest dieser rührenden Geschichte ersparen«, unterbrach sie Sir Gareth, der zwischen Belustigung und Entrüstung schwankte.

»Sie haben mich doch danach gefragt«, sagte sie ungehalten. »Und Sie brauchen gar nicht so verächtlich zu sprechen, denn ich entnahm die Idee einem sehr belehrenden Roman, er heißt –«

»– *Pamela*. Und es wundert mich, daß Ihr Großpapa Ihnen erlaubt hat, ihn zu lesen. Das heißt, wenn Sie überhaupt einen Großpapa haben, was ich sehr bezweifle.«

Sie wandte ihm ihr empörtes Gesicht zu. »Selbstverständlich habe ich einen Großpapa! Ich hatte sogar einmal *zwei* Großväter, aber der eine starb, als ich noch ein Baby war.«

»Dann kann man ihn nur beglückwünschen. Aber lassen wir das. Ist an der Geschichte, die Sie mir erzählen, auch nur ein wahres Wort, oder war sie auch nur eine Ihrer großartigen Erfindungen?«

Sie sprang tief errötend auf, und Tränen glänzten an den Spitzen ihrer langen Wimpern. »Nein, sie war keine Erfindung! Ich hielt Sie nämlich für gütig und für einen Gentleman, aber nun sehe ich, daß ich mich schwer getäuscht habe, und ich wollte, ich hätte Ihnen eine Lüge erzählt, weil sie *genauso* sind wie mein Onkel, nur noch viel ärger! Und das, was ich den andern Leuten erzählte, war nur – nur eine Vorspiegelung, und das ist nicht dasselbe wie eine Lüge. Jetzt tut es mir ganz entsetzlich leid, daß ich Ihre Limonade trank und Ihre Törtchen aß, und wenn Sie gestatten, werde ich selbst dafür bezahlen! Und selbstverständlich«, fügte sie hinzu, als ihr von Tränen getrübter Blick auf die leere Obstschale fiel, »auch für die Kirschen.«

Sir Gareth hatte sich gleichfalls erhoben. Er ergriff nun ihre erregten kleinen Hände, die an den Schnüren eines Ridiküls zerrten, und drückte sie herzlich. »Nur ruhig, mein Kind! Na, na, weinen Sie nur nicht. Natürlich verstehe ich, wie alles kam. Also, kommen Sie, setzen wir uns hier aufs Sofa, und überlegen wir, was wir jetzt tun könnten.«

Amanda, übermüdet von den Abenteuern des Tages, leistete nur scheinbar Widerstand, ehe sie sich darein fügte, sich an seine Schulter zu lehnen und einem herzhaften Tränenstrom hinzugeben. Sir Gareth, der mehr als einmal die leidenschaftlich erregten, tränenreichen Bekenntnisse einer unverstandenen Nichte über sich hatte ergehen lassen, verhielt sich höchst angemessen und kaltblütig und war keineswegs von einer Situation erschüttert, die einen weniger erfahrenen Mann in Verwirrung gebracht hätte. In wenigen Minuten hatte sich Amanda von ihrem stürmischen Gefühlsausbruch erholt, ihre Wangen getrocknet, ihr winziges Näschen mit seinem Taschentuch geputzt und sich bei ihm entschuldigt, daß sie sich einer Schwäche hingegeben, die sie, wie sie ihm ernsthaft versicherte, von Herzen verachte.

Hierauf ergriff Sir Gareth das Wort. Er sprach gut und überzeugend, wies auf die Unklugheit ihres derzeitigen Plans hin, auf den Kummer, den sie ihrem Großpapa bei dessen Weiterverfolgung bereiten mußte, und auf alle Nachteile, die mit einer wenn auch nur terminierten Karriere eines Dienstmädchens in einem Gasthof zusammenhingen. Sie hörte ihm sehr aufmerksam zu, die großen Augen auf sein Antlitz gerichtet, die Hände im Schoß gefaltet und noch gelegentlich von einem Schluchzen geschüttelt; nachdem er geendet hatte, sagte sie: »Ja, aber selbst wenn es arg ist, ist es doch noch besser, als Neil erst nach meiner erfolgten Großjährigkeit heiraten zu können. Wollen Sie mich also bitte nach Huntingdon bringen, Sir?«

»Amanda, haben Sie auch nur auf ein einziges Wort geachtet, das ich sagte?«

»Ja. Ich habe alles gehört, und es ist genau das, was auch meine Onkel gesagt hätten. Alles dreht sich immer nur um das dumme Dekorum, und das ist ein Unsinn. Und was den Kummer meines Großvaters betrifft, so ist er selbst daran schuld, denn ich habe ihm vorhergesagt, daß es ihm außerordentlich leid tun werde, wenn er nicht in unsere Heirat einwilligt. Und da er mir nicht glaubte, verdient er das bißchen Aufregung, weil er so dumm war. Denn ich halte stets mein Wort! Und wenn ich mir etwas sehr wünsche – dann bekomme ich es auch!«

»Das will ich gerne glauben. Sie müssen mir verzeihen, Amanda, wenn ich Ihnen jetzt sage, daß Sie ein schrecklich verzogenes Kind sind!«

»Na schön, aber auch daran ist Großpapa schuld«, sagte sie.

Jetzt versuchte es Sir Gareth auf eine andere Art. »Sagen Sie mir eines. Wenn Neil von Ihrer Heldentat wüßte, glauben Sie, daß er damit einverstanden wäre?«

Ohne zu zögern, erwiderte sie: »O nein. Ich glaube sogar, er wird sehr böse sein und mich furchtbar ausschelten; dann wird er mir aber verzeihen, denn er weiß, daß ich *ihm* nie so einen Streich spielen würde. Außerdem muß er ja einsehen, daß alles nur seinetwegen geschieht. Und ich glaube«, fügte sie nachdenklich hinzu, »er wird gar nicht so sehr überrascht sein, denn er hält mich auch für schrecklich verzogen, und er kennt auch alle die schlimmen Dinge, die ich angestellt habe. Als ich noch ein kleines Mädchen war, hat er mir oft aus einer Klemme geholfen.« Plötzlich leuchteten ihre Augen auf, und sie rief: »O ja, das ist das Richtige! Nur glaube ich, müßte es diesmal eine ganz gräßliche Gefahr sein. Daraus kann er mich befreien und dem Großpapa zurückbringen! Und Großpapa wäre schon aus Dankbarkeit verpflichtet, unserer Heirat zuzustimmen!« Sie furchte die Stirn in ihrem Bemühen, sich zu konzentrieren. »Ich werde mir schon eine gräßliche Gefahr ausdenken, ich muß aber gestehen, daß das eine sehr schwierige Sache ist.«

Sir Gareth, dem diese Vorstellung durchaus keine Schwierigkeiten bereitete, sagte ein wenig desillusionierend, daß es vielleicht zu spät sein könnte, bis es ihr gelang, Neil von ihrer Gefahr zu benachrichten.

Amanda mußte mit großem Bedauern die Richtigkeit dieser Erwägung zugeben, und eröffnete ihm weiteres, daß sie sich über Neils Adresse nicht im klaren sei, da er zu einer ärztlichen Untersuchung nach London gefahren war, wonach er sich bei den Horse Guards zu melden hatte. »Weiß der Himmel, wie lange das dauert. Und das schrecklichste daran ist, wenn ihn die Ärzte für gesund erklären, kann er fast augenblicklich nach Spanien abkommandiert werden. Daher habe ich keine Wahl, ich darf einfach keine Minute verlieren, um – um meinen Kriegsplan weiterzuverfolgen.« Sie sprang auf und sagte mit herausforderndem Blick: »Sir, ich bin Ihnen sehr verbunden, und wenn es Ihnen recht ist, so wollen wir uns jetzt voneinander verabschieden, denn ich glaube, daß Huntingdon fast zehn Meilen von hier entfernt ist, und da es keine Postkutsche von hier aus gibt und Sie mich nicht in Ihrem Wagen hinbringen wollen, werde ich zu Fuß gehen müssen, und es ist hoch an der Zeit, daß ich mich auf den Weg mache.« Sie streckte ihm mit dem Gehaben einer großen Dame, die von einem Bekannten gnädig Abschied nimmt, die Hand entgegen, aber da Sir Gareth sie nicht bloß berühte, sondern mit raschem Griff festhielt, verließ sie plötzlich ihre ganze Würde, sie stampfte mit dem Fuß auf und befahl ihm, sie augenblicklich loszulassen.

Sir Gareth befand sich in einem Dilemma. Es war offenbar nutzlos, mit Amanda weiterzustreiten, und er hatte sie genügend kennengelernt, um ziemlich sicher zu sein, daß ein Versuch, sie so zu ängstigen, daß sie ihm Namen und Adresse ihres Großpapas verriet, mißlingen mußte. Wenn er seine Drohung wahrmachte und sie dem Distriktspolizisten übergab, war nichts gewisser, als daß sie diesem würdigen Beamten heimlich entwischen würde. Sie ihren eigenen unvernünftigen Plänen überlassen? Nein, entschied er, das ist unmöglich. Sie mochte wohl eigensinnig und außerordentlich ungezogen sein, aber sie war unschuldig wie ein Kätzchen und bei weitem zu reizvoll, um sie unbegleitet durchs Land ziehen zu lassen.

»Wenn Sie mich nicht augenblicklich loslassen, werde ich Sie beißen«, sagte Amanda wütend und zerrte vergebens an seinen langen Fingern.

»Dann bekommen Sie in meinem Kabriolett keinen Platz angeboten und überdies eine schallende Ohrfeige«, erwiderte er fröhlich.

»Wie können Sie es *wagen* . . .« Sie brach plötzlich ab, ließ davon ab, seine Hand zu zerkratzen, und hob ihr Gesicht in glücklicher Erwartung. »Sie wollen mich in Ihrem Kabriolett mitnehmen? Oh, *danke*, Sir!«

Er wäre nicht im mindesten überrascht gewesen, wenn sie ihm bei ihrem Dankbarkeitsausbruch um den Hals gefallen wäre, sie begnügte sich aber damit, seine Hand herzlich zu drücken und ihm ein hinreißendes Lächeln zu schenken. Während er ein stummes Gelübde ablegte, diese so vertrauenselige junge Dame nicht aus den Augen zu lassen, bis er sie ihrem rechtmäßigen Vormund übergeben konnte, drückte er sie in einen Stuhl und entfernte sich, um seinem erstaunten Groom mitzuteilen, daß er seinen Platz im Kabriolett einer Dame zu überlassen habe, und hinten aufsitzen müsse, so gut er es vermochte.

Trotton hielt das für einen sonderbaren Einfall, als er aber einige Minuten danach den unerwarteten Passagier erblickte, schoß ihm der beunruhigende Gedanke durch den Kopf, daß sein Herr verrückt geworden sein müsse. Es gab genug Gentlemen, bei denen ein derartiges Betragen natürlich erschienen wäre, aber nach Trottons Erfahrung hatte Sir Gareth nie zu jenen gehört, die einem Unterrock nachliefen. Sir Gareth hatte keinem einzigen Mitglied seines Haushalts gesagt, welches Ziel er mit seinem Besuch in Brancaster Park verfolgte, aber alle Bediensteten, vom Butler bis hinunter zum Küchenjungen, hatten den Grund erraten, und es schien Trotton der Gipfel des Wahnsinns zu sein, gerade in diesem entscheidenden Moment den Lockungen des hübschen Stückchens Weiberfleisch zu erliegen, dem er soeben in sein Kabriolett hinaufhalf. Wahrhaftig ein netter Anfang, wenn man ihn mit diesem prima Pflänzchen die Straße entlangfahren sehen wird! Er überlegte, ob sein Herr vielleicht einen Sonnenstich bekommen hatte, und versuchte eben, sich zu erinnern, was mit einer an Sonnenstich erkrankten Person zu geschehen habe, als Sir Gareths Stimme seine wild umherirrenden Gedanken zurückbeorderte.

»Bist du denn taub, Trotton? Ich sagte: Laß sie laufen!«

4

Zwei Meilen hinter der Kreuzung Cambridge-St. Neots gabelte sich die Straße. Sir Gareth fuhr ohne zu zögern nach rechts. Seine jugendliche Gefährtin, die, wie sie ihm schlicht mitteilte, bisher in keinem sportlicheren Gefährt als einem Gig gefahren war, das ihr Großpapa ihr gelegentlich zu kutschieren gestattete, genoß die Fahrt maßlos. Zu angespannt darauf bedacht, festzustellen, ob ihr Beschützer genügend schneidig fuhr, um den Titel eines *Nonsuch* zu verdienen, beachtete sie den ramponierten Wegweiser nicht, auf dem in verblaßten Buchstaben stand: nach St. Ives. Anders verhielt es sich mit dem getreuen Diener. Gefährlich schwankend hinter seinem Herrn stehend, und sein Gleichgewicht nur durch wildes Anklammern an das herabgelassene Verdeck des Kabrioletts aufrechterhaltend, erkühnte er sich einzugreifen. Er hatte dem Geplauder Amandas entnommen, daß Sir Gareth ihr versprochen hatte, sie nach Huntingdon zu bringen, und hielt es für seine Pflicht, ihn darauf aufmerksam zu machen, daß er die falsche Abzweigung gefahren war. Sir Gareth unterdrückte die Regung, seinen allzu hilfsbereiten Lakaien zu verwünschen, und sagte ruhig: »Danke, Trotton, ich kenne die Straße.«

Aber das Unheil war geschehen. Argwöhnisch auffahrend, fragte Amanda: »Ist das denn nicht die Straße nach Huntingdon?«

Es war Sir Gareths Absicht gewesen, die Mitteilung, daß er Amanda nicht nach Huntingdon bringe, sondern nach Brancaster Park, so lange wie möglich hinauszuschieben; solchermaßen geradezu befragt, blieb ihm aber nichts anderes übrig, als ihr die Wahrheit zu sagen. Er erwiderte: »Nein, denn ich habe einen besseren Plan.«

»Sie versprachen, mich nach Huntingdon zu bringen«, rief sie zornig.

»O nein, das habe ich nicht. Ich bot ihnen lediglich einen Platz in meinem Kabriolett an – nicht mehr als das. Sie können nicht vergessen haben, daß ich Ihnen sagte, es würden mich keine Überredungskünste der Welt dazu bringen, Sie in einem Gasthof zu lassen.«

»Bleiben Sie stehen! Lassen Sie mich augenblicklich aussteigen!« befahl sie. »Ich werde nicht mit Ihnen fahren. Ich bin noch nie so hinters Licht geführt worden! Also – also, Sie sind nichts als ein *Entführer*!«

Er konnte sich nicht helfen, er mußte darüber lachen, was sie natürlich noch mehr erboste. Sie wütete einige Minuten gegen ihn, als sie sich aber unterbrach, um Atem zu schöpfen, sagte er beruhigend: »Wenn Sie einen Moment still sein und anhören wollten, was ich Ihnen zu sagen habe, werde ich Ihnen erzählen, *wohin* ich Sie bringe.«

»Das ist ganz unwichtig, denn ich fahre überhaupt nicht mit Ihnen! Sie sind ein Betrüger und ein verworfener Mensch, und höchstwahrscheinlich haben Sie die Absicht, mich zu ermorden!«

»Dann befinden Sie sich doch in tödlicher Gefahr! Da sollten Sie aber Ihren Brigademajor augenblicklich zu Ihrer Rettung hierherbeordern«, erwiderte er. »Ein Nachricht an die Horse Guards wird ihn zweifellos erreichen. Sagen Sie mir seinen Namen, und ich verpflichte mich, nicht nur ihn mit aller erdenklichen Beschleunigung zu Ihnen zu bringen, sondern inzwischen auch davon Abstand zu nehmen, Sie zu ermorden.«

»Ich hoffe inständig, daß er *Sie* ermordet!« erklärte sie durch zusammengebissene Zähne. »Und ich hoffe nur, daß er es wirklich tut, wenn er erfährt, wie hinterlistig Sie sich mir gegenüber benommen haben.«

»Aber Sie können doch nicht erwarten, daß er mich ermordet, wenn Sie ihm nichts von meiner Hinterlist erzählen«, wies er ihr in sehr verständiger Weise nach. »An Ihrer Stelle würde ich keinen Moment zögern, ihn herbeizurufen. Trotten soll per Post nach London fahren und ihm Ihre Nachricht überbringen. Es würde mich gar nicht wundern, wenn ich in zwei Tagen ein toter Mann wäre.«

Dem sprühenden Blick ihrer Augen war zu entnehmen, daß diese Aussicht für sie außerordentlich verlockend war. Einen Moment sah es aus, als wäre sie im Begriff, den Namen ihres Brigademajors preiszugeben, aber gerade als sich Sir Gareth insgeheim zu dem Erfolg seiner Taktik gratulierte, sagte sie plötzlich: »Ich merke schon, worauf Sie hinauswollen! Das alles ist ja nur eine List, um herauszubekommen, wo ich wohne, und meinen Kriegsplan zu zerstören. Nun wohl, ich werde Neil *keine* Botschaft schicken!«

»Wissen Sie, Amanda«, sagte er ernsthaft, »Sie könnten mir, was ich wissen will, ebensogut verraten, denn ich werde es herausbekommen, ob Sie nun wollen oder nicht.«

»Nein! Wie könnten Sie das?« fragte sie.

»Wenn Sie mich dazu zwingen, werde ich die Horse Guards aufsuchen und dort fragen, ob sie mir die Adresse eines Captains der Infanterie, eines Brigademajors, geben können, der von der Pyrenäischen Halbinsel mit einem Steckschuß in der Schulter nach England geschickt wurde und jetzt stündlich auf seine Abkommandierung wartet. Ich zweifle keinen Augenblick, daß man mir behilflich sein wird, obwohl ich den Eindruck habe, daß Neil es bei weitem vorziehen würde, in einer etwas unauffälligeren Weise ausfindig gemacht zu werden. Aber das zu entscheiden, bleibt Ihnen überlassen.«

Sie schwieg einige Augenblicke; dann sagte sie ganz leise, mit einer etwas rauhen Stimme: »Jetzt glauben Sie natürlich, mich überlistet zu haben, aber das stimmt nicht. Ich werde Ihnen gar nichts erzählen, und ich kann Ihnen versichern, daß ich – daß ich mein Ziel schon erreichen werde!«

»Ausgezeichnet«, erwiderte er gleichmütig.

»Ich glaube«, sagte Amanda nach einer weiteren Pause, in der alles in ihr vor Wut kochte, »daß Menschenräuber ins Zuchthaus kommen, ja, daß sie sogar deportiert werden! Das würde Ihnen wohl gar nicht passen, was!«

»Nein, in der Tat!«

»Nun wohl, ich habe Sie gewarnt«, sagte sie.

»Danke. Ich bin Ihnen sehr verpflichtet.«

Amanda, die sich des Grooms erinnerte, wandte den Kopf, um das Wort an ihn zu richten, und sagte: »Wenn Sie nur ein Körnchen Mut besitzen, werden Sie Ihrem Herrn nicht gestatten, mich zu entführen!«

Trotton, ein vertiefter und ungemein interessierter Zuhörer, war auf diesen Angriff nicht vorbereitet und verlor fast das Gleichgewicht. Völlig aus der Fassung gebracht, vermochte er nur etwas Unverständliches zu stottern und Sir Gareths Rückseite beschwörend anzublikken.

»Sie dürfen Trotton dafür nicht tadeln«, sagte Sir Gareth. »Überlegen Sie nur einmal, wie schwierig seine Lage ist. Er ist nämlich verpflichtet, meinen Befehlen zu gehorchen.«

»Er ist aber nicht verpflichtet, Ihnen bei einem Menschenraub behilflich zu sein«, erwiderte sie.

»Ich engagierte ihn unter der ausdrücklichen Voraussetzung« sagte Sir Gareth unbeirrt, »daß eben das einen wichtigen Bestandteil seiner Pflichten bilden werde.«

»Ich w-wollte, Sie wären nicht so albern«, sagte Amanda und bemühte sich, ein Kichern zu unterdrücken.

Er wandte ihr lächelnd den Kopf zu. »So ist's besser!«

Sie legte ihr mit einem Halbhandschuh bekleidetes Händchen auf seinen Arm und richtete einen beschwörenden Blick auf ihn. »Oh, *bitte,* lassen Sie mich gehen. Sie zerstören mir alles!«

»Das weiß ich, und ich bitte Sie um Vergebung. Ich bin scheinbar der abscheulichste Störenfried, den man sich vorstellen kann.«

»Das kann man wohl sagen. Und ich – ich hielt Sie für liebenswürdig.«

»Ich selbst habe mich in mir entsetzlich getäuscht«, sagte er kopfschüttelnd. »Würden Sie es glauben? Ich hatte keine Ahnung davon, daß ich, wie sich jetzt herausstellt, ein so gefühlloses Ungeheuer bin.«

»Ja, man ist ein Ungeheuer, wenn man mich erst überlistet und dann noch versucht, sich über mich lustig zu machen«, sagte sie, wandte ihr errötetes Gesicht ab und biß sich auf die Lippen.

»Arme Amanda! Sie haben ganz recht: es ist wirklich zu arg von mir, und ich werde mich über Sie nicht mehr lustig machen. Lassen Sie mich statt dessen erzählen, wohin ich Sie bringen will.«

»Ich höre mir nicht ein einziges Wort mehr an«, teilte sie ihm eisig mit.

»Und das wird mir ein Denkzettel sein«, bemerkte er.

»Ich finde, daß Sie das widerlichste Geschöpf der Welt sind«, rief sie. »Ja, und wenn ich mir's überlege, so ist es höchst unschicklich, mich in Ihr eigenes Haus zu bringen, und weit schlimmer, als wenn Sie mich in einen Gasthof gehen ließen.«

»Das ist richtig«, pflichtete er ihr bei. »Aber mein Haus befindet sich nicht in diesem Teil des Landes. Ich bringe Sie nach Brancaster Park, wo Sie, wie ich glaube, in Lady Hester Theale eine sehr liebenswürdige Gastgeberin finden werden.«

Als Trotton, der seinem Herrn sehr ergeben war, diese Worte hörte, wäre ihm beinahe ein Protestruf entschlüpft. Wenn Sir Gareth tatsächlich beabsichtigte, mit dieser blendenden jungen Schönheit am Arm in Brancaster Park aufzutauchen, war er fraglos von Sinnen, also mußte man es zu verhindern suchen. Aber es war nicht die Sache eines Grooms, Sir Gareth auf die Unklugheit aufmerksam zu machen, Lady Hester dieses zufällig aufgelesene Frauenzimmer vorzustellen. Trotton wagte nicht mehr als ein warnendes Hüsteln, dem Sir Gareth jedoch nicht die geringste Beachtung schenkte.

Sir Gareth bedurfte keiner Warnung. Wäre ihm eine andere Lösung eingefallen, Amanda in sichere Obhut zu bringen, hätte er sie freudig ergriffen. Er wußte sehr wohl, daß es seinen Interessen keineswegs zuträglich war, wenn er sich mit der offiziell bekanntgegebenen Absicht, Lady Hester einen Heiratsantrag zu machen, in Begleitung Amandas auf Brancaster Park einfand, und daß er sich überdies auch noch lächerlich machte. Aber er glaubte, sich auf Hester verlassen zu können, daß sie Amanda freundlich aufnehmen werde. Er hoffte auch, sie werde Verständnis dafür aufbringen, daß ihm keine andere Wahl blieb, als dieses eigensinnige Mädchen dem Schutz ihres Hauses anzuvertrauen.

Inzwischen wollte Amanda erfahren, wer in Brancaster Park wohne. Als sie vernahm, daß sie der unaufgeforderte Gast eines Lord Brancaster und dessen Tochter sein sollte, protestierte sie energisch. Denn ihr Großvater würde sich keineswegs bemühen, sie wieder in seine Obhut zu bekommen, und wäre höchstwahrscheinlich begeistert, wenn er erführe, daß sie sich als Gast eines Earl auf dessen Landsitz befinde. Hilfsbereit schlug Sir Gareth vor, sie solle Lady Hester dazu überreden, sie als Kammerzofe zu engagieren.

Amanda knirschte hörbar mit den Zähnen. »Wenn Sie mich zwingen, mit Ihnen dorthin zu fahren, werde ich schon dafür sorgen, daß es Ihnen noch sehr, sehr leid tun wird!« warnte sie ihn.

»Das habe ich erwartet, und ich zittere bereits vor Angst.«

»Und Ihnen habe ich *vertraut*«, sagte sie düster. »Und jetzt werden Sie mein Vertrauen enttäuschen, abgesehen davon, daß Sie alle meine Pläne vernichten.«

»Nein, ich werde Ihr Vertrauen nicht enttäuschen, außer vielleicht Lady Hester gegenüber. Ich glaube, wenn Sie sie erst kennengelernt haben, werden Sie nichts dagegen haben, daß sie die Wahrheit erfährt. Ich werde sie bitten, nichts von all dem ihrem Vater zu verraten oder ihrem Bruder und seiner Frau – sollten sie sich zufällig auch in Brancaster Park befinden.«

Sie bemerkte sofort den veränderten Tonfall seiner Stimme, sah ihn an und sagte: »Sir, ich höre aus Ihrer Stimme, daß Ihnen dieses Ehepaar nicht sehr sympathisch ist. Sind sie sehr ekelhaft?«

Er lächelte: »Nein, ekelhaft sind sie nicht. Ich glaube, es sind sehr würdige Leute, sie sind nur nicht meine speziellen Freunde.«

»Oh! Ist Lord Brancaster Ihr spezieller Freund, Sir?«

»Na ja, er ist bedeutend älter als ich«, sagte er, um Zeit zu gewinnen.

Sie überlegte das, dann fragte sie: »Dann ist also Lady Hester eine spezielle Freundin von Ihnen?«

»Sie und ich sind seit vielen Jahren sehr gute Freunde.«

Er war auf weitere neugierige Fragen vorbereitet, aber sie verfiel in Schweigen. Nach einigen Minuten sagte er: »Amanda, ich habe mir überlegt, was ich Brancaster und den Widmores sagen könnte, und ich bin der Ansicht, daß Sie als Tochter eines Bekannten figurieren sollten, den ich in Baldock besucht habe. Sie sind im Begriff, Verwandte zu besuchen, etwa in – Oundle –, und ich erbot mich aus irgendeinem Grunde, Sie nach Huntingdon mitzunehmen, von wo Sie Ihre Verwandten hätten abholen sollen. Unglücklicherweise mußte sich ein Mißverständnis ergeben haben, denn dort erwartete Sie kein Wagen. Was blieb mir also übrig, da ich verpflichtet war, mich heute in Brancaster Park einzufinden? Natürlich nur, Sie mitzubringen, um Sie morgen nach Oundle zu begleiten. Wie paßt das zu Ihrer Vorstellung von einer hervorragenden Geschichte?«

»Sie ist höchst unwahrscheinlich«, sagte sie steif.

»Ich staune selbst, daß ich annehmen konnte, sie würde Gnade vor Ihren Augen finden«, murmelte er.

Die einzige Erwiderung, die er für seinen Geistesblitz erhielt, war ein durchbohrender Blick. Er sagte über die Schulter: »Ich hoffe, du hast alles gehört, Trotton?«

»Ja, Sir.«

»Nun also, vergiß es nicht!«

»Haben Sie die Güte, Sir, mich zu unterrichten«, sagte Amanda mit übertriebener Höflichkeit, »wohin Sie mich morgen zu bringen gedenken?«

»Ich hoffe, zu Ihrem Großpapa.«

»Nein!«

Er zuckte die Achseln. »Wie Sie wünschen.«

Neugierig geworden, fragte sie: »Also wohin sonst?«

»Das, mein Kind, werden Sie rechtzeitig erfahren.«

»Ich glaube, Sie befinden sich in einiger Verlegenheit«, sagte sie herausvordernd.»Durchaus nicht.«

Danach stockte die Konversation. Amanda beschäftigte sich für den Rest der Fahrt damit, verschiedene Pläne zu schmieden, um Sir Gareths Absichten zu durchkreuzen, und gab auf seine gelegentlichen Bemerkungen nur einsilbige Antworten.

Als die Schatten länger wurden, erreichten sie Brancaster Park und fuhren, nachdem sie ein eindrucksvolles Pförtnertor passiert hatten, einige Zeit durch eine Allee, die infolge langer Vernachlässigung zu einer Art Karrenweg verkümmert war. Da die Bäume beiderseits viel zu dicht beisammenstanden, war sie auch feucht und düster; als der Ziergarten in Sicht kam, wies er ebenfalls unmißverständliche Anzeichen von Vernachlässigung auf. Amanda sah sich mißbilligend um, und als ihr Blick auf das quadratische, graue Herrenhaus fiel, rief sie aus: »Oh, ich wäre froh, wenn Sie mich nicht hierhergebracht hätten. Was für ein unfreundliches Haus!«

»Glauben Sie mir, Amanda«, sagte er aufrichtig, »wenn mir irgendein anderer Ort eingefallen wäre, hätte ich Sie nicht hierher gebracht. Denn eine mißlichere Situation ist kaum vorstellbar.«

»Nun gut, wenn Sie dieser Ansicht sind, setzen Sie mich doch hier ab, solange es noch Zeit ist«, drängte sie.

»Nein, ich bin fest entschlossen, Sie nicht entschlüpfen zu lassen«, erwiderte er leichthin. »Ich kann nur hoffen, daß es mir gelingen wird, Sie mit einiger Glaubwürdigkeit in der vereinbarten Weise einzuführen – obwohl der liebe Himmel weiß, was sich das Personal von einer jungen Dame denken wird, deren Gepäck lediglich aus zwei Hutschachteln besteht. Hoffentlich ist das Haus nicht voller Gäste. Nein, das glaube ich eher nicht.«

Er behielt recht. Sein Gastgeber, der dazu neigte, in Augenblikken akuten Ärgers fürchterlich zu übertreiben, gab sich dieser Tätigkeit seit der unwillkommenen Ankunft des Honourable Fabian Theale hemmungslos hin.

Mr. Theale war der Bruder Seiner Lordschaft. Sollte er zu einem anderen Zweck auf die Welt gekommen sein, als seiner Familie andauernd Schwierigkeiten zu bereiten, so stand diese Entdeckung Seiner Lordschaft noch bevor. Er war Junggeselle mit exzentrischen Gewohnheiten kostspieliger Art und mit ständig leeren Taschen. Er hatte einen ungemein wankelmütigen, jedoch sehr liebenswürdigen Charakter. Da er über einen unerschütterlichen Glauben an eine gütige Vorsehung verfügte, vermochten weder lästige Gäubiger noch drohende Skandale ihn aus der Fassung zu bringen. Daß erst sein Vater und nachher sein älterer Bruder es waren, die die Rolle der Vorsehung spielten, störte ihn durchaus nicht; und wann immer der Earl schwor, ihn zum letztenmal gerettet zu haben, bemühte er sich nicht im geringsten, seinen Bruder zu besänftigen oder sich und seinen tadelnswerten Lebenstil zu bessern, denn er wußte, daß der Earl nicht nur viele seiner Neigungen teilte, sondern auch ein starkes Vorurteil gegen einen öffentlichen Skandal hatte. So konnte man sich immer darauf verlassen, daß er, wie schwierig und angespannt seine eigene finanzielle Lage auch sein mochte, ein Familienmitglied aus den Klauen des Gerichtsdieners retten werde.

Seine Lordschaft war über die Besuche seines Bruders nie sehr entzückt; als dieser rosige, wohlbeleibte Gentleman aber am selben Tag über ihn hereinbrach, der für Sir Gareths Ankunft bestimmt war, vergaß er sich soweit, vor dem Butler, dem Lakaien und Mr. Theales eigenem Kammerdiener zu sagen, daß niemand sich die Mühe nehmen solle, die zahlreichen Gepäckstücke hinaufzutragen, denn er sei nicht gesonnen, seinen Bruder auch nur für eine einzige Nacht aufzunehmen.

Mr. Theale beachtete das gar nicht, sondern erkundigte sich besorgt, ob Seine Lordschaft von der Gicht gequält werde. Er beschwor den Lakaien, seinen Toilettenkoffer behutsam zu tragen, und teilte dem Earl mit, daß er sich auf dem Wege nach Leicestershire befinde.

Der Earl sah ihn zornig und voll böser Ahnungen an. Mr. Theale besaß in der Nähe von Melton Mowbray ein behagliches kleines Jagdhaus; wenn er aber beabsichtigte, es Mitte Juli aufzusuchen, konnte dies nur bedeuten, daß die Umstände es ihm weise, wenn nicht dringend erforderlich erscheinen ließen, die Stadt eine Zeitlang zu meiden.

»Was ist denn diesmal wieder los?« fragte er, während er ihm in die Bibliothek voranschritt. »Du kommst doch nicht, nur um das Vergnügen zu haben, mich zu sehen. Also heraus damit! Ich mache dich aber aufmerksam, Fabian –«

»Nein, nein, es bereitet mir bestimmt kein Vergnügen, dich zu sehen, alter Knabe!« versicherte ihm Mr. Theale. »Säße ich nicht abscheulich in der Klemme, so wäre ich nicht hergekommen, denn mit ansehen zu müssen, wie du dich aufregst und herumtobst, genügt, um einem die beste Laune zu verderben.«

»Als ich dich zum letztenmal sah«, sagte der Earl mißtrauisch, »erzähltest du mir, daß du wieder gewonnen hast. Du sagtest, du hättest im Faro eine Glückssträhne gehabt und wärest aus dem Wasser.«

»Verdammt, das war doch vor einem Monat«, beschwerte sich Mr. Theale. »Du kannst doch nicht erwarten, daß für mich immer Flut ist! Könnte man sich auf ein System verlassen, dann wäre ich heute imstande, mir ein Schloß zu kaufen. Aber so ist das nun einmal. Zuerst kam das Salesbury Rennen – übrigens, alter Knabe, hast du Geld auf Corkscrew gesetzt? Erinnere mich, daß ich dir dazu riet.«

»Nein, das habe ich nicht«, erwiderte der Earl kurz.

»Ausgezeichnet«, lobte Mr. Theale. »Der verwünschte Gaul hat sich nicht placiert. Dann kam Andover. Wäre ich nur meinem Urteil gefolgt, dann hätte Whizgig mir Geld gebracht, und ich wäre heute sehr wahrscheinlich nicht hier. Wie dem auch sei, ich ließ mich von Jerry überreden, auf Ticklepitcher zu setzen, und – hier bin ich! Ich höre, daß du beim Juli-Meeting in Newmarket warst und gut abgeschnitten hast«, fügte er leidenschaftslos hinzu.

»Was das anbelangt –«

»Drei Sieger! Du mußt auf True-blue eine verteufelt gute Quote bekommen haben, mein Junge. Wäre ich nur halb so empfindlich wie du, würde ich es schon sehr übelnehmen, daß du mir kein Wort davon sagtest.«

»Ich werde dir unter einer Bedingung noch einmal beispringen«, sagte der Earl unfreundlich.

»Wie dir's beliebt, lieber Junge«, sagte Mr. Theale, gegen Beleidigungen völlig unempfindlich. »Schieß los!«

»Ludlow kommt heute zu Besuch, und ich wäre froh, wenn du abreisen wolltest.«

»Ludlow?« sagte Mr. Theale überrascht. »Was zum Teufel sucht er hier?«

»Er kommt, weil er um Hester anhalten will, und ich möchte nicht, daß er wieder abspringt, was er zweifellos tun würde, wenn du ihn anzupumpen versuchst.«

»Bei Gott!« rief Mr. Theale aus. »Verdammt, wenn ich je gedacht hätte, daß Hester überhaupt noch einen Antrag bekommt, geschweige denn, einen Mann angelt, wie es Ludlow ist! Gut, gut, das ist ja ausgezeichnet. Sein Vermögen trägt ihm bestimmt keinen Penny weniger als zwölftausend Pfund im Jahr ein. Sehr vernünftig, mich zu warnen, lieber Junge: wäre verhängnisvoll, jetzt Geld von ihm zu leihen, ehe der Knoten fest geknüpft ist. Würde nicht im Traum daran denken, es zu versuchen. Hoffentlich wird er sich freigebig erweisen.«

»Willst du«, sagte der Earl, seine schlechte Laune mit sichtlicher Anstrengung unterdrückend, »sofort nach Leicestershire weiterfahren?«

»Laß fünfhundert springen, alter Knabe, und ich fahre morgen in aller Frühe«, sagte Mr. Theale zuvorkommend.

Mit diesem Versprechen mußte sich der Earl schließlich zufriedengeben, obwohl er, bevor er zustimmte, den kühnen Versuch unternahm, die Bedingungen des Handels zu verbessern. Es war klar, es würde ihm nichts nützen, seinen Bruder vor dem folgenden Morgen ausquartieren zu wollen. Mr. Theale wies sehr vernünftig darauf hin, daß es denn doch zuviel von ihm verlangt sei, die Fahrt wieder fortzusetzen, ehe er sich von der Anstrengung erholt hatte, die eine Reise von sechzig Meilen mit sich bringt. Es hatte zweier Tage bedurft, um diese ungeheure Strecke zu bewältigen, die er in ruhigem Tempo in seinem eigenen Wagen zurücklegte, während sein Kammerdiener mit dem Gepäck in einem Mietwagen folgte. »Und selbst mit meinem eigenen Kutscher, der mich fuhr, wurde mir übel«, sagte er. »Das eine kann ich dir sagen, hätte ich einen Magen, der sich mir nicht umdreht, wenn ich auf diesen verdammt schlechten Straßen gerüttelt und geschüttelt werde, dann würde ich unverzüglich packen und abreisen, denn ich sehe voraus, daß es wieder ein verwünscht langweiliger Abend wird. Es würde wohl nicht angehen, Ludlow für einen oder zwei Rubber einzuspannen? Wenn ich auch nicht daran zweifle, daß wir ihn, wenn wir beide zusammenspielen – was man arrangieren kann –, gründlich anzapfen könnten, wäre es wohl schlechte Politik, was, Giles? Außerdem müßten wir Widmore als vierten auffordern. Es hat aber keinen Sinn, ihm Geld abzugewinnen, selbst wenn man ihn dazu bewegen könnte, ein bißchen Geld springen zu lassen, was ich aber bisher von ihm nie erlebt habe. Natürlich, du bist sein Vater, aber selbst du mußt zugeben, daß er ein jämmerlicher Bursche ist.«

Der Earl war also gezwungen, sich darein zu fügen. Das wäre ihm bedeutend leichter gefallen, hätte die Familienloyalität Mr. Theale nicht veranlaßt, seine Hilfe bei den Vorbereitungen zur Verfügung zu stellen, die zur Unterhaltung des erwarteten Gastes getroffen wurden. Da seine Hilfe aber darin bestand, in die Küchenregionen einzudringen und die Köchin zur Raserei zu bringen, weil er ihr eifrig Vorschläge für das Menu machte, das sie für Sir Gareth zubereiten sollte, um gleich darauf eine Inspektionsreise in den Keller zu unternehmen, aus dem er verschiedene gut abgelagerte Flaschen, die der Earl eifersüchtig gehütet hatte, ans Licht beförderte, so dauerte es nicht lange, bis die geringe Geduldreserve seines Bruders erschöpft war. Nachdrücklichst aufgefordert, es zu unterlassen, sich weiterhin einzumischen, sah er sich gezwungen, auf einem anderen Gebiet Zerstreuung zu suchen, mit dem Ergebnis, daß ein blutjunges Zimmermädchen, wenig vertraut mit den Gepflogenheiten von Standespersonen, einen schweren hysterischen Anfall erlitt und erst einige kräftige Ohrfeigen sie dazu veranlaßten, mit dem in kreischendem Ton dauernd wiederholten Geschrei aufzuhören, daß sie ein anständiges Mädchen sei und verlange, unverzüglich der Obhut ihrer Mutter übergeben zu werden.

»Es war von Mrs. Farnham äußerst unbedacht, von allen Mädchen gerade dieses heraufzuschicken, um Fabians Bett herzurichten«, sagte Lady Widmore in ihrer gewohnt derben Art. »*Sie* muß ja wissen, wie euer Onkel ist.«

Als Sir Gareth und sein Protegé in den Großen Salon geführt wurden, waren die einzigen Mitglieder der dort versammelten Familie, deren Feingefühl nicht in dieser oder jener Weise verletzt worden war, Mr. Theale und Lady Widmore. Der Earl wurde einerseits durch die Ungewißheit, wie die Antwort seiner Tochter ausfallen würde, und anderseits durch die Tätigkeit seines Bruders in den Zustand ohnmächtiger Wut versetzt; Lord Widmore teilte seines Vaters Bedenken und war außer sich, als er die Entdeckung machte, daß seinem Onkel fünfhundert Pfund zum Geschenk gemacht worden waren, die er für den Gutsbetrieb dringend benötigt hätte, und Lady Hester, die alle bis zum Wahnsinn ermahnt und beschworen hatten, sah entschieden blaß aus. Eine Toilette aus fliederfarbener Seide mit einer kurzen Schleppe, drei Reihen Rüschen, einer Unmenge elfenbeinfarbener Spitzen und Schleifchen aus violetten Samtbändern erhöhte noch ihre Blässe; überdies hatte ihre Kammerfrau, bemüht, ihre Herrin ins beste Licht zu setzen, ihr weiches braunes Haar zu stark gekräuselt. In letzter Zeit hatte sie sich angewöhnt, ein Häubchen zu tragen; obwohl dieser Umstand während einiger Wochen der Aufmerksamkeit ihrer Verwandten offenbar entgangen war, wurde es heute einer so unbarmherzigen Kritik unterzogen, daß sie, der Vorwürfe überdrüssig, das Stückchen Spitze entfernte.

»Und laß dir's gesagt sein, Hetty, deine alberne Teilnahmslosigkeit kleidet dich keineswegs«, sagte ihr Vater streng. »Schon dein träges, verschlafenes Benehmen allein würde genügen, Ludlow von dir abzuschrecken.«

»Laßt sie doch, und macht das Mädel nicht nervös«, empfahl Mr. Theale. »Zehn zu eins wette ich, daß Ludlow gar nicht bemerkt, wenn sie nicht sehr munter ist, denn er hat ja dich in einer deiner bestrickenden Launen vor Augen und Widmore, der mürrisch wie ein Bär aussieht; das allein wird genügen, ihn abzuschrecken, da braucht er Hester gar nicht erst anzuschauen. Es ist wirklich gut, daß ich mir's in den Kopf setzte, dich zu besuchen. Du kannst nicht leugnen, daß ich eine verdammt bessere Gesellschaft bin als ihr alle zusammen.«

Die Antwort, die der Earl auf den Lippen hatte, wurde ihm kurzweg abgeschnitten, da sich die Doppeltür des Salons öffnete.

»Miss Smith!« meldete der Butler in dem Tonfall eines Mannes, der ein Unglück anzukündigen hat. »Sir Gareth Ludlow!«

5

»Eh?« stieß der Earl in einer Art Bellen hervor, drehte sich jäh um und starrte die Erscheinung im Türrahmen mit leicht hervorquellenden Augen an.

Amanda, unter den kritischen Blicken so vieler Augenpaare anmutig errötend, hob ein wenig das Kinn. Sir Gareth trat vor und sagte gewandt: »Guten Tag. Ihr ergebener Diener, Lady Widmore! Lady Hester!« Er ergriff die kalte Hand, die sie ihm mechanisch entgegenstreckte, hob sie flüchtig an die Lippen und behielt sie in der seinen. »Darf ich Ihnen Miss Smith vorstellen und in ihrem Namen um Ihr gütiges Wohlwollen bitten? Ich versicherte ihr, daß sie sich darauf verlassen könne. Die Sache ist die: Sie ist die Tochter alter Freunde, bei denen ich zu Besuch war; ich verpflichtete mich, sie nach Huntingdon mitzunehmen, wo sie sich mit Verwandten treffen sollte. Entweder durch ein Mißverständnis oder aber durch einen Unfall war die Equipage, die sie abholen sollte, nicht eingetroffen. Da ich sie nicht allein in dem Gasthof lassen konnte, blieb mir nichts übrig, als sie hierher mitzubringen.«

Jede Spur von Farbe war aus Lady Hesters Wangen gewichen, als sie aufgeschaut und das reizende Mädchen an Sir Gareths Seite erblickt hatte, dennoch erwiderte sie in guter Haltung: »Selbstverständlich. Wir freuen uns sehr.« Sie entzog ihm ihre Hand und wandte sich Amanda zu. »Welch eine schreckliche Situation! Ich freue mich sehr, daß Sir Gareth Sie zu uns brachte. Und jetzt möchte ich Sie mit meiner Schwägerin, Lady Widmore, bekannt machen.«

Amanda hob ihren strahlenden Blick, begegnete Lady Hesters sanften grauen Augen und lächelte plötzlich. Die Wirkung, die dieses Lächeln auf die versammelten Gentlemen ausübte, hatte zur Folge, daß sich Lady Widmores bereits blühende Gesichtsfarbe in beunruhigender Weise vertiefte. Mr. Theale, der die jugendliche Schönheit mit Augen des leidenschaftslosen Kenners betrachtete, seufzte seelenvoll; Lord Widmore aber fühlte sich veranlaßt, den Sitz seines Halstuches zu prüfen und sich in die kümmerliche Brust zu werfen. Als er jedoch den drohenden Blick seiner Frau gewahrte, erinnerte er sich schleunigst seiner Lage und verwandelte sein etwas törichtes Lächeln flugs in ein Stirnrunzeln.

»In der Tat eine unangenehme Situation«, pflichtete Lady Widmore bei, während sie Amanda einer kritischen Musterung unterzog. »Aber vermutlich haben Sie ihre Kammerfrau mitgebracht.«

»Nein, denn sie wurde krank, außerdem war für sie ja auch kein Platz im Kabriolett«, erwiderte Amanda mit Aplomb.

»Im Kabriolett?« rief Lord Widmore aus und sah äußerst empört drein. »Sie sind ohne eine Gardedame mit Ludlow in einem Kabriolett gefahren? Bei meiner Seele! Weiß der Himmel, wohin die Welt noch gerät!«

»Na, na, Cuthbert«, bat sein Onkel, »rede nicht wieder wie ein Idiot daher. Verflixt, wenn ich wüßte, was man in einem Kabriolett mit einer Gardedame anfangen soll. In einer Kutsche wäre das natürlich etwas anderes gewesen.«

»Sir, wenn Miss Smith unter dem Schutz Sir Gareths reiste, brauchte sie keine Kammerfrau, um sie zu beschützen«, warf Hester mit leisem Tadel ein.

»Nein«, sagte Amanda dankbar. »Und ich hatte auch nicht den Wunsch, mit ihm zu fahren, denn ich bin sehr wohl imstande, für mich selbst zu sorgen.«

»Daraus schließe ich, daß Sie wohl alle Hände voll zu tun hatten«, sagte Lady Widmore und sah Sir Gareth mit hochgezogenen Augenbrauen an.

«Durchaus nicht», erwiderte er. «Ich hatte eine ungemein charmante Gesellschaft, Madam.»

«Oh, *das* bezweifle ich nicht», sagte sie lachend. «Nun, mein Kind, ich werde Sie jetzt wohl am besten hinaufbegleiten, denn Sie werden bestimmt den Wunsch haben, sich vor dem Dinner umzukleiden. Vermutlich werden Ihre Koffer bereits ausgepackt sein.»

«Ja-a», sagte Amanda zögernd. Ich meine – das heißt –» Sie errötete und sah Sir Gareth beschwörend an.

Er reagierte sogleich auf diesen stummen Appell und sagte mit beruhigendem Lächeln: «Das ist das Peinlichste an der ganzen Sache, nicht wahr, Amanda? Ihre Koffer, Madam, dürften sich, wie ich annehme, in Oundle befinden, denn sie wurden gestern mittels Boten abgeschickt. Wir hatten in meinem Kabriolett lediglich für zwei Hutschachteln Platz.»

«Gestern weggeschickt?» sagte der Earl. «Da erscheint es mir aber seltsam, daß ihre Verwandten die Verabredung, sie in Oundle abzuholen, nicht einhielten. Warum, zum Teufel, sollte sie ihre Koffer hinschicken, wenn sie nicht beabsichtigte, ihnen nachzufolgen?»

«Das, Sir», sagte Sir Gareth, völlig ungerührt, «läßt uns ja einen Unfall befürchten.»

«Wahrscheinlich wurden sie irgendwie verhindert», sagte Lady Hester. «Wie ärgerlich. Aber das macht nichts.»

«Gott, Hetty, was bist du doch für ein gedankenloses Geschöpf», bemerkte Lady Widmore mit gutmütiger Verachtung. «Wenn es nichts macht, dann ist es doch auch nicht ärgerlich.»

«Wie dumm von mir», murmelte Hester, die diese Zurechtweisung etwas geistesabwesend entgegennahm. «Darf ich sie jetzt hinaufführen, Miss Smith? Bemühe dich nicht, Almeria! Ich werde Miss Smith hinaufbegleiten.»

Amanda sah ziemlich erleichtert aus, und Sir Gareth, der zur Tür geschritten war, flüsterte Hester zu, als diese neben ihm stehen blieb, um ihrem Gast den Vortritt zu lassen: «Danke, ich wußte, daß ich auf Sie zählen kann!»

Sie lächelte nachdenklich, erwiderte aber nichts. Er schloß hinter ihr die Tür. Hester blieb einen Moment stehen, sah Amanda an und kniff die Augen ein wenig zusammen, als wollte sie sich dieses bezaubernde Antlitz genau einprägen. Auch Amanda starrte sie mit erhobenem Kinn an, bis Lady Hester mit ihrer weichen Stimme schüchtern sagte: »Wie *schön* Sie sind! ... Ich bin recht neugierig, welches Zimmer Mrs. Farnham für sie herrichten ließ ... Das Ganze muß für Sie entsetzlich unangenehm sein, aber bitte machen Sie sich nichts draus. Wir wollen überlegen, was wir jetzt tun können.«

»Ich für meinen Teil kann mir denken«, sagte Amanda, während sie ihr über die Treppe folgte, »daß es für Sie entsetzlich unangenehm ist, mich empfangen zu müssen, und dabei habe ich nicht einmal ein Abendkeid mitgebracht. Und was Sir Gareth betrifft, so ist er allein an allem schuld, und er erzählte Ihnen nichts als die empörendsten Lügen, abgesehen davon, daß er mich entführte.«

Hester, mit der Hand auf dem Treppengeländer, blieb stehen und sah sich erschrocken um. »Sie entführte? Du lieber Himmel, wie sonderbar! Wissen Sie ganz genau, daß das kein Irrtum ist?«

»Nein, es ist genauso, wie ich sage«, erwiderte Amanda entschlossen. »Ich habe ihn heute zum erstenmal in meinem Leben gesehen! Zuerst täuschte ich mich in ihm, denn er sieht aus wie alle meine Lieblingshelden – was wieder einmal beweist, daß man auf das Äußere keinen allzu großen Wert legen soll –, aber jetzt weiß ich, daß er ein ganz abscheulicher Mensch ist –, obwohl er aussieht wie Sir Lancelot oder Lord Orville«, fügte sie gewissenhaft hinzu.

Lady Hester sah völlig überrascht aus. »Wie ist das nur möglich? Sie müssen nämlich wissen, Miss Smith, daß ich entsetzlich töricht bin, und offenbar kann ich sie nicht verstehen.«

»Ich möchte, daß Sie Amanda zu mir sagen«, verlangte das junge Mädchen plötzlich. »Ich kann den Namen Smith nicht länger ertragen! Die Sache ist die: es war nähmlich der einzige Name, der mir einfiel, als Sir Gareth darauf bestand, alles über mich zu erfahren. Ich glaube, Sie werden wissen, wie das ist, wenn man plötzlich gezwungen wird, einen neuen Namen zu erfinden.«

»Nein – das heißt, ich kam nie in diese Lage –, aber ich verstehe natürlich, daß einem nur etwas sehr Einfaches einfällt«, erwiderte Hester.

»Genau so war es! Sie können sich gar nicht vorstellen, wie unangenehm es ist, Miss Smith genannt zu werden, was zufällig der Name der abscheulichsten Gouvernante war, die ich jemals hatte.«

Völlig verwirrt sagte Hester: »Ja, tatsächlich – obwohl – wissen Sie, ich glaube, wir sollten nicht hier stehenbleiben, um zu plaudern, denn man weiß nie, wer einen belauscht. Bitte, kommen Sie mit mir hinauf.«

Sie führte Amanda in die obere Halle, wo ihnen ihre Kammerzofe, eine Frau in mittleren Jahren, entgegenkam, deren Ergebenheit für die Angelegenheiten ihrer Herrin sie veranlaßte, Amanda mit Argwohn zu betrachten. Die Neuigkeit, daß Sir Gareth Ludlow mit einer richtig durchtriebenen Person am Arm in Brancaster Park eingetroffen war, verbreitete sich rasch im ganzen Haus. Und Miss Povey wußte genau, was sie von Schönheiten zu halten hatte, die nicht mehr Gepäck besaßen als zwei Hutschachteln und die ohne Begleitung von Kammerfrauen oder Gouvernanten in der Welt herumflanierten. Sie teilte Lady Hester mit, daß das blaue Schlafzimmer für die junge Person hergerichtet sei, eine Mitteilungsform, die Lady Hester veranlaßte, sie mit einem Stirnrunzeln anzusehen. »*Was* haben Sie gesagt, Povey?« fragte sie. Ihr Ton war sanft wie immer, aber Povey, die sich lediglich ein Naserümpfen erlaubte, beeilte sich, ihre Ausdrucksweise zu berichtigen. »Für die junge Dame, wie ich hätte sagen sollen, Mylady.«

»Oh, gut. Das blaue Zimmer wird genau das richtige sein. Danke. Ich brauche Sie nicht mehr.«

Diese Verabschiedung gefiel der Zofe durchaus nicht. Einerseits widerstrebte es ihr in höchstem Maße, Amanda zu bedienen, und sie hätte einen diesbezüglichen Befehl in der Tat sehr übelgenommen; anderseits aber war ihre Neugierde wachgeworden. Nach kurzem Kampf mit ihren widerstreitenden Gefühlen sagte sie: »Ich dachte, Mylady, da die Miss ihre Kammerfrau nicht mitgebracht hat, wird sie vielleicht wünschen, daß ich sie frisiere und ankleide.«

»Ja, sofort«, sagte Hester. »Und vielleicht könnten Sie für Miss Smith, da ihre Koffer nach Oundle verschickt wurden, mein rosa Kleid auf ihr Zimmer bringen.« Sie sah Amanda schüchtern lächelnd an und fügte hinzu: »Hätten sie etwas dagegen, eine meiner Toiletten anzulegen? Ich glaube, Ihnen würde sie ausgezeichnet passen, denn für mich ist sie zu jugendlich, und ich habe sie nicht mehr als ein einziges Mal getragen.«

»Nein, keineswegs. Ich wäre ihnen in der Tat dafür außerordentlich dankbar«, erwiderte Amanda herzlich. »Denn das andere Kleid, das ich bei mir habe, ist ebenfalls eine Vormittagstoilette, und außerdem fürchte ich, daß sie schrecklich zerdrückt sein wird. Und dieses hier ist sehr schmutzig geworden, weil ich damit sehr weit zu Fuß gegangen bin, abgesehen davon, daß ich auch am Boden des Fuhrmannskarren lag. Wie Sie sehen, hat es nichts genützt, daß ich mich in meinen Mantel einhüllte.«

»Musselin scheint sehr leicht zu schmutzen«, pflichtete Hester bei, und nahm den Fuhrmannskarren wie etwas ganz Alltägliches hin. »Povey wird es waschen und bügeln, damit sie es morgen wieder anziehen können.«

Mit diesen gelassen gesprochenen Worten führte sie Amanda in das ihr bestimmte Zimmer und schloß die Tür fest vor der Nase ihrer empörten Kammerfrau.

Die beiden Hutschachteln waren ausgepackt und Amandas geringe Habe an geeignete Plätze verteilt worden. Nach einer kurzen Besichtigung des Appartements spendete die junge Dame Lob und Anerkennung und fügte aufrichtig hinzu: »Sir Gareth hatte ganz recht: Sie sind mir ungeheuer sympathisch, Madam, obwohl ich glaubte, daß es nicht der Fall sein würde.«

»Das freut mich aufrichtig«, murmelte Hester. »Erlauben Sie, daß ich ihre Hutbänder aufknüpfe.«

»Ja«, sagte Amanda, die sich das gerne gefallen ließ, »aber da ich den Menschen, die ich mag, nie eine Lüge erzähle, muß ich Ihnen gleich sagen, daß ich nicht den Wunsch habe, bei einem Earl auf Besuch zu sein.«

»Wahrscheinlich wurden Sie nach revolutionären Grundsätzen erzogen«, sagte Hester verständnisinnig. »Ich selbst weiß nicht viel darüber, ich glaube aber, daß heutzutage viele Leute . . .«

»O nein. Die Sache ist die: ich wünsche aus ganz speziellen Gründen in eine Lage zu kommen, aus der einen die Verwandten unbedingt retten müssen. Und wäre nicht Sir Gareth gewesen, so wäre es mir, wie ich glaube, auch gelungen. Ich bin noch nie so hereingefallen. Er sagte, er werde mich nach Huntingdon bringen, wo ich berechtigte Hoffnung hatte, im ›George‹ als Zimmermädchen engagiert zu werden – wenigstens glaubte ich, er hätte es mir versprochen, bald merkte ich aber, daß alles nur Schwindel war –, und als er mich schließlich in sein Kabriolett lockte, brachte er mich statt dessen hierher!«

Lady Hester, von diesem Bericht ziemlich verwirrt, setzte sich, ein wenig schwach geworden, in einen Fauteuil und sagte: »Ich glaube nicht, Amanda, daß ich Sie *ganz* verstehe. Wahrscheinlich liegt es an mir, weil ich so dumm bin, ich bin aber überzeugt, wenn Sie mir alles vom Anfang an erzählen wollten ... Aber natürlich nur, wenn Sie Lust dazu haben. Ich werde Ihnen keine Fragen stellen, denn nichts ist unangenehmer, als Gezänk und gute Ratschläge anhören zu müssen.« Ein schüchternes Lächeln, in dem plötzlich ein Schimmer von Mutwillen aufblitzte, flog über ihr Antlitz. »Wissen Sie, ich habe mein ganzes Leben unter all dem gelitten.«

»Tatsächlich?« sage Amanda überrascht. »Aber Sie sind doch schon ziemlich alt! Ich meine«, verbesserte sie sich hastig, »Sie – Sie sind nicht mehr minderjährig. Ich staune, daß Sie den Leuten, die mit Ihnen zanken, nicht sagen, sie sollen sich um ihre eigenen Angelegenheiten kümmern.«

»Ich fürchte, dazu habe ich nicht genug Mut«, sagte Hester kläglich.

»Wie meine Tante«, sagte Amanda kopfnickend. »Sie hat auch keinen Mut und läßt sich von meinem Großpapa tyrannisieren; dabei verliere ich immer die Geduld, denn man kann stets seiner eigenen Wege gehen, wenn man nur die nötige Entschlossenheit besitzt.«

»Kann man das?« sagte Hester zweifelnd.

»Ja, obwohl man, wie ich zugeben muß, manchmal gezwungen ist, zu verzweifelten Maßnahmen zu greifen. Und es hat keinen Zweck, sich immer nur mit den äußeren Formen abzuquälen«, fügte sie ein wenig herausfordernd hinzu, »denn ich glaube, wenn man nie etwas tut, das nicht ganz korrekt und schicklich ist, führt man das unglücklichste Leben – ohne Abenteuer, ohne Romanze oder sonst etwas Aufregendes!«

»Leider trifft das zu«, sagte Hester lächelnd. »Aber wie mir scheint, nicht für Sie.«

»Nein, denn ich besitze eine gehörige Portion Entschlossenheit. Außerdem habe ich einen großartigen Kriegsplan entworfen, und wenn Sie mir feierlich versprechen, nicht den Versuch zu machen, ihn zu durchkreuzen, werde ich ihnen den Plan erzählen.«

»Ich glaube nicht, daß ich den Plan irgendeines Menschen durchkreuzen könnte«, sagte Hester nachdenklich. »Aber ich verspreche feierlich, es nicht zu versuchen.«

»Und auch, es den andern Leuten nicht zu erzählen?« fragte Amanda besorgt.

»Meiner Familie? O nein!«

Beruhigt setzte sich Amanda an ihre Seite und berichtete ihre Abenteuer zum zweitenmal an diesem Tage. Lady Hester hatte die Hände leicht im Schoß gefaltet und ihre Augen verwundert auf das lebhafte kleine Gesicht neben sich gerichtet. Sie blinzelte einige Male, und einmal entschlüpfte ihr sogar eine kleine Lachkaskade; sie machte aber keine Bemerkung, bis Amanda ihre Erzählung beendet hatte, dann sagte sie: »Wie tapfer Sie sind! Ich hoffe, daß Sie Ihren Brigademajor heiraten können, denn ich bin überzeugt, daß Sie die geborene Soldatenfrau sind. Wissen Sie, ich glaube, Ihr Großpapa würde seine Einwilligung geben, wenn Sie sich damit abfinden könnten, noch eine Weile länger zu warten.«

»Ich habe schon zu lange gewartet, so daß ich jetzt entschlossen bin zu heiraten. Auch deshalb, damit ich Neil nach Spanien begleiten kann«, erklärte Amanda und sah sehr eigensinnig aus. »Ich glaube, Sie werden finden, daß das alles sehr unrecht von mir ist und daß ich meinem Großpapa gehorsam sein sollte. Das mag schon sein – ich mache mir aber aus nichts und niemandem etwas, nur aus Neil, und ich kehre nicht demütig nach Hause zurück, was immer die Leute auch sagen mögen.«

Das wurde sehr herausfordernd gesagt, aber Hester erwiderte bloß: »Es ist sehr schwierig, sich darüber klar zu werden, was man am besten tun soll. Glauben Sie vielleicht, Sie sollten Neil zu sich bitten?«

Amanda schüttelte den Kopf. »Nein, denn er würde mich zum Großpapa zurückbringen, und man kann sich nicht darauf verlassen, daß Großpapa dankbar genug wäre, seine Einwilligung zu unserer Heirat zu geben. Er würde wahrscheinlich sogar glauben, daß ich das alles gemeinsam mit Neil ausgeheckt habe – und das wäre entsetzlich! Das wird er bestimmt von allem Anfang an denken. Wenn er aber bemerkt, daß Neil meinen Aufenthaltsort ebensowenig kennt wie er selbst, wird er einsehen, daß er sich geirrt hat. Außerdem wäre er dann meinethalben in noch viel größerer Sorge, und das wäre nicht schlecht.«

Diese rücksichtslose Rede veranlaßte Hester zu einem schwachen Protest, der aber durch ein Klopfen an der Tür kurzerhand unterbrochen wurde. Povey trat mit leidender Miene ein, die rosa Seidentoilette über dem Arm. Hester erhob sich und sagte: »Ich glaube, wir sind ziemlich gleich groß, und ich bin überzeugt, Ihnen wird das Kleid bedeutend besser stehen als mir. Bitte, ziehen Sie es an, und wenn etwas geändert werden müßte, wird Povey dafür sorgen.«

Amanda, deren Augen beim Anblick dieser bezaubernden Toilette aufleuchteten, sagte impulsiv: »Danke, o danke! Das ist schrecklich liebenswürdig von Ihnen, und genau das Kleid, das ich mir schon immer gewünscht habe. Ich habe noch nie ein Seidenkleid getragen, weil meine Tante die spießigsten Ansichten hat. Sie ließ mich nie etwas anderes als Musselinkleider tragen, selbst auf den Bällen in Bath.«

»Du lieber Himmel«, sagte Hester und sah schuldbewußt aus, »sie hat ganz recht. Wie dumm von mir! Aber es macht nichts. Das Kleid ist nicht sehr tief dekolletiert, und ich werde Ihnen einen Spitzenschal leihen, den Sie um die Schultern legen können.«

Damit verschwand sie, um den Schal zu holen. Bevor sie aber ihr eigenes Zimmer erreichte, hörte sie ihren Namen, drehte sich um und erblickte Sir Gareth, der aus seinem Schlafzimmer getreten war.

Er hatte sich umgekleidet, die Reisekleidung mit Kniehosen und Seidenstrümpfen vertauscht und einen Schwalbenrock aus schwarzem Tuch mit einer eleganten Moiréweste angelegt; niemand, der den exquisiten Sitz seines Rockes über den Schultern bemerkte und die Sorgfalt, mit der sein gestärktes Halstuch geknüpft war, hätte vermutet, daß er diese Verwandlung in äußerster Eile und ohne die Hilfe seines Kammerdieners bewerkstelligt hatte. Er durchquerte die Halle und sagte mit einem bezaubernden Lächeln: »Ich habe Ihnen hier aufgelauert, weil ich hoffte, mit Ihnen ein paar Worte wechseln zu können, bevor wir wieder hinuntergehen. Hat ihnen dieses törichte Kind die Wahrheit über sich erzählt? Ich habe ihr von vornherein gesagt, daß ich es tun werde. Wie gütig von Ihnen, sie ohne den geringsten Widerstand so freundlich aufzunehmen. Aber ich wußte es! Danke Ihnen!

Sie erwiderte sein Lächeln, jedoch ein wenig nervös. »O nein. Bitte nicht. Es besteht nicht der geringste Anlaß – ich bin nur zu glücklich ...! Sie hat mir erzählt, wie sie Sie kennengelernt hat. Sie hatten ganz recht, sie hierherzubringen.«

»Gelang es Ihnen, ihren Namen herauszubekommen?« fragte er.

»Nein – ich fragte sie auch nicht danach. Vermutlich möchte sie ihn lieber nicht verraten.«

»Das habe ich schon bemerkt, aber ihr Großvater *muß* gefunden werden. Du lieber Gott, man kann ihr doch nicht erlauben, ihren abscheulichen Plan auszuführen!«

»Er scheint mir sehr gefährlich zu sein«, stimmte sie zu.

»Gefährlich?! Völlig verrückt! Wie kann sie es vermeiden, mit diesem Gesicht und ohne mehr Weltkenntnis zu besitzen als ein Baby, in Gefahren zu geraten? Und dazu ist sie vertrauensselig wie ein Kätzchen. Hat sie Ihnen erzählt, daß ich sie entführt habe? Nun – ich hätte es ohne weiteres tun können. Sie hüpfte in der vertrauensvollsten Weise in mein Kabriolett.«

»Wahrscheinlich wußte sie, daß sie Ihnen vertrauen kann«, erwiderte sie. »Sie ist natürlich ganz unschuldig, ich glaube aber nicht, daß sie dumm ist. Und dabei ist sie so mutig!«

Nach einer kleinen Pause sagte er: »Ja – doch es ist ein eigensinniger Mut und eine bezaubernde Widerspenstigkeit, die beide sehr leicht zu ihrem Verderben führen können. Als ich sie zum erstenmal sah, erinnerte sie mich – ich könnte kaum sagen, wodurch –, vielleicht war es die Haltung des Kinns und ein gewisser Blick ihrer Augen ...« Er brach ab, als bedauere er seine Worte.

»Auch mir erging es so«, sagte sie in ihrer stillen Art. »Wahrscheinlich ist es die Ähnlichkeit gewesen, die Sie zu ihr hinzog.«

»Vielleicht. Nein, eigentlich glaube ich das nicht. Man sah ihr so deutlich das wohlerzogene Kind an, das in Schwierigkeiten geraten ist: ich konnte nichts anderes tun, als ihr meine Hilfe anbieten.«

»Ich fürchte, sie ist Ihnen dafür nicht sehr dankbar«, sagte sie mit dem Schimmer eines Lächelns.

»Nicht im geringsten«, sagte er lachend. »Sie hat mir sogar prophezeit, es werde mir noch sehr leid tun, und ich glaube, sie bringt es noch so weit, denn sie ist das ungezogenste kleine Ding, dem ich bisher begegnet bin. Ich baue ganz auf Sie. Wenn Sie sie dazu bewegen könnten, den Namen ihres Großvaters zu verraten –«

»Oh, das kann ich nicht«, unterbrach sie ihn. »Ich versprach ihr nämlich, nicht den geringsten Versuch zu machen, ihren Kriegsplan zu durchkreuzen. Ich könnte ihr Vertrauen nicht so enttäuschen, selbst wenn sie mir erzählen würde, wer sie ist, nicht wahr?«

Zwischen Belustigung und Verzweiflung schwankend, sagte er: »In einem Fall wie diesem? Ich hoffe, daß Sie es dennoch tun werden, denn es wäre Ihre Pflicht.«

»Ich glaube, man sollte ihr gestatten, ihren Offizier zu heiraten«, sagte sie sinnend.

»Was? In ihrem Alter sollte man ihr gestatten, sich an einen bettelarmen, jungen Offizier wegzuwerfen, um allen Mühsalen und Beschwerden eines Lebens ausgesetzt zu sein, das einem unweigerlich bevorsteht, wenn man den Kriegstrommeln folgt? Meine liebe Lady Hester, Sie können sich eben nicht vorstellen, wie das ist. In diesem Punkt bin ich völlig einer Meinung mit dem unbekannten Großvater.«

»Tatsächlich?« Sie sah ihn in der Art kurzsichtiger Menschen an und seufzte. »Ja, vielleicht haben Sie recht. Ich weiß nicht. Was werden Sie tun?«

»Wenn ich sie nicht dazu überreden kann, sich von mir in ihr Heim begleiten zu lassen, muß ich ihren Brigademajor ausfindig machen. Das wird keine zu schwierige Aufgabe sein, aber es bedeutet, daß ich schon morgen nach London zurückkehren muß. Ich sehe keinen anderen Ausweg, als sie mitzunehmen und der Obhut meiner Schwester zu übergeben. Es ist wahrlich der abscheulichste Wirrwarr.«

»Wäre es Ihnen recht, wenn ich sie unter meinen Schutz nehmen würde?« fragte sie unschlüssig.

»Das wäre mir allerdings am liebsten«, erwiderte er. »Aber ich bin restlos überzeugt, daß sie sofort durchbrennen würde, wenn ich den Rücken kehre. Ich glaube auch nicht, daß Ihr Bruder und seine Frau sie mit freundlichen Augen als Gast willkommen hießen.«

»Nein«, gab sie zu. Sie hob ihre Augen zu seinem Gesicht und sagte mit einem betrübten kleinen Lächeln: »Verzeihen Sie mir, aber ich bin so schrecklich nutzlos. Denn ich wäre unfähig, Amanda zum Bleiben zu zwingen, und ich fürchte, es würde mir auch nicht gelingen, Almeria daran zu hindern, ihr gegenüber spitze Bemerkungen zu machen. Bitte, entschuldigen Sie mich jetzt, ich muß ihr einen Schal bringen, den sie umlegen soll.«

»Müssen Sie das sogleich tun?« fragte er und streckte seine Hand aus. »Wir haben von nichts anderem als von Amanda gesprochen, und ich kann ihnen versichern, daß ich nicht nach Brancaster kam, um über ein lästiges kleines Schulmädel zu sprechen.«

Sie schien vor ihm zurückzuweichen, dann sagte sie rasch: »Es ist fast Zeit fürs Dinner! Ich möchte viel lieber – ich kann wirklich nicht bleiben ...«

Mit diesen Worten enteilte sie, und Sir Gareth blickte ihr etwas überrascht nach. Er wußte wohl, daß sie sehr schüchtern war, es sah ihr aber gar nicht ähnlich, ihre Erregung zu verraten; außerdem hatte er geglaubt, mit ihr auf so ungezwungenem Fuß zu stehen, daß sie seine Bewerbung unmöglich in Verlegenheit setzen könnte. Sie war aber ohne Zweifel verlegen gewesen und war vor ihm zurückgewichen. Der Verdacht, man könnte sie zwingen, seinen Antrag anzunehmen, flog ihm durch den Sinn und veranlaßte ihn, finster vor sich hinzublicken; daß sie aber die Absicht haben könnte, ihm einen Korb zu geben, konnte er nicht glauben, denn er hielt es für ausgeschlossen, daß Lord Brancaster ihm gestattet hätte hierherzukommen, nur um dann abgewiesen zu werden.

Das war ein recht vernünftiger Gedanke, der von Mr. Theale geteilt wurde. Sir Gareth hatte kaum den Salon verlassen, um sich umzukleiden, als Seine Lordschaft ausrief: »Das schlägt dem Faß den Boden aus! Was, zum Teufel, veranlaßte ihn, das junge Ding mitzubringen? Gerade als ich hoffte, Hester werde ihn schließlich doch nehmen. Verlaßt euch drauf, das wird sie wieder abschrecken.«

»Eh?« sagte Mr. Theale. »Pah! Unsinn! Sie wird keine solche Gans sein!«

»Davon verstehst du nichts«, schnappte der Earl. »Sie hatte nie auch nur ein Körnchen gesunden Menschenverstand.«

»Gott, Giles, um auf die Chance zu fliegen, eine so gute Partie zu machen, wird sie genug haben. Sie wird sich das nicht plötzlich wieder überlegen, nur weil Ludlow eine *Nonpareille* unter seine Obhut nahm: sie gehört nicht zu den Mädchen, die das übelnehmen, obwohl ich zugeben muß, daß ich nie gedacht hätte, Ludlow wäre der Mann, so etwas Idiotisches zu tun.«

»Nun also, sie flog aber nicht auf diese Chance«, sagte der Earl ärgerlich. »Sagte, sie wünsche sich diese Heirat nicht. Almeria dachte, sie würde sich's noch überlegen, aber ich verbürge mich dafür – diesen unglücklichen Zufall hatte sie nicht erwartet.«

»Nun, bei Gott«, äußerte sich Mr. Theale. »Willst du damit vielleicht sagen, daß du den armen Kerl den ganzen Weg hierherkommen ließest, obwohl du nicht ganz sicher wußtest, ob Hester ihn nimmt? Verdammt noch einmal, welch üblen Streich hast du ihm da gespielt!«

»Ach, Blödsinn«, sagte Lady Widmore mit ihrer scharfen Stimme. »Laß ihn nur auf die richtige Weise mit ihr zu Werke gehen – dann wird sie ihn schon wollen. Und ich werde dafür sorgen, daß das kleine Frauenzimmer morgen packen geschickt wird! Die Tochter von alten Freunden! Was er nicht sagt! Feine Freunde, die ihre Tochter über Land schicken, ohne eine achtbare Frauensperson zur Begleitung! Ich nehme mir die Freiheit zu erklären, daß das denn doch etwas zu stark ist!«

»Ich hätte das nie von Ludlow gedacht«, sagte ihr Gatte. »Ich maße mir nicht an zu wissen, wer oder was dieses junge Mädchen ist, aber ich bin über diese ganze Sache äußerst empört.«

»Ach, rede keinen Unsinn«, sagte sein Vater gereizt. »Nach allem, was ich weiß, hätte sich Ludlow ein halbes Dutzend Mätressen halten können, wenn du dir aber einbildest, er würde irgendeines der Luxusweibchen hierherbringen, dann bist du ein noch größerer Schafskopf, als ich bisher geglaubt habe. *Das* bereitet mir keine Sorgen.«

»Es sollte dir aber Sorgen bereiten«, bemerkte sein Bruder. »Ich gehöre nicht zu den Leuten, die sich allzuviel Sorgen machen, hätte ich aber so einen Idioten gezeugt wie Widmore, dann würde ich schlaflose Nächte verbringen, das kann ich dir sagen.«

Diese höchst unzeitgemäße Spaßhaftigkeit erboste den Earl so sehr, daß er aussah, als würde ihn im nächsten Augenblick der Schlag treffen. Bevor er seine Stimme wieder genügend in der Gewalt hatte, um mit Mr. Theale zu verfahren, wie ihm gebührte, griff seine Schwiegertochter ein, die dem Scherz mit herzhaftem Lachen Beifall spendete, worauf sie sagte: »Jetzt halten Sie aber den Mund, Onkel Fabian! Ich weiß, Sir, was Ihnen Sorgen bereitet, und ich kann Sie dafür nicht tadeln. Schnappt Hetty Ludlow nicht, solange sie die Chance hat, wird er sich bis über die Ohren in das Mädel verlieben, und dann werden wir das Nachsehen haben. Ich möchte nicht behaupten, daß sie seine Geliebte ist, aber ich lege die längsten Odds, daß sie nichts Gutes im Schilde führt. Was aber weit schlimmer ist: sie ist eine Schönheit – wenn man diese frechen Augen mag, was ich für meinen Teil ablehne! Man kann aber leicht sehen, daß sie nach Sir Gareths Geschmack sind. Nun wohl, ich will nur eines sagen: Hetty diesem Paradiesvogel gegenüberzustellen heißt, ihr jede Chance nehmen, die sie vielleicht gehabt haben mag.«

Die Wahrheit, die diesen ungeschminkten Worten zugrunde lag, drängte sich der Gesellschaft gewaltsam auf, als Hester, knapp ehe das Dinner gemeldet wurde, Amanda in den Salon geleitete.

Wäre Lady Widmore in diesem Augenblick ihrer Eingebung gefolgt, dann hätte sie ihrer Schwägerin eine Ohrfeige versetzt. Ein Blick auf die strahlende Erscheinung im Türrahmen genügte, um sie zu belehren, daß Hester, dieses Wesen mit dem Vogelgehirn – dafür hatte Lady Widmore sie schon immer gehalten –, dem Eindringling eine ihrer eigenen Toiletten geliehen hatte. Die leuchtende Rosenfarbe hatte Hester nie gut gekleidet. Gerechterweise mußte man zugeben, daß sie wie speziell für Amanda geschaffen schien, um ihre Reize am vorteilhaftesten zur Geltung zu bringen. Das junge Ding sah blendend schön aus, ihre großen Augen strahlten vor Vergnügen über ihr erstes Seidenkleid, ihre Wangen waren ein wenig gerötet und ihre Lippen, schüchtern und triumphierend zugleich, ein wenig geöffnet. Kein Wunder dachte Lady Widmore erbittert, daß alle Herren sie anstarren wie die Hunde einen Markknochen.

Amanda befand sich in vortrefflicher Stimmung, sie war einige Minuten wie ein Pfau vor dem Spiegel auf und ab stolziert, hatte sich bewundert und die große Dame gemimt. Sie hoffte, alle Anwesenden durch so viel Glanz und Pracht zu überwältigen, und freute sich, als sie bemerkte, daß es ihr gelungen war. Der einmonatige Aufenthalt in Bath hatte sie noch keineswegs gegen Bewunderung abgestumpft. Sie hatte jedoch eine Menge aus dem Benehmen der fashionablen Damen gelernt. Zu Sir Gareths verständnisinniger Belustigung begann sie alle Kunststücke spielen zu lassen, die sie ihnen abgeguckt hatte, sie flirtete mit dem Fächer, den Hester ihr geliehen, und machte von ihren strahlenden Augen schamlos Gebrauch. Nichts, dachte er, könnte ihre Jugendlichkeit sicherer verraten. Sie war wie ein Kind, dem man gestattet hatte, sich mit den Kleidern ihrer älteren Schwester herauszuputzen, und das sich nun alle Mühe gab, das Benehmen der Erwachsenen nachzuäffen. Er sah im Geiste seine Nichte vor sich, die auch immer schrecklich erwachsen tat, wenn er sie zu einer Fahrt durch den Park mitnahm, und genau das gleiche Schaupiel bot; wenn ihr Übermut zu arg wurde, wußte er genau, wie er ihr einen Dämpfer aufsetzen konnte. Nun, sollte es Amanda zu arg treiben, dann würde er auch ihr einen Dämpfer aufsetzen, hielt sie sich aber in Grenzen, dann sollte sie sich nur unterhalten; es würde sie davon abhalten, Pläne zu schmieden, wie sie ihm entwischen könnte.

In diesem Moment sah sie zu ihm hinüber und warf ihm einen so herausfordernden Blick zu, daß er beinahe laut aufgelacht hätte. Genau in demselben Augenblick betrat Mr. Whyteleafe den Salon.

Mr. Whyteleafe war auf den Besuch Sir Gareth vorbereitet, aber keineswegs auf dessen Reisegefährtin. Und der Anblick Amandas, die mit Sir Gareth ungemein sprechende Blicke wechselte, wie er sich später ausdrücken sollte, hielt ihn einige Sekunden auf die Stelle gebannt. Sein bestürzter Blick richtete sich auf Lady Hester, die ihn, sowie sie ihn bemerkte, Amanda freundlich vorstellte.

Amanda, geschmeichelt durch die Aufmerksamkeit, die ihr Mr. Theale zuteil werden ließ, war ihm gegenüber höflich, aber nicht enthusiastisch. Geistliche waren in ihren Augen nüchterne Menschen, die an ihr fast immer etwas auszusetzen fanden. Und dieser hier, dachte sie, sieht mich noch weit mißbilligender an als der Pfarrer zu Hause. Sie versuchte, ihn in ein Gespräch zu verwickeln, wandte sich aber sehr bald wieder den geschickt angebrachten Komplimenten Mr. Theales zu.

Mr. Whyteleafe, der – um ihm Gerechtigkeit widerfahren zu lassen – nicht das Bedürfnis hatte, sich mit einer jungen Frauensperson zu unterhalten, die er augenblicklich als lockeres Wesen erkannte, trat an Lady Widmores Seite und bat sie mit unterdrückter Stimme, ihm zu sagen, wer Amanda eigentlich sei.

»Fragen Sie *mich* nicht«, erwiderte sie und zuckte die Achseln. »Ich kann Ihnen nicht mehr sagen, als daß Sir Gareth sie hierhergebracht hat.«

Er sah sehr empört aus und konnte sich nicht enthalten, einen Blick auf Lady Hester zu werfen. Sie sah durchaus nicht erregt aus, noch schien sie gegen Sir Gareth aufgebracht. Sie lächelte ihm in der Tat sogar zu, denn er war eben durch den Salon geschritten und an ihre Seite getreten, um ihr für die Güte zu danken, Amanda eine ihrer Toiletten zur Verfügung zu stellen.

»Ach nein, danken Sie mir nicht. Ich war doch so froh, eine Toilette zu besitzen, die sie so gut kleidet. Wie schön sie ist!«

»Das kleine Äffchen! Sie werden doch zugeben müssen, daß es eine Sünde wäre, ihr die Erlaubnis zu geben, sich an ihren Brigademajor wegzuwerfen, ehe sie Gelegenheit hatte, in London Furore zu machen. Geben Sie ihr ein Jahr, um ihr Gleichgewicht wiederzufinden, und ich garantiere Ihnen – sie wird es finden!«

»Ja, vielleicht.«

»Nicht überzeugt?« fragte er spöttisch.

»Ich weiß nicht. Sie ist ein recht ungewöhnliches Mädchen.«

»Ja, jedenfalls nicht alltäglich – aber noch viel zu unerfahren, um sich einen Gatten zu wählen.«

Sie schwieg einen Moment, und ihre Augen ruhten auf seinem Profil. Er jedoch sah Amanda an. Als wäre er sich des Blickes von Hester bewußt, wandte er gleich darauf den Kopf und lächelte ihr zu. »Stimmen Sie nicht mit mir überein?«

»Vielleicht haben Sie recht«, sagte sie. »O ja, ich glaube, daß Sie recht haben! Wahrscheinlich wird sie sich's noch überlegen.«

6

Als sich das Dinner seinem Ende näherte, waren mehrere Personen an der Tafel völlig überzeugt, daß Sir Gareth – wie unschuldig die Beziehung zwischen ihm und Amanda auch sein mochte – weit mehr Interesse an dem lebhaften Mädchen nahm, als sich für jemanden geziemte, der im Begriffe stand, einer anderen Dame einen Heiratsantrag zu machen. Er saß zwischen Hester und Lady Widmore, Amanda gegenüber, und während er in seiner gewandten, wohlerzogen Art mit beiden Damen Konversation machte, konnte man bemerken, daß seine Aufmerksamkeit nie völlig von Amanda abgelenkt wurde. Niemand hätte aus seinem Benehen schließen könne, daß sein Interesse durchaus nicht angenehmer Art war oder daß diese informelle Dinnergesellschaft in seiner Erinnerung als die nervenzermürbendste Aufgabe weiterleben würde, die ihm je auferlegt worden war. Er hatte von allem Anfang an beschlossen, auf Amanda ein wachsames Auge zu haben, als er sah, wie sie den Wein, den der Butler in ihr Glas goß, erst argwöhnisch betrachtete und dann einen vorsichtigen Schluck nahm. Ein Glas konnte ihr kaum schaden, sollte der Narr von einem Butler aber versuchen, ihr Glas nachzufüllen, dann mußte er einschreiten. Sie benahm sich mit vollendetem Anstand, war aber zweifellos überwältigt von der rosa Seidentoilette und Mr. Theales Komplimenten, der sie offensichtlich dazu ermutigte, die Grenzen des Wohlanstandes zu überschreiten. Sir Gareth war mit Mr. Theale persönlich nicht besonders gut bekannt, aber er kannte seinen Ruf. Nachdem er etwa zehn Minuten damit verbracht hatte, Mr. Theales Gesprächen mit halbem Ohr zuzuhören, wurde seine Überzeugung von der Wahrheit all der skandalösen Geschichten, die er über diesen unternehmungslustigen Gentlemen gehört hatte, bestätigt und erfüllte ihn mit dem übermächtigen Wunsch, ihm einen seiner Boxhiebe zu versetzen, die in sportlich interessierten Kreisen mit Recht berühmt waren.

Aber Amanda war nicht ganz unerfahren in der Behandlung ältlicher Roués, die im Umgang mit ihr väterliche Allüren annahmen, und sie hatte den Kopf, trotz ihrer gehobenen Stimmung, keineswegs verloren. Sie war fest entschlossen, diesen berauschenden Abend ungetrübt durch den dämpfenden Einfluß einer besorgten Tante in vollen Zügen zu genießen, sie vergaß aber keinen Augenblick das Ziel, das sie zu erreichen hoffte. Sie hatte die ganze Gesellschaft Revue passieren lassen und war rasch zu dem Schluß gekommen, daß Mr. Theale der einzig mögliche Verbündete sei. Während ihr Gesicht den Ausdruck schmeichelhaftesten Interesses an seiner Erzählung trug und ihre reizenden Lippen die passenden Antworten formten, beschäftigten sich ihre Gedanken mit dem Problem, wie sie sich seine Unterstützung zunutze machen könne.

Mr. Theale seinerseits war entschlossen, noch ehe der Abend sein Ende fand, festzustellen, in welcher Beziehung sie zu Sir Gareth stand. Als Mann von Welt stimmte er mit seinem Bruder darin überein, es ebenfalls für höchst unwahrscheinlich zu halten, daß Ludlow ein leichtfertiges Wesen nach Brancaster bringen würde; anderseits bemerkte er, daß Ludlow ein stets wachsames Auge auf sie hatte. Es ging aber völlig über sein Verständnis, daß dies aus rein altruistischen Motiven geschehen könnte. Die Geschichte mit den Verwandten in Oundle hatte er von allem Anfang an nicht geglaubt, und da es keiner jungen Dame von vornehmer Geburt gestattet war, unbegleitet durch das Land zu reisen, neigte er dazu anzunehmen, daß Amanda durchaus nicht das junge Schulmädchen war, das sie zu sein schien, sondern ganz im Gegenteil ein recht bemerkenswertes junges Wild. War das tatsächlich der Fall, dann wurde die Versuchung groß, sie Sir Gareth einfach wegzuschnappen. Sie war so hübsch, wie man sich nur wünschen konnte, und dazu noch genau der Typ eines Weibchens, wie er ihn liebte, und überdies jung und unerfahren, was eine angenehme Abwechslung nach der Harpyie wäre, die in letzter Zeit seine Protektion genoß. Wahrscheinlich wäre sie für kleinen wertlosen Flitterkram dankbar, ganz anders als die Gierigen, die ihre Finger ständig in seiner Brieftasche hatten.

Seine Betrachtungen wurden dadurch unterbrochen, daß die Damen das Speisezimmer verließen. Das Tafeltuch wurde entfernt und die Karaffen auf den Tisch gestellt. Aber der Earl, ganz gegen seine Gewohnheit, ermunterte die Herren nicht, länger bei ihrem Portwein zu verweilen. Seiner Meinung nach konnte es nur vorteilhaft sein, Sir Gareth möglichst früh Gelegenheit zu geben, Hester seine Frage zu stellen. Er mochte in seiner Eigenschaft als Vater wohl nicht als Vorbild gelten, dennoch war er nicht so unklug, seine Tochter der Gefahr auszusetzen, daß sich ihr ein Bewerber in leicht angesäuseltem Zustand präsentiere. So erhob er sich nach einer halben Stunde von der Tafel und sagte, daß man die Damen nicht länger warten lassen dürfe. Er überlegte, ob es gut wäre, den künftigen Schwiegersohn von der übrigen Gesellschaft zu separieren und ihn und Hester gemeinsam in irgendein Zimmer zu schieben. Dann dachte er aber, daß es wahrscheinlich klüger wäre, es Sir Gareth zu überlassen, selbst die beste Gelegenheit für eine private Aussprache mit Hester zu finden. Er führte sie daher durch eine Flucht prachtvoller Salons, die sich längs der Südseite des Hauses aneinanderreihten. Dieser Front war eine breite Terrasse vorgelagert, von der aus man die Aussicht auf einen Ziergarten und einen kleinen Teich hatte. Da der Abend schwül war, hatte man die hohen Fenster noch nicht vor der kühlen Nachtluft geschlossen.

Als der Earl die Tür des Salons öffnete, wurden die Herren von Akkorden Haydnscher Musik begrüßt. Amanda saß vor dem Klavier und spielte mit beachtlicher Verve, wenn auch nicht mit absoluter Präzision, eine Sonate.

Dafür war Lady Widmore verantwortlich. Kaum hatten die Damen nämlich den Raum betreten, als sie auch schon Miss Smith bat – und zwar in der unverhüllten Absicht, dem ungebetenen Gast eine schmähliche Niederlage zu bereiten –, sie mit etwas Klaviermusik zu erfreuen, denn sie nahm an, daß sie das Instrument nicht beherrsche. Da Lady Widmore aber völlig unmusikalisch war, könnte man sagen, daß ihr für ihre Bosheit recht geschah. Amanda, anstatt ihre Unkenntnis einer Kunstfertigkeit, die für ein Mädchen mit dem geringsten Anspruch auf vornehme Geburt unerläßlich war, eingestehen zu müssen, begann in der artigsten Weise unverzüglich eine sehr langweilige und sehr lange Sonate zu spielen.

Mr. Theale, der Lady Widmores Abneigung gegen Hausmusik teilte und durch die heftige Mißbilligung seines Bruders gehindert wurde, innerhalb der Mauern von Brancaster einem seiner beliebtesten Laster zu frönen, schlich sich unauffällig davon, um sich im Garten bei Mondenschein dem Genuß seiner geliebten Zigarillos hinzugeben. Die andern Gentlemen jedoch traten tapfer ein und verteilten sich in dem Salon, wobei sich Mr. Whyteleafe zu des Earls, Erbitterung sehr geschickt eines Sessels neben Lady Hester bemächtigte.

Sir Gareth trat ans Fenster, lehnte sich mit der Schulter gegen den Rahmen und heftete seine Augen auf die schöne Vortragende.

»Ich finde keine Worte«, flüsterte Mr. Whyteleafe, »um Ihnen in dieser Angelegenheit mein Mitgefühl auszudrücken. Ich kann nur sagen, wenn ich auch nicht überrascht bin, so bin ich doch zutiefst erschüttert. *Ihre* Gefühle vermag ich mir leicht vorzustellen.«

»O nein, das glaube ich nicht«, erwiderte sie mit einem Anflug von Belustigung. »Aber, bitte, seien Sie jetzt still. Jetzt darf man nicht sprechen, nicht wahr?«

Er verstummte, beabsichtigte jedoch, Worte an Lady Hester zu richten, die sie bei der Prüfung stärken sollten, die ihr bevorstand, wenn ein Mann ihre Hand begehrte, den er klar und deutlich als ausgekochten Wüstling erkannt hatte. Dieser Entschluß wurde aber durch Lady Widmore zunichte, die, sowie Amanda zu spielen aufhörte, unverzüglich Pläne für die weitere Unterhaltung der Gäste machte und ihm befahl, einen Kartentisch aufzustellen. Sie unterbrach mit der Ungezogenheit, für die sie berühmt war, die Komplimente, die man Amanda machte, und kündigte an, daß jetzt ein Rubber Casino genau das Richtige wäre, und fügte, als sie den erschrockenen Blick des Earl bemerkte, mit munterem Lachen hinzu, sie erwarte keineswegs, daß er oder Fabian an dieser Unterhaltung teilnähmen.

»Und da sich Hester nichts aus Kartenspielen macht, wird sich Sir Gareth mit ihr unterhalten. Denn Sie und Fabian werden sich doch zweifellos entschließen, Pikett zu spielen; dadurch bleiben wir zu viert, um ein gemütliches Spielchen zu machen«, sagte sie.

Selbst ihr Gatte, der gegen ihre Art schon abgestumpft war, hatte das Gefühl, daß dieser Versuch, Sir Gareth Gelegenheit zu geben, sich Hester zu erklären, denn doch zu plump war, um förderlich zu sein; und der Earl, der sie insgeheim als »altes Schandmaul« apostrophierte, fand ihn hinreichend taktlos, um beide interessierten Personen zu erbittern. Während Lady Widmore geschäftig im Salon hin und her eilte, den widerwilligen Kaplan anwies, wohin er den Tisch zu stellen habe, und in den verschiedensten Schubladen nach Spielkarten suchte, bemühten sich der Earl ebenso wie Lord Widmore, sie von ihrer Tätigkeit abzubringen. Lady Hester murmelte, sie glaube, die Karten seien zuletzt im Kinderzimmer benützt worden, und verließ den Salon, um sie zu suchen. Amanda, die Gelegenheit wahrnehmend, die sich ihr durch die Ablenkung ihrer Gastgeber bot, schlüpfte auf die Terrasse und sagte, als sie an Sir Gareth vorbeikam, in heftigem Flüsterton: »Ich muß mit Ihnen *allein* sprechen!«

Er folgte ihr außer Hörweite, sagte aber, sowie er sie erreichte: »Nehmen Sie sich in acht, Amanda! Sie werden mit ihrem ungehörigen Betragen den ganzen Haushalt gegen sich aufbringen. Denken Sie daran, daß Sie die Tochter meines Freundes sind, die viel zu wohlerzogen ist, um sich auf etwas so Leichtfertiges wie ein Tête-à-tête bei Mondschein einzulassen.«

»Ich bin aber nicht die Tochter Ihres Freundes und habe große Lust, es Lord Brancaster mitzuteilen«, rief sie ärgerlich.

»An Ihrer Stelle würde ich es nicht tun. War es das, was Sie mir zu sagen wünschten?«

»Nein, das ist es nicht«, sie unterbrach sich, dann sagte sie leichthin: »In Wirklichkeit will ich gar nicht, daß er die Wahrheit erfährt, denn Lady Hester hat mich gütigerweise eingeladen, hier zu Besuch zu bleiben, und ich habe mich entschlossen, die Einladung anzunehmen.«

Er lachte. »Tatsächlich?«

»Ja. Sie können also ganz beruhigt sein und brauchen sich nicht weiter um mich zu kümmern«, sagte Amanda freundlich.

»Das ist ein einzigartig schöner Gedanke«, sagte Sir Gareth mit bewegter Stimme. »Sagen Sie mir übrigens, was brachte Sie auf die Idee, daß Sie es mit einem Dummkopf zu tun haben?«

»Ich verstehe nicht, was Sie meinen«, erwiderte Amanda würdevoll.

»Ein Dummkopf ist jemand, den man leicht hinters Licht führen kann.«

»Nein, dafür halte ich Sie bestimmt nicht. In Wirklichkeit genau für das Gegenteil, denn Sie führten zuerst mich und dann all die Leute hier hinters Licht. Und wenn Sie morgen versuchen sollten, mich mit Gewalt von hier wegzubringen, dann werde ich Lord Brancaster erzählen, wie Sie ihn hintergangen haben.«

»Ich hoffe, Sie werden das nicht tun«, sagte er. »Denn ich fürchte, Seine Lordschaft, dessen Denkweise nicht sehr elastisch ist, würde kein Wort Ihrer Geschichte glauben, und bedenken Sie, in welcher Verlegenheit Sie sich dann befänden.«

»Es war abscheulich von Ihnen, mich hierherzubringen!«

»Ja. Ich glaube auch, daß verschiedene Mitglieder der Gesellschaft diese Ansicht teilen«, bemerkte er. »Ich möchte das Ärgernis wenigstens nicht dadurch vergrößern, daß ich Sie hierlasse. Nein, fangen Sie nicht wieder an, mich zu schelten. Ich weiß genau, was sich in Ihrem närrischen Kopf abspielt: Sie haben die Absicht, mir zu entwischen, und Sie wissen genau, daß Sie das nicht können, solange ich Sie im Auge behalte; daher hoffen Sie, mich zu überzeugen, daß Sie gerne hierbleiben wie ein wohlerzogenes Kind, was Sie aber ganz bestimmt nicht sind. Sobald ich den Rücken gekehrt hätte, wären Sie dann auf und davon . . . Das eine können Sie sich merken, Amanda: ich mag Sie ins Pfefferland wünschen, ich werde Sie aber ganz bestimmt nicht entwischen lassen. Ja, ich weiß genau, daß ich ein Betrüger bin, ein Entführer, und durch und durch verabscheuungswürdig, Sie werden mit mir dennoch besser dran sein als auf einem Dienstposten, wofür Sie, glauben Sie mir, durchaus ungeeignet sind. Morgen werde ich Sie toben lassen, soviel Sie wollen, jetzt kommen Sie aber in den Salon zurück und spielen Sie Casino!«

»Ich will nicht!« rief sie ärgerlich schluchzend. »Sie können der widerlichen Lady Widmore sagen, daß ich Kopfschmerzen habe. Und obwohl Sie glauben, mich in Ihrer Gewalt zu haben, werden Sie schon sehen, daß es nicht der Fall ist! Und jedenfalls können Sie mich nicht zwingen, Casino zu spielen oder sonst irgendein ekelhaftes Spiel!«

Mit diesen Worten zog sie sich auf eine Steinbank am Ende der Terrasse zurück und ließ sich mit abgewandtem Gesicht darauf nieder. Sir Gareth, wohl wissend, daß es töricht ist, mit zornigen jungen Damen zu argumentieren, überließ es ihr, sich wieder in gute Laune zurückzutrotzen, und schlenderte ins Haus, um sie zu entschuldigen. Er erbot sich auch, an ihrer Stelle am Kartentisch einzuspringen, aber der Earl sagte hastig: »Pah! Unsinn! Kein Mensch hat Lust, dieses blödsinnige Casino zu spielen. Kommen Sie mit mir in die Bibliothek, ich glaube, wir werden auch meinen Bruder dort finden.«

Damit zog er Sir Gareth aus dem Zimmer und fragte sich gerade, wo zum Teufel Hester hingeraten sei, und warum das unglückliche Mädchen nie dort war, wo man sie brauchte, als sie auf der entgegengesetzten Seite der Halle aus dem Frühstückszimmer trat, einen völlig erschöpften Eindruck machte und verwirrt erklärte, sie könne sich nicht denken, was die Kinder mit den Karten angestellt hatten. Bei jeder andern Gelegenheit hätte der nachsichtige Großpapa dieser Kinder Hester mit seiner abfälligen Kritik über eine Person beglückt, die töricht genug ist, einer Schar lebhafter Kinder zu gestatten, nach Belieben durch das ganze Haus zu tollen und alles mitzunehmen, was ihnen gerade gefiel; bei dieser Gelegenheit nahm er aber davon Abstand und sagte nur milden Tones, daß es weiter nichts auf sich habe. »Ich werde Almeria sagen, daß sie nicht zu finden sind«, fügte er mit einem Gedankenblitz hinzu, trat in den Salon zurück und schloß die Tür fest hinter sich zu.

Lady Hester sah ihm in hilfloser Bestürzung nach, während brennende Röte ihr Gesicht überflutete. Sie warf Sir Gareth einen flehenden Blick zu und bemerkte seine lächelnden Augen. Er sagte: »Wollen wir zusammenzählen, wievieler Schachzüge sich Ihr Vater und Ihre Schwägerin noch bedienen werden, um uns von der übrigen Gesellschaft zu isolieren? Das ist ja recht amüsant, ich muß Ihnen aber gestehen, daß ich seit meiner Ankunft in Brancaster tatsächlich auf eine Möglichkeit hoffte, mit Ihnen allein sprechen zu können.«

»Ja«, sagte sie in unglücklichem Ton, »ich habe es bemerkt – ich weiß auch, daß es sich gehört, wenn er bemerke –, ach, du lieber Gott. Ich sage so törichte Dinge – wenn Sie aber wüßten, wie peinlich mir das alles ist –, dann würden Sie mir verzeihen.«

Er hatte ihre Hand ergriffen und fühlte das wilde Klopfen ihres Pulses. Er zog sie mit sich und nötigte sie sanft, in das Frühstückszimmer einzutreten. Es war nur von einer Öllampe erhellt, wofür sich Hester völlig zusammenhanglos entschuldigte.

»Aber, Hester, was ist denn los?« fragte er, und seine Blicke durchforschten ihr Antlitz. »Warum zittern Sie denn so? Sie können doch vor einem so alten Freund, wie ich es bin, keine Angst haben?«

»O nein. Ach, könnten wir doch lediglich Freunde bleiben!«

»Ich glaube, Sie müssen bemerkt haben, daß es mein ernstester Wunsch ist, Ihnen mehr zu sein als nur ein Freund.«

»Ich weiß es und bin Ihnen wahrhaftig sehr dankbar – und ich bin mir der Ehre auch aufrichtig bewußt, die Sie mir erweisen ...«

»Hester!« rief er tadelnd. »*Müssen* Sie solchen Unsinn sagen?«

»Es ist kein Unsinn! O nein. Sie haben mir ein großes Kompliment gemacht, Sie sind den weiten Weg hierhergereist – und das beschämt mich tief, denn ich glaube, daß die Reise sehr unbequem war –, aber wie hätte ich Ihnen schreiben können? Ich weiß ganz genau, es hätte geschehen müssen – denn dadurch wird das Ganze für Sie besonders peinlich. Ich habe dem Papa aber von allem Anfang an gesagt, daß ich mir diese Heirat nicht wünsche.«

Einen Augenblick saß er vollkommen still, nur eine winzige Falte zeigte sich zwischen seinen Brauen. Als sie es bemerkte, sagte sie: »Sie sind gewiß sehr ärgerlich – und darüber kann ich mich nicht wundern.«

»Nein, nicht ärgerlich, das kann ich Ihnen versichern, nur – sehr enttäuscht. Ich hatte gehofft, daß Sie und ich miteinander sehr glücklich werden.«

»Wir hätten nicht zusammengepaßt«, sagte sie leise.

»Wenn das so wäre, dann könnte es nur an mir liegen – und ich würde alles tun, um mich zu bessern«, erwiderte er.

Sie sah ihn erschrocken an und rief: »O nein! Bitte, glauben Sie nicht – ich wollte nicht sagen –, Sir Gareth, Sie sollen sich wirklich nicht um mich bemühen – ich bin nicht die richtige Frau für Sie.«

»Die Entscheidung darüber müssen Sie schon mir überlassen. Versuchen Sie vielleicht, mir in taktvoller Form beizubringen, daß ich nicht der richtige Gatte für Sie bin? Ich würde aber alles tun, um Sie glücklich zu machen.«

Sie wich dieser Frage aus und sagte nur: »Ich gedenke mich überhaupt nicht zu verheiraten.«

Er trat nahe an sie heran und ergriff neuerdings ihre Hand. »Bitte, denken Sie jetzt daran. Wenn ich auch nicht im entferntesten dem Mann gleiche, den Sie sich für eine Ehe erträumten, dann bedenken Sie nur, wie viele von uns heiraten ihr Ideal? Ich glaube, es sind nicht viele – und dennoch gelingt es ihnen, glücklich zu werden.«

Sie erwiderte traurig: »Ach, so wenige werden wirklich glücklich. Leider, mein teurer Freund, wurden *Sie* es auch nicht.«

Sein Griff umfing ihre Hand enger, und er antwortete nicht sofort.

Als er wieder sprach, war er ein wenig unsicher. »Hester, wenn Sie Angst haben – wenn Sie einen Schatten fürchten –, nein, das ist nicht nötig. All das ist so lange her. Sie ist nicht vergessen, aber – oh, es ist wie ein romantisches Märchen, das man las, als man noch sehr jung war. Nein, wirklich, meine Liebe, ich komme nicht zu Ihnen, während ich noch immer von Clarissa träume.«

»Ich weiß das – oh, das weiß ich«, sagte sie mit bebender Stimme. »Aber Sie machen sich auch nichts aus mir.«

»Da täuschen Sie sich: Ich hege die größte Hochachtung für Sie.«

»O ja. Und ich für Sie«, sagte sie mit dem jämmerlichen Versuch eines Lächelns. »Ich glaube – ich hoffe –, daß Sie eines Tages ein Mädchen finden, das Sie von ganzem Herzen lieben. Bitte – sprechen Sie nicht weiter.«

»Ich nehme meine Zurückweisung wohl nicht so auf, wie ich sollte, nicht wahr?« sagte er ein wenig boshaft.

»Es ist mir entsetzlich! Denn es ist so schrecklich kränkend für Sie!«

»Du lieber Gott, was hat das zu bedeuten! Da ist aber noch etwas, worüber ich mit Ihnen sprechen muß, bevor wir dieses Thema abschließen. Wir sind doch so alte Freunde, daß ich annehmen darf, Sie werden mir gestatten, ganz aufrichtig zu sprechen. Wenn wir uns auch nicht wie in unserer ersten Jugend in eine Liebe gestürzt haben, glauben Sie nicht auch, daß wir sehr glücklich miteinander leben könnten? Wenn ich Ihnen auch keine romantischen Gefühle entgegenbringe, gibt es doch andere Dinge, die ich Ihnen zu bieten habe. Nein, ich meine keine materiellen Reichtümer, denn ich weiß, die fallen bei Ihnen nicht ins Gewicht. Aber Ihre Lage ist nicht sehr glücklich. Verzeihen Sie, wenn ich Ihnen damit Schmerz bereite. Man schätzt Sie nicht so, wie man sollte; weder Ihre Bequemlichkeit noch Ihr Feingefühl interessiert auch nur ein einziges Mitglied Ihrer Familie. Manchmal schien es mir sogar, daß Ihre Schwestern Sie als bequemen Packesel betrachten. Was aber die Denkungsart Ihrer Schwägerin betrifft, so bin ich überzeugt, daß es eine schwere Prüfung ist, mit ihr unter einem Dach leben zu müssen. Nun hören Sie: ich kann Ihnen eine glänzende gesellschaftliche Position bieten. Sie brauchen sich nicht mehr um die Wünsche anderer zu bekümmern, sie wären Ihre eigene Herrin – und hätten einen Gatten, der keine unvernünftigen Ansprüche stellen würde – das kann ich Ihnen versprechen! Sie könnten gewiß sein, daß ich Ihre Wünsche stets erfüllen und Sie ebenso achten wie lieben würde. Wäre das nicht ein glücklicheres Leben als das, welches Sie jetzt führen müssen?«

Hester war totenblaß geworden; sie entzog ihm ihre Hand und sagte mit erstickter Stimme: »Nein – nein! Eine Seelenqual!«

Das war eine für Hester so seltsame Äußerung, daß er glaubte, nicht richtig gehört zu haben. »Wie, bitte?« sagte er verblüfft.

Sie war erregt einige Schritte von ihm weggetreten und sagte mit abgewandtem Gesicht: »Das wollte ich nicht sagen – bitte, beachten Sie es nicht! Ich sage immer so törichte Dinge. Bitte, verzeihen Sie. Ich bin Ihnen von Herzen dankbar. Ihre Frau muß ja das glücklichste Geschöpf werden – außer Sie wäre ein Ungeheuer –, und ich hoffe, Sie werden kein Ungeheuer heiraten. – Ach, wenn ich nur mein Taschentuch finden könnte!«

Darüber mußte er einfach lachen, dann sagte er beruhigend: »Nehmen Sie meines.«

»Oh, danke«, sagte sie, nahm es dankbar an und trocknete ihre Wangen. »Bitte, verzeihen Sie mir! Ich weiß nicht, was über mich kam, daß ich mich benahm, als wäre ich eine Gießkanne! Wie rücksichtslos von mir, denn ich weiß, daß Sie nichts mehr verabscheuen.«

»Es betrübt mich sehr, Sie traurig zu sehen, aber es mißfällt mir noch weit mehr zu wissen, daß ich daran schuld bin.«

»Das sind Sie ganz bestimmt nicht. Nur meine eigene Torheit ist dafür verantwortlich und vielleicht auch, daß ich heute abend ein wenig müde bin. Jetzt fühle ich mich wieder wohler. Wir müssen aber jetzt in den Salon zurückkehren.«

»Das werden wir, aber erst, wenn Sie ruhiger geworden sind«, erwiderte er und schob ihr einen Sessel zurecht. »Kommen Sie, setzen Sie sich. Es wäre unklug, der Familie Ihr Gesicht in dieser Verfassung zu zeigen.« Als er sah, daß sie zögerte, fügte er hinzu: »Ich verspreche Ihnen, nichts mehr zu sagen, was Sie betrüben könnte.«

Sie nahm Platz und murmelte: »Danke. Ist mein Gesicht sehr verschwollen?«

»Nur ganz wenig: wirklich unbedeutend. Bleiben Sie den ganzen Sommer in Brancaster?«

Die ruhige Art, mit der er ein konventionelles Gespräch begann, trug wesentlich dazu bei, daß sie ihre Fassung wiedergewann; sie erwiderte in leidlicher Haltung: »Nein. Wenn mein Bruder und meine Schwägerin sich mit den Kindern nach Ramsgate begeben, werde ich meine Schwestern und meine Tanten besuchen. Mein kleiner Neffe ist etwas kränklich, und wir nehmen an, daß ihm die Meerbäder guttun werden.«

Sie unterhielten sich über Seebäder und Kinderkrankheiten, bis Hester plötzlich zu lachen begann und rief: »Ach, wie albern ist das! Ich bin Ihnen wirklich sehr dankbar, denn ich fühle mich wieder ganz wohl. Kann ich mein Gesicht jetzt wieder sehen lassen? Ich glaube, wir sollten jetzt zurückgehen, denn ich fürchte, Almeria könnte gegen Amanda unhöflich sein. Obwohl ich der Ansicht bin, daß Amanda sehr wohl imstande ist, für sich selbst einzustehen, glaube ich doch, daß es besser wäre, wenn sie nicht in Streit gerieten.«

»Zweifellos! Als ich Amanda verließ, war sie äußerst übler Laune und wollte nicht in den Salon zurückkehren.«

»Oh, du gütiger Himmel! Es wäre recht peinlich, wenn sie es ablehnen würde, mit Almeria im selben Zimmer zu bleiben«, sagte Hester beunruhigt. »Ich fragte sie nämlich, ob sie nicht lieber bei mir bliebe, statt sich einen Posten in einem Gasthof zu suchen – was ich keineswegs für schicklich halte –, und ich glaube, sie wird es tun.«

»Das teilte sie mir allerdings mit, aber ich glaube es ihr nicht. Ich danke Ihnen. Es ist sehr gütig von Ihnen, sie einzuladen, aber ich würde um nichts in der Welt Ihrer Gutherzigkeit so viel zumuten. Wenn sie bei Ihnen bliebe, was ich bezweifle, würde sie in kurzer Zeit das ganze Haus in Aufruhr bringen. Ich schaudere tatsächlich bei dem Gedanken an den Streit der Königinnen, der zwischen ihr und Lady Widmore entbrennen würde. Die beiden würden Sie völlig unterdrücken.«

»Das glaube ich nicht«, sagte sie nachdenklich. »Ich weiß, daß ich den meisten Angelegenheiten nicht soviel Beachtung schenke, wie ich vielleicht sollte. Möglicherweise kommt es daher, daß ich gewöhnt bin, mit launenhaften Menschen zu leben. Aber wie Sie wissen, habe ich doch meine Hunde. Vielleicht hätte Amanda gerne eines von Junos kleinen Hündchen. Zuerst dachte ich, daß auch Sie eines wollten, doch das stellte sich als Irrtum heraus.«

»Durchaus nicht«, erwiderte er sogleich. »Ich wäre entzückt, ein Junges aus Junos Wurf zu bekommen.«

Ein flüchtiges Lächeln erhellte ihre Züge. »Nein, das ist ausgeschlossen. Sie gehören nicht zu den Männern, die sich wünschen, daß ihnen ein Mops auf dem Fuß folgt. Glauben Sie, daß Amanda von Brancaster aus durchbrennen will?«

»Ich bin überzeugt, daß sie es beabsichtigt, sie wird es aber wohl nicht tun, solange ich hier bin. Denn sie ist nicht dumm und weiß genau, daß sie damit rechnen muß, nicht weiter als eine oder zwei Meilen zu kommen, ehe ich sie überhole. Bisher ahnt sie nicht, wie weit es nach Chatteris ist oder welche Postkutsche dorthin fährt, sie weiß nicht einmal, wo sie einen entsprechenden Boten hernehmen soll. Sie können sich aber darauf verlassen, daß sie nicht lange brauchen wird, diese Dinge herauszufinden. Dann wird sie irgendwelche Pläne schmieden, die phantastisch genug sind, um allen Vermutungen zu spotten, und bis ich mit ihrem Brigademajor zurückkehre, hätte sie sich bereits als Waschfrau verdingt oder einer Zigeunerbande angeschlossen.«

»Es würde ihr bestimmt Spaß machen, eine Zigeunerin zu werden«, stimmte Hester zu, die das offensichtlich für ein vernünfiges und erstrebenswertes Ziel hielt. »Aber ich glaube, gerade jetzt sind keine in der Nähe. Es könnte sich natürlich niemand darüber wundern, wenn sie es hier im Haus langweilig findet, dennoch bin ich der Meinung, daß sie es hier viel bequemer hätte als in einem Gasthof, besonders wenn sie dort als Dienstmädchen angestellt wäre.«

Er lachte. »Das ist selbstverständlich. Sie würde sich aber nicht das geringste daraus machen. Ich fürchte, daran schuld zu sein, denn ich war töricht genug, ihr zu sagen, daß ich Namen und Adresse des Brigademajors bei den Horse Guards sicher entdecken werde. Das vernichtet jede Hoffnung, die wir sonst gehabt hätten, sie so weit zu bringen, daß sie unter ihrem Schutz in Brancaster bleibt. Ich weiß wirklich nicht, wie ich so hirnverbrannt sein konnte, aber das Unglück ist nun einmal geschehen, und das einzige, was mir zu tun übrigbleibt, ist, sie ins Haus meiner Schwester zu bringen.«

Sie erhob sich und machte den ungeschickten Versuch, ihren Spitzenschal, den sie über die Schultern gelegt hatte, zurechtzuziehen. Sir Gareth nahm ihn ihr aus den Händen und arrangierte ihn kleidsam, was sie veranlaßte, mit einem Anflug von Scherzhaftigkeit auszurufen: »Danke! Da sehen Sie selbst, wie ungeschickt ich bin! Ich wäre eine schwere Prüfung für Sie gewesen!«

Er lächelte, sagte aber bloß: »Ich fürchte, Hester, Ihr Vater wird mit dem Resultat unserer Unterredung nicht zufrieden sein. Gibt es etwas, wodurch ich Sie vor Vorwürfen schützen könnte?«

»Vielleicht könnten Sie sagen, alles sei nur Unsinn gewesen, in

Wirklichkeit wollten Sie nur ein Junges aus Junos Wurf? schlug sie vor.

»Nein, das kann ich ganz bestimmt nicht sagen!«

»Das macht nichts«, sagte sie tröstend. »Wahrscheinlich werde ich sehr in Ungnade fallen, aber das macht wirklich nichts. Und jetzt muß ich die arme Amanda suchen.«

»Gut. Falls sie sich von ihrer schlechten Laune noch nicht erholt hat, sitzt sie am äußersten Ende der Terrasse und schmiedet Pläne, wie sie sich an mir rächen kann«, erwiderte er, während er ihr die Tür öffnete.

Aber Amanda befand sich nicht mehr auf der Terrasse. Kaum hatte sich Sir Gareth entfernt, als sich Mr. Theale, ein interessierter und schamloser Horcher, von seiner unmittelbar unter der Terrassenbrüstung stehenden Holzbank erhob, auf der er sich dem Genuß seiner Zigarillo hingegeben hatte, um die breiten Steinstufen emporzusteigen. Was er mitangehört hatte, löste seine Zweifel: Er war jetzt überzeugt, daß Sir Gareth die Unverschämtheit besessen hatte, seine Auserkorene in die keuschen Bezirke von Brancaster Park einzuführen. Mr. Theale hatte für ihn vorher keinerlei Hochachtung empfunden, jetzt mußte er aber zugeben, daß er den Burschen unterschätzt hatte. Eine derartige Kühnheit nötigte ihm unverzüglich Respekt ab. Er fragte sich, welche besondere Verkettung von Umständen Ludlow gezwungen hatte, eine so verzweifelte Maßnahme zu ergreifen. Schließlich kam er zu dem Schluß, daß dies wieder ein Beweis sei, wie unklug es ist, einen Mann lediglich nach dem Gesicht zu beurteilen, das er der Welt zeigt. Man hätte annehmen können, Ludlow sei der letzte Mensch, der eine widerstrebende Geliebte begehrt, dennoch schien er offenbar entschlossen zu sein, diesen kleinen Paradiesvogel nicht wieder entwischen zu lassen. Mr. Theale sympathisierte mit ihm, konnte es aber nicht verhindern, sich insgeheim darüber lustig zu machen. Er bildete sich nämlich ein, daß sich der arme Kerl ihm gegenüber im Nachteil befinde, denn wie wütend er auch sein mochte, wenn man ihm seine Geliebte stahl, wäre er dennoch gezwungen, die gegebene Situation mit Anstand hinzunehmen. Verwünscht, dachte Mr. Theale, er kann diese Sache mir gegenüber nicht einmal erwähnen, geschweige denn, mich fordern! Ich bin doch der Onkel der armen Hetty. Wenn er auch frech ist, würde er es doch nicht wagen, soviel Staub aufzuwirbeln.

Durch diese Überzeugung gestärkt, warf er seine Zigarre weg und begab sich ans Ende der Terrasse. Amanda sah seinem Näherkommen mit nachdenklichem Blick entgegen. Obwohl er ein fetter alter Mann war, der am Rande des Grabes taumelte, ließ er sie unleugbar seine Bewunderung erkennen und könnte mit ein wenig Raffinement ihren Zwecken dienstbar gemacht werden. Sie lächelte ihm daher zu und erhob keine Einwendungen, als er sich neben sie setzte und ihre Hand zwischen die seinen nahm.«

»Mein liebes kleines Mädchen«, sagte Mr. Theale, väterliches Wohlwollen in seiner Stimme, »ich fürchte, Sie haben Kummer. Nun, ich möchte gerne wissen, ob ich Ihnen nicht behilflich sein könnte? Ich wäre glücklich, meine Liebe, wenn Sie Vertrauen zu mir hätten.«

Amanda atmete in reinstem Entzücken tief ein. Mister Theale hielt das irrtümlich für einen Seufzer, tätschelte ihre Hand und sagte liebevoll: »Na, na, mein Kind, erzählen Sie mir die ganze Geschichte.«

»Ich bin eine Waise«, sagte Amanda und setzte in tragischem Tonfall hinzu: »Ich wurde ohne jedes Vermögen in die Welt gestoßen und muß mich selbst erhalten.«

»Mein armes Kind«, sagte Mr. Theale. »Haben Sie keine Verwandten, die sich darum sorgen, was aus Ihnen wird?«

»Leider nein!« sagte Amanda traurig.

»Kommen Sie, wir wollen einen Spaziergang durch den Park machen«, sagte Mr. Theale, durch diese Enthüllung äußerst ermutigt.

7

Man hätte nicht behaupten können, daß Mr. Theale, als Amanda ans Ende ihrer erfingungsreichen und vertraulichen Erzählung kam, alle Verwicklungen der Geschichte verstanden hatte. Gewisse Einzelheiten, wie die genaue Angabe der Umstände, durch die Sir Gareth in ihr Leben getreten war, blieben unklar, aber das störte ihn wenig. Eine Sache war ihm aber völlig klar: Sir Gareth hatte eine vielversprechende Situation vollkommen verfahren, was, wie Mr. Theale überlegte, ein weiteres Beispiel dafür war, wie dumm es ist, dem Äußeren zu vertrauen. Man hätte nie vermutet, daß ein Bursche mit seiner Lebensart und seinen ungezwungenen blendenden Manieren ein scheues Füllen so völlig falsch behandeln würde; denn ein jeder, mit

Ausnahme eines ausgemachten Dummkopfs, wäre darauf gekommen, daß dieses Wesen nur einer sehr lockeren Zügelhand gehorchte. Er nahm nicht einen Augenblick an, daß er Amanda von Anfang an unsympathisch gewesen sein könnte. Die Geschichte, die Amanda speziell zu seiner Erbauung ausgewählt hatte, verdankte sie der Feder Mr. Richardsons. Sir Gareth hatte ihre Herkunft sofort erkannt, was er ihr unfreundlicherweise auch unverzüglich mitteilte; Mr. Theale jedoch, in dessen Lektüre die Werke der Romanciers, die seine Eltern bewundert hatten, nicht inbegriffen waren, erkannte sie nicht. Offen gestanden, er nahm die Geschichte einfach hin, aber die Auslegung, die er ihr gab, entsprach kaum den Wünschen der schönen Plagiatorin. Ohne Zweifel hatte das kleine Lockvögelchen den verwitweten Vater ihrer jungen Gebieterin ermutigt, sich ihr zu nähern. Wahrscheinlich hatte sie gehofft, wie der zynische Mister Theale dachte, ihn dahin zu bringen, ihr einen Heiratsantrag zu machen. Dafür sprach deutlich die Unmenschlichkeit der Schwester dieses Gentleman, die sie unverzüglich vor die Tür setzte. Wieviel Zeit inzwischen verstrichen war oder was sich zwischen der herzlosen Vertreibung und Amandas Ankunft in Brancaster unter Sir Gareths Schutz ereignet hatte, wußte Mr. Theale nicht und nahm sich auch nicht die Mühe, es zu ergründen. Sie hatte behauptet, Sir Gareth am vorhergehenden Tag zum erstenmal gesehen zu haben, aber das war natürlich eine Lüge, die wohl verständlich war, aber Mr. Theale war zu gerissen, um sie zu glauben. Nach seinem eigenen Geständnis hatte sich Sir Gareth auf der Fahrt von London irgendwo längere Zeit aufgehalten. Nun versuchte er, ihnen weiszumachen, daß er Freunde in Hertfordshire besucht habe. In Mr. Theales Augen war es eine sehr junge Freundin, die ihn dort gefesselt hatte. Es war ihr gelungen, sein Interesse so stark gefangenzuhalten, daß er lieber den gefährlichen Weg einschlug, sie nach Brancaster mitzubringen, als sie zu verlieren. Mr. Theale betrachtete es als einen kühnen, aber doch ein wenig zu verrückten Streich. Es war zehn zu eins gestanden, als sich das junge Ding zu fürchten begann. Wenn man alles überlegt, so meinte er, sich selbst herausstreichend, so konnte ein erfahrener Mann von Fünfzig, auch wenn er ein wenig beleibt ist, Ludlow noch Konkurrenz machen, ja ihn sogar ausstechen. Ein schönes Gesicht und eine gute Gestalt waren in ihrer Art gewiß recht begrüßenswert, aber in diesem Fall war Feingefühl am Platz.

Mr. Theale bot Amanda also in der denkbar feinfühligsten Art ein

Asyl an. Er tat dies auf so schöne Weise, daß es ihr, selbst wenn sie scharf beobachtet hätte, schwergefallen wäre zu entscheiden, ob er sie einlud, in der Rolle eines Dienstmädchens oder einer Adoptivtochter in seinem Jagdhaus zu wohnen. Sie achtete wenig auf sein geläufiges und überredendes Geschwätz, da sie vollauf damit beschäftigt war zu überlegen, wie und in welchem Stadium ihrer Reise nach Melton Mowbray sie sich seiner weiteren Begleitung entledigen könnte.

Jetzt vermochte Mr. Theale sie aber nicht mehr zu beruhigen. Ihre Angst vor Sir Gareth war so groß, daß nichts sie von der Überzeugung abbringen konnte, er werde sie, nach Entdeckung ihrer Flucht, unbarmherzig verfolgen. Er würde seine Pferde wahrscheinlich in rücksichtslosester Weise dahinrasen lassen, sie ganz bestimmt überholen und in seine Gewalt zurückbringen, wenn sie nicht mehrere Stunden Vorsprung vor ihm hätten.

»Nein, nein, das wird er nicht tun«, tröstete sie Mister Theale.

»Und ich bin überzeugt, daß er es tun wird«, erwiderte Amanda. »Er ist entschlossen, mich nicht entwischen zu lassen: er sagte es selbst.«

»Ja, das hörte ich«, sagte Mr. Theale, heimlich lachend. »Aber er wollte Ihnen nur etwas aufbinden, meine Liebe. Sie mir wieder wegnehmen ist nämlich das einzige, was er nicht tun kann. Er hat Sie ärger beschwindelt, als Sie ahnen. Ich verbürge mich dafür, daß er Ihnen von dem, was ihn hierherführte, nichts erzählt hat, nicht wahr?«

»Nein«, gab Amanda zu. »Aber ...«

»Nun wohl, er kam, weil er um die Hand meiner Nichte anhalten will«, enthüllte ihr Mr. Theale.

»Um Lady Hester?« sagte Amanda, die vor Verwunderung nach Luft schnappte.

»So ist es. Und das ist der Haken. Denn er würde einen schönen Staub aufwirbeln, wenn diese Geschichte ruchbar würde. Schlimm genug, daß er Sie hierhergebracht hat. Man wird eben behaupten, ich hätte Sie zu Ihren Verwandten nach Oundle gebracht. Er wird natürlich wissen, daß es nicht wahr ist, weil ihm ja bekannt ist, daß keine Verwandten in Oundle sein können, er wird aber nicht wagen, darüber zu sprechen; sollte er dennoch versuchen, mich zu einer Auslieferung zu zwingen – nun gut, sollte er eine so ungeheure Unverschämtheit besitzen, dann hat er mehr davon als irgendein Mensch vor ihm.«

»Vielleicht«, sagte Amanda entschlossen, »sollten wir bereits im Morgengrauen von hier fliehen!«

»Nein, das sollten wir nicht«, erwiderte Mr. Theale noch entschlossener. »Nein, meine Liebe, nicht im Morgengrauen.«

»Also dann sehr früh am Morgen, bevor jemand im Hause aufgestanden ist«, räumte sie widerstrebend ein.

Mr. Theale, keineswegs ein Anhänger des Frühaufstehens, willigte ein, nachdem er überlegt hatte, daß es doch wünschenswerter sei, Brancaster hinter sich zu haben, ehe Sir Gareth aus seinem Schlafzimmer auftauchte. Er konnte allerdings nicht dazu bewegt werden, eine so unchristliche Zeit in Betracht zu ziehen, wie sie Amanda vorgeschlagen. Nach einigem Hin und Her wurde ein Kompromiß geschlossen, und man trennte sich. Mister Theale begab sich in die Bibliothek zurück, wo man ihn auch später fand, wie er ein offenbar reichliches Quantum Brandy ausschlief. Amanda setzte sich auf den Rasen unter eine schöne Eibe. Hier fand sie Lady Hester, die sie bat, ins Haus zurückzukehren, bevor sie ganz durchkältet sei. Amanda, die über die erstaunliche Eröffnung nachdachte, die ihr Mr. Theale gemacht hatte, hätte fürs Leben gern gefragt, ob sie tatsächlich im Begriffe sei, sich mit Sir Gareth zu verloben. Die Frage lag ihr schon auf der Zunge, als sie sich's wieder überlegte, weil Lady Hester, wenn die Sache nicht auf Wahrheit beruhte, durch eine solche Frage außer Fassung geraten könnte. In ihren jungendlichen Augen war Hester lange über das heiratsfähige Alter hinaus, aber da sie ihr gefiel, war sie bereit anzunehmen, daß sie die richtige Frau für einen Gentleman sei, der gleich ihr bereits vom Alter gebeugt war. Der unvermutete Einschlag von Reife, der hinter ihrer kindlichen Flatterhaftigkeit lag, ermöglichte es ihr, im Lichte von Mr. Theales Eröffnungen die ihr bisher unverständliche Feindseligkeit von Hesters Kammerfrau zu verstehen; obwohl sie sich über die Interessen anderer nie viel Gedanken machte, wurde ihr dennoch klar, daß es eine Schande wäre, wenn diese Heirat durch ihre unbeabsichtigte Schuld nicht zustande käme. Dies führte zu der tröstlichen Überzeugung, daß sie einzig und allein in Hesters Interesse handle, wenn sie Brancaster verließ, ohne sich formell von ihrer gütigen Gastgeberin zu verabschieden. Sie begleitete Hester in bester Stimmung in den Salon zurück, die durch das angenehme Gefühl entstanden war, sich für eine völlig selbstlose Tat entschieden zu haben. Sie bedauerte nur, daß sie weder aus Hesters noch aus Sir

Gareths Benehmen schließen konnte, ob sie sich in der Tat verlobt hatten oder ob die ganze Geschichte nichts anderes als ein Schwindel war.

Ein weitaus stärkeres Verlangen, etwas über die Vorgänge im Frühstückszimmer zu erfahren, brannte aber in den Herzen der anderen Mitglieder der Gesellschaft. Nichts war den Mienen der Hauptpersonen zu entnehmen; indessen hatte der Earl, der verschiedentlich vergebens versuchte, Sir Gareths Blick aufzufangen, alle Hoffnung aufgegeben. Aber erst ziemlich lange nachdem sich die Damen für die Nacht zurückgezogen hatten, wurde die Wahrheit offenbar. Mr. Theale, der die Treppe emporstieg, um sein Schlafzimmer aufzusuchen, erreichte die obere Halle im selben Augenblick, als Lady Widmore mit erheblich gerötetem Antlitz aus Hesters Zimmer stürzte und die Tür mit hörbarem Knall hinter sich zuwarf. Als sie Mr. Theale bemerkte, rief sie mit der ganzen Verzweiflung eines Menschen, dessen ärgste Befürchtungen sich bewahrheitet hatten: »Sie hat ihm einen Korb gegeben!«

»Sag ihr, sie soll sich nicht lächerlich machen!« empfahl Mr. Theale.

»Du lieber Gott! Glauben Sie denn, daß ich ihr das nicht gesagt habe? Aber wer ist schuld daran? Er ganz allein! Was fuhr in den Mann, dieses Mädel hierher mitzubringen?«

Mr. Theale zwinkerte in recht vulgärer Weise mit einem Auge.

»Was Sie nicht sagen!« rief Lady Widmore. »Der Teufel hole ihn! Bei meiner Seligkeit, das ist die größte Beleidigung – ja, aber, Onkel Fabian, sie glaubt es ja nicht! Und deshalb verliere ich auch die Geduld mit ihr. Sie werden wohl nicht bezweifeln, daß ich ihr sagte, es sei nichts dabei, obwohl die Art, wie er dieses kleine Miststück nicht aus den Augen läßt – nun – aber Hester ist so eine Gans! ›Glaub mir, meine Liebe‹, sagte ich, ›er ist ebensowenig in sie verliebt wie etwa Cuthbert!‹ Und was glauben Sie, antwortete sie darauf? Ich muß gestehen, ich hätte ihr am liebsten eine Ohrfeige gegeben. Sie kennen doch die Art, wie sie einem antwortet, so als hätte sie nicht die Hälfte von dem gehört, was man ihr sagte. ›Nein‹, sagte sie, ›*jetzt* noch nicht!‹ Ich verstehe nicht, wie ich mich beherrschen konnte, denn wenn es etwas gibt, was ich nicht vertragen kann, dann sind es Menschen, die wie betäubt herumgehen, und das ist es, was Hester tut. *Jetzt* noch nicht, unglaublich! ›Bitte, was willst du damit sagen?‹ fragte ich. Daraufhin sah sie mich an, als wäre ich hundert Meilen entfernt, und sagte: ›Ich glaube, er wird es wahrscheinlich bald sein.‹ Wissen Sie, Onkel Fabian, es gibt Zeiten, in denen ich mich frage, ob sie im Oberstübchen ganz richtig ist. Verlassen Sie sich darauf, ich gab ihr ziemlich deutlich zu verstehen, wenn sie das glaube, dann solle sie den Mann schnappen, ehe das Unglück geschieht. Darauf erwiderte sie nur, sie glaube nicht, daß sie das tun wolle, und das sagte sie noch so, als hätte ich ihr ein Stückchen Kuchen oder etwas Ähnliches angeboten. Ich habe stundenlang mit ihr gesprochen, aber wenn sie überhaupt etwas von dem hörte, was ich ihr sagte, so ist es mehr, als ich erwarte. Ich bin sehr empört und habe es ihr auch gesagt. In ihrem Alter auf Ludlow einfach zu pfeifen, während die Dinge hier liegen, wie sie sind, bringt mich gegen sie so auf, daß mir fast die Schnürbänder platzen. Wissen Sie, daß er bereit war, verteufelt freigebig zu sein? Ich kann nicht behaupten, daß Hester mich nicht reichlich oft fast zu Tode geärgert hat, ich hätte aber nie geglaubt, daß sie so egoistisch sein könnte. Ich hoffe nur, daß ich nicht mitanhören muß, was Seine Lordschaft zu all dem zu sagen hat. Ich werde von Widmore genug auszustehen haben, denn diese überwältigende Neuigkeit wird sein Magenleiden bestimmt wieder verschlechtern. Sie werden sehen, daß ich recht habe.«

»Weißt du was, Almeria«, unterbrach sie Mr. Theale mit dem Ausdruck äußerster Konzentration auf dem Antlitz. »Ich glaube, sie hat ein *tendre* für ihn.«

Lady Widmore starrte ihn verächtlich und argwöhnisch an. »Ich glaube, Sie sind betrunken«, bemerkte sie.

Mr. Theale fragte sich nicht zum erstenmal, was seinen Neffen bewogen hatte, diese scharfzüngige, reizlose Frau zu heiraten. »Nein, ich bin es nicht«, sagte er kurz.

»Oh, verzeihen Sie! Was veranlaßt Sie dann, so verrücktes Zeug zu reden, wenn es nicht der Brandy ist?«

»Es ist durchaus nicht verrückt, aber ich kann verstehen, daß es dir so vorkommt. Hier ist nicht einer unter euch, der bemerkt, was sich verdammt deutlich unter euern Augen abspielt. Es wurde mir klar, als ich sah, wie Hester Ludlow anblickte.«

»Ich könnte schwören, daß sie dafür nie das geringste Anzeichen zu erkennen gab«, sagte sie noch immer ungläubig. »Was zum Teufel können Sie damit meinen?«

»Bloß einen gewissen Augenausdruck«, sagte der erfahrene Mr.

Theale. »Es hat keinen Zweck, mich zu bitten, es dir zu erklären, weil ich es nicht erklären kann, aber ich lege die längsten Odds, sie hätte ihn genommen, wenn er nicht mit diesem kleinen Lockvögelchen am Arm hier erschienen wäre.«

»Ich könnte ihr den Hals umdrehen«, rief Lady Widmore aus, und Ärger rötete ihre Wangen.

»Das ist nicht nötig. Ich werde sie morgen in aller Frühe von hier fortbringen. Zu diesen Verwandten nach Oundle«, setzte er, wieder mit vulgärem Blinzeln, hinzu.

Sie sah ihn starr an. »Wird sie mit Ihnen gehen?«

»Gott, ja. Würde alles tun, um von Ludlow loszukommen. Der lächerliche Bursche scheint das arme Ding völlig verschreckt zu haben.«

»Die? Nie im Leben habe ich jemanden gesehen, der weniger verschreckt war!«

»Na ja, das ist auch nicht wichtig. Die Hauptsache ist, daß ich sie von hier wegbringe. Ludlow wird sich gezwungen sehen, gute Miene zum bösen Spiel zu machen, und ich wäre nicht überrascht, wenn er, sobald Amanda ihm aus den Augen ist, einsehen würde, was für ein Narr er war, und sein Glück bei Hester nochmals versucht.«

»Falls man ihn überreden kann hierzubleiben«, sagte sie. »Weiß er es?«

»Natürlich nicht! Er weiß nicht einmal, daß *ich* morgen abreise. Ich blieb noch eine Weile auf, nachdem er zu Bett gegangen war, und teilte meinem Bruder meine Absicht mit, am frühen Morgen abzureisen und Miss Smith nach Oundle zu bringen.«

»Und was sagte er?«

»Er sagte gar nichts, aber ich bemerkte, daß ihm diese Idee sehr gut gefiel. Wenn du behilflich sein willst, dann sorge dafür, daß niemand das Kind daran hindert, sich mir am Morgen anzuschließen. Ich habe die Kutsche für sieben Uhr befohlen. Das Frühstück nehmen wir erst in Huntingdon.«

»Ich werde es Povey sagen«, erklärte Lady Widmore mit einem tückischen Aufleuchten ihrer Augen. »Meine Kammerfrau sagte mir, daß sie das junge Ding von ganzem Herzen hasse, weil sie hierherkam und damit Hesters Chancen verdarb. Hätten Sie je vermutet, daß Hester so eine Gans sein könnte? – Sie hat das unselige Frauenzimmer tatsächlich eingeladen, eine Woche hierzubleiben! Sie können wetten,

Povey wird schon dafür sorgen, daß niemand sie hindert, mit Ihnen zu fahren. Muß man nicht befürchten, das Ludlow Ihnen nachsetzen wird?«

»Gott, du bist ebenso arg wie Amanda«, sagte Mr. Theale ungeduldig. »Natürlich muß man das nicht befürchten. In dem Fall müßte er die Wahrheit über sie preisgeben, und das wird er wohl schwerlich tun.«

»Na schön, ich hoffe, daß Sie recht haben. Jedenfalls kann es nicht schaden, wenn Povey der armen Hester zur Frühstückszeit meldet, daß das Mädchen noch im Bett liegt und schläft. Ich würde es Hester zutrauen, Ludlow hinter dem Mädchen dreinzujagen.«

»Warum, zum Teufel, sollte sie das tun?« fragte Mister Theale. »Sie wird glauben, daß ich das Mädchen zu ihren Verwandten bringe.«

»Ich werde das Äußerste tun, damit sie es glaubt«, erwidert Lady Widmore grimmig, »aber, Onkel Fabian, sie durchschaut Sie, wenn sie auch eine dumme Gans ist.«

Ihr Hohn kränkte ihn nicht im geringsten, er begab sich vielmehr grinsend zu Bett und erfreute sich, ebenso wie Amanda, einer ausgezeichneten Nachtruhe.

Die beiden waren aber fast die einzigen Mitglieder der Gesellschaft, denen es gelang, gut zu schlafen. So bereitete der Schlaf erst in den frühen Morgenstunden Lady Hesters traurigen Betrachtungen ein Ende. Ihr Vater lag wach, und seine Gedanken verweilten zuerst bei ihrer Pflichtvergessenheit, dann aber gab er Sir Gareth die Schuld wegen seines skandalösen Betragens, und zuletzt redete er sich in die Überzeugung hinein, es sei keineswegs seine Pflicht, sich in Fabians Pläne, wie sie auch sein mochten, einzumischen. Lady Widmore wurde von bösen Träumen geplagt, und ihr Gatte litt, so wie sie prophezeit hatte, an einem Anfall akuter Magenschmerzen, die ihn zwangen, am nächsten Tag das Bett zu hüten, sein Leben mit Toast und dünnem Brei zu fristen und den Wunsch zu äußern, seine Frau solle den Namen seiner Schwester in seiner Gegenwart nicht aussprechen, wollte sie ihn nicht neuerdings seinen Schmerzen preisgeben.

Lady Widmore war die erste Person, die am Frühstückstisch erschien. Sie hatte als einziges Familienmitglied dem Gottesdienst beigewohnt, den Mr. Whyteleafe täglich in der kleinen Privatkapelle abhielt. Der Earl war stets ein lässiger Kirchengänger, es kam aber sehr selten vor, daß Lady Hester sich zu spät erhob, um am Morgengottesdienst teilzunehmen. An diesem Morgen war sie jedoch nicht erschienen. Sir Gareth, dem sein Gastgeber am vergangenen Abend im Vertrauen mitgeteilt hatte, daß er den Kaplan zur Erbauung des Dienstpersonals und der Damen der Familie angestellt habe, hatte es ebenfalls nicht für seine Pflicht gehalten, der Messe beizuwohnen. Er war jedoch die zweite Person, die das Frühstückszimmer betrat. Nachdem ihm Lady Widmore freundlich guten Morgen gewünscht hatte, sagte sie geradeheraus, sie bedaure es sehr, daß seine Bewerbung nicht günstiger verlaufen sei.

»Danke. Auch ich bedauere es«, erwiderte Sir Gareth.

»Ich an ihrer Stelle würde die Hoffnung nicht aufgeben«, sagte Lady Widmore. »Das Unglück ist, das Hester diese schüchterne Veranlagung hat.«

»Das weiß ich«, sagte Sir Gareth, wenig ermutigend.

»Lassen Sie ihr Zeit, und ich möchte schwören, sie wird sich's überlegen«, sagte sie beharrlich.

»Wollen Sie damit sagen, Madam, daß man sie durch Vorwürfe dazu zwingen will, meine Bewerbung zu akzeptieren?« fragte er. »Ich hoffe, daß niemand diesen Versuch macht, denn wie sehr ich auch wünsche, die Antwort, die sie mir gestern abend gab, wäre nicht endgültig, verlange ich mir ganz bestimmt keine Frau, die mich nur deshalb nimmt, weil sie den Vorwürfen ihrer Verwandten entgehen will.«

»Auf mein Wort«, stieß Lady Widmore hervor, deren Wangen sich wieder bedenklich röteten.

»Ich weiß, Mylady, daß Sie einer offenen Sprache das Wort reden«, sagte Sir Gareth süßlich.

»Ja, das ist wahr«, erwiderte sie. »Ich werde mir also auch erlauben, Sir, Ihnen zu sagen, daß sich diese Angelegenheit aus Ihrem eigenen Verschulden nicht realisiert hat.«

Er sah sie kühl an, und seine Augen bekamen einen stahlharten Glanz. »Glauben Sie mir, Madam«, sagte er, »wenn Sie sich auch in einem Irrtum befinden, der für Sie ebensowenig schmeichelhaft ist wie für mich selbst – Lady Hester irrt sich nicht!«

Glücklicherweise – denn Lady Widmore hatte ein cholerisches Temperament – betrat der Earl in diesem Augenblick das Zimmer, dem der Kaplan auf dem Fuße folgte. Nachdem er seinen Gast mit soviel Munterkeit, als er aufzubringen vermochte, begrüßt und in konventionellen Worten der Hoffnung Ausdruck gegeben hatte, daß er gut geschlafen habe, war sie der Dummheit, mit Sir Gareth zu streiten, bewußt geworden. Es gelang ihr, obwohl nicht ohne schweren inneren Kampf, ihren Zorn hinunterzuschlucken und ihren Schwiegervater aufzufordern, Sir Gareth zu überreden, seinen Besuch in Brancaster nicht abzukürzen.

Während der Earl mit gutgespieltem Enthusiasmus darauf einging, hielt er es insgeheim für sinnlos, daß Sir Gareth weiter unter seinem Dach verweile. Seiner Tochter war es eben bestimmt, zeitlebens eine alte Jungfer zu bleiben; und beim Rasieren faßte er den Entschluß, sich die ganze Angelegenheit aus dem Kopf zu schlagen und keine Zeit mehr zu verlieren, sondern sich in eine ihm genehmere Gesellschaft nach Brighton zu begeben. Er war bereit gewesen, während Hester mit ihrem Verlobten bei Mondschein im Park spazierte, seine Pflicht als Gastgeber und Vater zu erfüllen. Wenn diese bequeme Art, Sir Gareth zu unterhalten, aber versagte – und sie mußte versagen –, dann fragte er sich, was zum Teufel er eine ganze Juliwoche mit diesem Burschen anfangen solle.

»Danke, Sir, Sie sind sehr gütig, leider fürchte ich aber, daß es nicht in meiner Macht steht hierzubleiben«, erwiderte Sir Gareth. »Ich muß meine Schutzbefohlene nach Oundle bringen – vielleicht sogar zurück zu ihren Eltern.«

»Ach, es besteht nicht der geringste Grund dafür, sich selbst zu bemühen«, warf Lady Widmore ein. »Onkel Fabian sagte mir gestern abend, er wäre entzückt, sie in seinem Wagen bis Oundle mitzunehmen, was für ihn kein großer Umweg ist, da er heute nach Melton fährt.«

»Ich bin ihm dafür sehr verbunden, aber ich kann seine Gutmütigkeit nicht derart ausnützen«, erwiderte Sir Gareth in entschiedenem Ton.

»Durchaus nicht. Es macht Onkel Fabian keine Umstände, und ich verstehe nicht, Sir Gareth, weshalb Sie um ein Schulmädel so herumscharwenzeln«, sagte Lady Widmore in ihrer derben Art.

Sie sah ihn herausfordernd an, bevor aber Sir Gareth ihr die Stirne bieten konnte, sagte Mr. Whyteleafe mit Entschiedenheit: »Ich muß es auf mich nehmen, Euer Gnaden von einem Umstand in Kenntnis zu setzen, der es völlig ausschließt, daß Mr. Theale dieser Miss Smith seine Dienste anbietet. Mr. Theales Reisekutsche, dicht gefolgt von einem Wagen, der sein Gepäck enthielt, fuhr genau vierzehn Minuten nach sieben Uhr unter meinen Fenstern vorbei. Ich bin, wie ich erklären muß, in der Lage, über diesen Punkt genaue Auskunft zu geben, denn der Zufall wollte es, daß ich in diesem Augenblick auf die Uhr sah, weil ich wissen wollte, wie spät es ist.«

Der Earl hatte seinen Kaplan nie leiden können, bisher hatte er ihn aber nie für bösartig gehalten. Er bemerkte jetzt, daß er eine Viper an seinem Busen genährt hatte. Natürlich mußte Sir Gareth die Wahrheit erfahren, es war aber die Absicht Seiner Lordschaft gewesen, besonders darauf zu achten, daß es nicht in seiner Gegenwart geschah. Je mehr er die Sache überlegte, desto stärker wurde seine Überzeugung, daß diese Entdeckung zu einer peinlichen Szene führen mußte, und das Vermeiden peinlicher Szenen war einer der Grundsätze seines Lebens. Er versuchte den gefährlichen Augenblick zu überbrücken und sagte: »Ja, ja, da Sie es mir jetzt ins Gedächtnis zurückrufen, erinnere ich mich, daß mein Bruder davon sprach, ziemlich früh aufbrechen zu wollen. Er haßt es, in der Mittagshitze zu fahren«, setzte er hinzu, wobei er sich an Sir Gareth wandte.

Die Tür öffnete sich jetzt, und Lady Hester betrat das Zimmer. Sir Gareth, der seinen Stuhl zurückschob, um sich zu erheben, sah mit Bedauern, daß sie sehr blaß war und ziemlich verschwollene Augen hatte.

»Guten Morgen«, sagte sie mit ihrer weichen Stimme. »Ich fürchte, mich heute schrecklich verspätet zu haben; und auch Miss Smith schläft noch immer, wie mir meine Zofe sagte.«

»Lady Hester, haben Sie Amanda persönlich gesehen?« fragte Sir Gareth rasch.

Sie schüttelte den Kopf und sah ihn fragend an. »Nein, ich wollte sie nicht stören. Hätte ich es tun sollen? O Himmel, Sie glauben doch nicht, sie könnte –?«

»Ja, das glaube ich«, sagte Sir Gareth. »Ich erfuhr soeben, daß Ihr Onkel vor zwei Stunden Brancaster verließ, und nichts erscheint mir wahrscheinlicher, als daß er Amanda mitgenommen hat.«

»Nun, und wenn es so wäre?« fragte Lady Widmore. »Ich würde es als sehr zuvorkommend von ihm bezeichnen und könnte nichts dabei finden, um mich darüber aufzuregen. Es ist bestimmt sehr unhöflich von ihr abzureisen, ohne sich von jemandem zu verabschieden – aber darüber bin ich keineswegs erstaunt!«

»Ich gehe sofort in ihr Zimmer hinauf«, sagte Lady Hester, ihre Schwägerin ignorierend.

Sie fand, daß Amandas Schlafzimmer leer war. Auf dem Toilettetisch lag ein an sie adressiertes Briefchen. Während sie die wenigen Zeilen der Erklärung und Entschuldigung las, trat Povey ein, schrak bei ihrem Anblick zurück und sagte in einiger Verwirrung: »Verzeihen Sie, Mylady, ich wollte gerade nachsehen, ob die Miss schon erwacht ist.«

»Povey, als Sie mir sagten, Miss Smith schlafe noch, da wußten Sie doch, daß sie das Haus bereits verlassen hat«, sagte Hester ruhig. »Nein, versuchen Sie erst gar nicht, mir zu antworten. Sie haben sehr unrecht gehandelt. Ich wünsche mit Ihnen nicht mehr zu sprechen. Ich weiß wirklich nicht, ob ich Ihnen das je werde verzeihen können.«

Povey brach augenblicklich in Tränen aus, doch zu ihrer unangenehmen Überraschung schien ihre sonst so empfindsame Herrin davon völlig ungerührt, ja sie verließ das Zimmer, ohne auch nur einen einzigen Blick in ihre Richtung zu werfen. Lady Hester gewahrte Sir Gareth am Fuße der Treppe, wo er auf sie gewartet hatte. Sie reichte ihm Amandas Brief und sagte reumütig: »Es ist genau, wie Sie vermuteten. Ich bin entsetzlich schuldbewußt.«

»Sie? Nein, wirklich nicht«, gab er zurück, während seine Augen über die Zeilen flogen. »Na ja, sie erwähnt es wohl nicht, aber ich glaube, es besteht kein Zweifel, daß sie mit Ihrem Onkel weggefahren ist.« Er reichte ihr das Blatt zurück und sagte, als er ihr unglückliches Gesicht bemerkte: »Meine Liebe, schauen Sie nicht so traurig drein. Schließlich ist noch kein großes Unglück geschehen. Ich gebe zu, daß ich gerne wüßte, wohin sie Ihr Onkel bringt, ich glaube aber, sie wird nicht schwer zu verfolgen sein.«

»Es ist schändlich von Onkel Fabian«, sagte sie im Ton tiefster Demütigung.

Er erwiderte leichthin: »Soviel wir bisher wissen, könnte sie ihn überredet haben, sie nach Oundle zu bringen, wo sie ihm, wie ich nicht zweifle, zu entwischen hofft.«

»Sie sagen das nur, um mich zu beruhigen, aber, bitte, tun Sie's nicht«, sagte sie. »Es gibt keine Entschuldigung für sein Verhalten, und das Schreckliche ist, daß es für ihn nie eine gibt. Selbst wenn sie ihm vorgetäuscht hätte, tatsächlich Verwandte in Oundle zu haben, konnte er es nicht korrekt finden, sie auf diese Art von Brancaster wegzuschmuggeln. Fast befürchte ich, daß er sie gar nicht nach Oundle gebracht hat. In Wirklichkeit sieht es ihm viel ähnlicher, sie in sein Jagdhaus zu bringen, und – ich zögere nicht, es Ihnen mitzuteilen – das wird er wahrscheinlich auch getan haben. Nur müßte er sich sagen, daß es der erste Ort ist, an dem Sie nach ihr suchen werden.«

»Nun, da wir so offen über Ihren Onkel sprechen, will ich zugeben, daß ich befürchte, er könne genau das getan haben«, sagte Sir Gareth.

»O ja, bitte sprechen Sie ganz aufrichtig. Ich versichere Ihnen, niemand von uns würde Ihnen widersprechen, wenn Sie noch so schlecht über ihn denken, denn er ist wohl die schwerste Prüfung, die uns auferlegt wurde. Es wäre aber tollkühn von ihm, sie nach Melton Mowbray zu bringen!«

»Vermutlich meint er, ich werde es nicht wagen, ihn zu verfolgen«, erwiderte Sir Gareth trocken. »Ihr Bruder und seine Frau sind überzeugt, ich hätte meine Geliebte nach Brancaster gebracht, und das Betragen Ihres Onkels läßt mich vermuten, daß sie in dieser Überzeugung nicht allein stehen.«

»Über diese Dinge weiß ich nicht viel«, sagte Hester nachdenklich, »aber es wäre mir nie in den Sinn gekommen, daß Sie etwas Derartiges tun könnten.«

»Davon können Sie überzeugt sein!«

»O ja, das bin ich auch. Ich sagte es auch zu Almeria. Ich kann mir nicht helfen, aber ich fände es töricht, so etwas zu tun.«

»Außerdem wäre es außerordentlich beleidigend für Sie«, sagte er und lächelte über ihren Ton ernsthafter Überlegung. »Wie Theale dazu kommt, mir eine so schlechte Erziehung zuzumuten, ist eine Sache, die er mir in Kürze wird erklären müssen.«

»Nun, es ist genau das, was er selbst tun würde«, sagte Hester stirnrunzelnd, »und das könnte sein Verhalten auch erklären. Ich verstehe aber nicht, warum Sie annehmen, er würde in diesem speziellen Fall glauben, daß Sie ihn nicht verfolgen werden. Ich dachte, das wäre selbstverständlich – außer natürlich, die Regeln der Etikette verbieten einem Gentleman, jene Kavaliere zu verfolgen, die ihm die Geliebte stehlen. Darüber weiß ich natürlich nichts.«

»Nein«, antwortete er lachend, »so ist das nicht. Hätte ich nämlich jeden Sinn für Anstand verloren und meine Geliebte mitgebracht, obwohl das Ziel meiner Reise es war, Sie um die Ehre zu bitten, meinen Heiratsantrag anzunehmen, dann wäre es für mich – um es gelinde auszudrücken – in der Tat sehr peinlich gewesen, Amanda von Ihrem Onkel zurückzufordern.«

»Ja, das glaube ich selbst«, stimmte sie zu, erfreut, das Problem geklärt zu haben. »Du lieber Gott, wie entsetzlich gemein war es von Onkel Fabian, auch nur zu versuchen, aus Ihrer Lage Vorteile zu ziehen. Wann immer er sich in einer Klemme befindet, hoffen wir stets, daß er damit das Ärgste bereits getan hat. Er scheint aber nie in Verlegenheit zu kommen, sich noch etwas weit Schlimmeres auszudenken. Wie ärgerlich das alles für Sie sein muß! Was werden Sie jetzt tun?«

»Zuerst werde ich herauszubekommen versuchen, welche Straße er gefahren ist, als er das Haus verließ, und ihm dann nachfahren. Was könnte ich sonst tun? Ich habe die Verantwortung für Amanda übernommen; obwohl sie eine tüchtige Tracht Prügel verdient, kann ich sie doch nicht ins Unglück laufen lassen, was leicht zu ihrem völligen Ruin führen könnte. Ich habe Ihren Butler bereits verständigt, daß er in den Stallungen Bescheid sagt.« Er streckte die Hand aus, in die sie die ihre legte, wobei sie ihn flüchtig ansah. »Ich muß Sie sehr um Vergebung bitten«, sagte er. »Glauben Sie mir, hätte ich geahnt, wieviel Verdruß Ihnen Amanda bereiten wird, dann hätte ich Sie nicht mit ihrer Anwesenheit belästigt.« Er lächelte unvermittelt. »Einen Vorteil hat die Sache aber doch. Ich sah mich genötigt, Ihrem Vater die Wahrheit zu sagen – oder zumindest einen Teil der Wahrheit, und da er mich ganz offenbar für etwas verrückt hält, stelle ich mir vor, daß er Ihnen zu Ihrem richtigen Instinkt gratulieren wird, mit mir nichts zu tun haben zu wollen.«

Sie errötete und schüttelte leicht den Kopf. »Darüber wollen wir nicht sprechen. Ich wollte, ich könnte Ihnen jetzt irgendwie behilflich sein, aber ich weiß wirklich nicht, was ich tun könnte, um Ihnen zu nützen. Wenn Onkel Fabian nach Melton zu fahren beabsichtigt, hat er bestimmt die Straße nach Huntingdon genommen; obwohl der kürzere Weg über Peterborough führt, ist die Straße von Chatteris nach Petersborough so schmal und holprig, daß er sie aus Angst, seekrank zu werden, nie benützen würde. Er ist ein sehr schlechter Reisender.« Sie unterbrach sich und schien zu überlegen. »Werden Sie gezwungen sein, ihn zu einem Duell zu fordern? Ich weiß nicht, was Sie für richtig halten, und ich möchte Sie auch nicht damit quälen, aber ich kann mir nicht helfen, ich habe das Gefühl – es wäre mir eine große Erleichterung – wenn Sie es nicht müßten.«

Seine Lippen zuckten, er erwiderte aber mit bewunderungswürdigem Ernst: »So ist es! Aber ich werde kein so verzweifeltes Mittel ergreifen. Obwohl ich gestehen muß, daß es mir ein großes Vergnügen wäre, ihm etwas Blut abzuzapfen – Verzeihen Sie! – ihm etwas Nasenbluten zu verursachen, glaube ich, daß ich nicht einmal das tun werde. Er ist zu alt und zu dick – und der Himmel allein weiß, mit welcher Geschichte Amanda ihn bestrickt haben mag. Ich will in dieser ganzen Angelegenheit nur nicht als Bösewicht dastehen.«

»Das wäre wirklich zu ungezogen von ihr«, sagte Hester, aus ihrer sanften Toleranz aufgestört, »und würde die Grenze weit überschreiten, die noch zu entschuldigen wäre.«

Er lachte. »Danke! Aber ich muß jetzt gehen. Darf ich ihnen schreiben, um Ihnen das Ergebnis dieses unsinnigen Abenteuers zu berichten?«

»Ja, ich hoffe in der Tat, daß Sie es tun, denn ich werde sehr in Sorge sein, bis ich etwas von Ihnen gehört habe.«

Er zog ihre Hand mit leichtem Druck an die Lippen. Dann ließ er sie los und stieg die Treppen empor. Lady Hester blieb einen Augenblick unbeweglich stehen und starrte abwesend ins Leere, bevor sie langsam ins Frühstückszimmer zurückkehrte.

8

Das erste Hindernis zur Ausführung ihres neuen Kriegsplans wurde Amanda von Mr. Theale in den Weg gelegt. Er eröffnete ihr auf halbem Wege zwischen Brancaster Park und Huntingdon, daß er seinem Kutscher Befehl gegeben habe, ohne Aufenthalt in dieser Stadt bis nach Brampton zu fahren, wo sie, wie er sagte, haltmachen würden, um zu frühstücken und die Pferde zu wechseln. Er verschwieg ihr, daß er es bei weitem vorzog, in der Stadt, in der er natürlich eine bekannte Figur war, nicht in ihrer Gesellschaft gesehen zu werden. Er war darauf vorbereitet – falls sie fragen sollte –, sich über die Vorzüge des Posthauses in Brampton weitschweifig auszulassen, einer Gastwirtschaft, die sich bisher nie seiner Gönnerschaft erfreuen durfte. Aber sie fragte nicht, denn erfolgreiche Generale lassen sich nicht durch Nebensächlichkeiten von ihrem Vorhaben ablenken: sie entwerfen einen Kriegsplan und greifen an. Hätte sie sich noch immer an ihren ursprünglichen Plan gehalten, im größten Postgasthof der Stadt eine Anstellung zu suchen, dann wäre ihre Enttäuschung viel schwerer gewesen. Sie hatte diesen Plan aufgegeben, weil sie wußte, daß der »George«, der »Fountain« und zweifellos auch die »Crown« die ersten Plätze waren, an denen Sir Gareth sie suchen würde. Sie hatte durch Poveys bereitwillig erteilte Informationen herausgefunden, daß man in Huntingdon Postkutschen nach den verschiedensten Teilen des Landes besteigen konnte. Ihre Absicht war es gewesen, sich ein Billett für eine dieser Postkutschen zu kaufen, die in irgendeine Stadt fuhr, gerade weit genug von Huntingdon entfernt, um Sir Gareth von ihrer Spur abzubringen. Ein Dorf, das etwa zwei Meilen von Huntingdon entfernt war, entsprach ihren Zwecken keineswegs, denn es konnte Stunden dauern, bis eine Kutsche durchkam. Falls es ihr gelänge, Mr. Theale dort zu entwischen und nach Huntingdon zurückzugehen, würde sie Gefahr laufen, Sir Gareth auf der Straße zu begegnen. Falls sie aber das Postbüro ungefährdet erreichen konnte, würde sie wahrscheinlich feststellen müssen, daß er bereits vor ihr dort gewesen war und den Beamten beauftragt hatte, nach ihr Ausschau zu halten. Sie entschloß sich daher, Mr. Theales Gesellschaft länger zu ertragen, als sie beabsichtigt hatte. Das dringendste Problem, dem sie sich gegenübersah, war die Art, wie sie Mr. Theale entwischen konnte, denn so bequem es in einer geschäftigen Kreisstadt gewesen wäre, war es in einem kleinen Dorf keine leichte Sache. Harmlose Fragen entlockten ihm die Auskunft, daß die nächste Stadt auf ihrer Route Thrapston hieß und etwa fünfzehn Meilen von Brampton entfernt war. Mr. Theale erklärte, daß man diese Stadt bei pfleglicher Behandlung der Pferde sehr gut als nächste Etappe wählen könne. Aber Amanda hatte eine heilige Scheu bei dem Gedanken, daß sie, lange ehe seine gemächlich dahinrollende Kutsche mit ihrer auffallenden gelben Karosserie Thrapston erreicht hatte, von Sir Gareths Sportkabriolett überholt würden; und es wurde ihr klar, daß sie sich, sobald sie weit genug von Huntingdon entfernt waren, von ihrem ältlichen Bewunderer trennen müsse.

Das würde sie nicht nur ohne Gewissensbisse, sondern auch mit großer Erleichterung tun. In Brancaster hatte sie Mr. Theale, gestützt auf den von ihr kaum gewürdigten Schutz Sir Gareths, lediglich für einen dicken, lächerlichen, alten Gentleman gehalten, den man leicht um den Finger wickeln konnte; fern von Brancaster und – wie zugegeben werden mußte – von Sir Gareths Schutz, stellte sie zu ihrer Überraschung fest, daß sie, obwohl sie ihn noch immer für dick und alt hielt, ein wenig Angst vor ihm hatte. Ihr waren schon vorher Männer seines Schlages begegnet, aber unter dem sorgsamen Schutz ihrer Tante hatte keiner dieser ältlichen verliebten Beaux sich mehr gestattet, als ihre Hand zu drücken oder sie in einer überaus lächerlichen Art anzuglotzen. So hatte sie auch Mr. Theale in dieselbe Kategorie wie die Freunde ihres Großpapas eingereiht, die sie immer verhätschelten und ihr ständig übertriebene Komplimente machten. Kurze Zeit, nachdem sie sich in seine Gewalt begeben, mußte sie entdecken, daß er, trotz seines väterlichen Gehabens, in beunruhigender Weise Mr. Swaffham, General Riverhead, Sir Harry Bramber und selbst dem Major Mickleham ganz unähnlich war, diesem so vollendeten Courmacher, den der Großpapa immer auszankte, weil er sagte, er gäbe sich alle Mühe, ihr den Kopf zu verdrehen. Diese senilen Alten kniffen sie häufig in die Wange, sie griffen ihr unters Kinn, ja sie legten sogar einen Arm um ihre Taille, um sie an sich zu drücken; und der alte Mister Swaffham verlangte unweigerlich einen Kuß von ihr. Es war ihr daher unverständlich, warum sie sich ängstigte, als Mr. Theale seinen Arm um sie legte. Unwillkürlich richtete sie sich steif auf und mußte eine Regung, ihn wegzustoßen, gewaltsam unterdrücken. Auch er schien sie streicheln und liebkosen zu wollen, und als sie vor seiner Hand abwehrend zurückschauderte, schoß ihr plötzlich der Gedanke durch den Kopf, daß nicht einmal Neil, der sie liebte, sie in dieser Form liebkosen würde. Gewisse verhüllte Warnungen ihrer Tante fielen ihr ein, und es ging ihr ein Licht auf, daß Tantchen vielleicht nicht ganz so töricht und altmodisch war, wie sie bisher angenommen. Es war natürlich keine Rede davon, daß sie nicht imstande wäre, sich ihrer Haut zu wehren oder daß sie vor ihrem alten Beschützer Angst hatte: er war ihr nur unangenehm und tödlich langweilig, so daß sie froh wäre, ihn loszuwerden.

Dieses Verlangen schloß allerdings nicht den Wunsch ein, Sir Gareths eiligst heranbrausende Füchse zu sehen; sie vermochte ihre Ungeduld kaum zu zügeln, als Mr. Theale mit äußerstem Wohlbehagen ein verschwenderisches Frühstück auswählte und verzehrte. Der Plan, ihren Großpapa zu unterjochen, geriet etwas in Verwirrung durch ihre unerschütterliche Entschlossenheit, Sir Gareth zu überlisten und seine Absicht zuschanden zu machen. Seine kühle Art, sich ein Verfügungsrecht über sie anzumaßen, hatte die junge Dame sehr verbittert, die während ihres kurzen Lebens gewohnt gewesen war, zärtlichste Nachsicht zu finden. Nur Neil hatte das Recht, ihr Vorschriften zu machen, und Neil würde nie das abscheulichste Verbrechen begehen, sie – auszulachen. Sir Gareth hatte sie wie ein amüsantes Kind behandelt, und man mußte ihm einmal gründlich klarmachen, wie falsch angebracht sein überhebliches Wesen war. Gleichzeitig war es ihm aber gelungen, ihr einen gewissen Respekt einzuflößen. Obwohl die Uhr im Gasthofzimmer sie darüber beruhigte, daß es im höchsten Grade unwahrscheinlich war, Sir Gareth könnte sein Schlafzimmer bereits verlassen haben, konnte sie es doch nicht verhindern, jedesmal ängstlich aus dem Fenster zu schauen, wenn sie das Geräusch eines sich nähernden Fahrzeugs hörte. Mister Theale, der diese Anzeichen nervöser Besorgnis bemerkte, nannte sie ein dummes kleines Kätzchen und versicherte ihr, daß sie unter seinem Schutz völlig in Sicherheit sei.

»Er jagt bestimmt nicht hinter Ihnen her, mein schönes Kind. Und selbst wenn er es täte, würde ich ihm sagen, er solle sich zum Teufel scheren«, sagte er, nahm eine zweite Scheibe gebratenen Speck von der Platte, legte sie auf seinen Teller und betrachtete nachdenklich eine Schüssel mit einer Unzahl gekochter Eier. »Nein«, entschied er mit einem bedauernden Seufzer, »auf Eier lasse ich mich nicht ein. Nichts ist geeigneter, mir Übelkeit zu verursachen. Obwohl ich mich jetzt außerordentlich wohl fühle, haben wir doch eine lange Reise vor uns, und man kann nie vorhersagen, ob ich mich nicht hundeelend fühlen werde, ehe wir das Ziel unserer Reise erreicht haben.«

Amanda, die Himbeeren mit Schlagsahne frühstückte, hielt inne, den Löffel halbwegs zwischen Teller und Mund, denn plötzlich hatte sie eine glänzende Idee. »Wird Ihnen im Wagen immer schlecht, Sir?« fragte sie.

Er nickte. »Es ist immer dasselbe. Eine verwünschte Pest! Aber mein Kutscher fährt sehr vorsichtig, und er weiß, daß er die Pferde im Schritt gehen lassen muß, wenn die Straße holprig wird. Was, jetzt halten Sie mich für einen traurigen alten Knopf?«

»O nein«, sagte Amanda ernst, »genauso geht es mir.«

»Du meine Güte, tatsächlich? Nun, wir passen eben gut zueinander, eh?« Sein Blick fiel auf ihren randvollen Teller, und er sagte etwas unsicher: »Glauben Sie, meine Liebe, daß Sie so viele Himbeeren essen sollten? Ich würde es nicht wagen.«

»O ja, denn ich kann Ihnen versichern, daß es mir heute morgen herrlich geht«, erwiderte sie und breitete noch etwas Schlagsahne über den Hügel auf ihrem Teller. »Außerdem sind Himbeeren mit Schlagsahne meine Lieblingsspeise.«

Mr. Theale, der wie fasziniert zusah, konnte feststellen, daß das durchaus der Wahrheit entsprach. Er hoffte, daß Amanda ihre Aufnahmefähigkeit nicht überschätzte, und war ein wenig besorgt. Als ihr lebhaftes Geplauder etwa eine halbe Stunde später etwas gezwungen klang, überraschte ihn das keineswegs. Doch noch ehe sie das Dorf Spaldwick erreichten, war sie ganz verstummt und lehnte sich mit geschlossenen Augen in die eleganten Samtkissen zurück. Mr. Theale bot ihr sein Riechfläschchen an, daß sie mit einem schwach gemurmelten Dank entgegennahm. Er stellte erleichtert fest, daß die frischen Farben noch immer auf ihren Wangen blühten, und wagte es, sie zu fragen, ob sie sich schon besser fühle.

»Ich fühle mich sehr elend, ich hoffe aber, daß es mir bald besser geht«, erwiderte sie tapfer, aber etwas stockend. »Ich glaube, es waren die Himbeeren, es passiert mir immer, wenn ich sie esse.«

»Warum zum Teufel essen Sie sie dann?« fragte Mister Theale begreiflicherweise verärgert.

Ich habe für sie eine so besondere Vorliebe«, erklärte sie tränenreich. »Bitte, seien Sie nicht böse mit mir.«

»Nein, nein«, beeilte er sich ihr zu versichern. »Kommen Sie, weinen Sie nicht, mein schönes Kind.«

»Bitte nicht«, bat Amanda, als er seinen Arm um sie legen wollte. »Ich fürchte, ich werde ohnmächtig.«

»Fürchten Sie nichts«, sagte Mr. Theale und tätschelte ihre Hand. »Sie werden bestimmt nicht ohnmächtig, keinesfalls solange so reizende Rosen auf Ihren Wangen blühen. Legen Sie nur Ihren Kopf auf meine Schulter, und Sie werden sehen, Sie werden sich im Nu besser fühlen.«

»Ist mein Gesicht sehr rosig?« fragte Amanda, die von seiner Einladung keinen Gebrauch machte.

»Bezaubernd rosig«, versicherte er.

»Dann wird mir bestimmt entsetzlich übel«, sagte Amanda mit ihrer stets furchtbaren Erfindungsgabe. »Ich habe immer eine rosige

Gesichtsfarbe, wenn mir übel wird. O Gott, mir ist ganz fürchterlich schlecht!«

Merklich bestürzt, richtete sich Mr. Theale kerzengrade auf und betrachtete sie voll böser Vorahnungen. »Unsinn! Sie können sich hier nicht übergeben«, sagte er, sie ermutigend.

»Ich kann mich überall übergeben«, erwiderte Amanda, drückte ihr Taschentuch gegen dic Lippen, und es gelang ihr ein sehr realistischer Schluckser.

»Du lieber Gott! Ich werde den Wagen halten lassen«, rief Mr. Theale und tastete nach der Zugschnur.

»Wenn ich mich nur kurze Zeit niederlegen könnte, würde ich mich wieder ganz erholen«, murmelte die Leidende.

»Ja, aber mein liebes Kind, Sie können sich doch nicht an den Straßenrand legen. Warten Sie, ich werde mich mit James beraten. Bleibcn Sie vollkommen ruhig – und versuchen Sie es nochmals mit dem Riechsalz«, empfahl Mr. Theale, ließ das Fenster herab und lehnte sich hinaus, um mit seinem Kutscher zu verhandeln, der sich, nachdem er seine Pferde zum Stehen gebracht hatte, fragend von seinem hohen Sitz herabbeugte. Nach einer kurzen und etwas erregten Zwiesprache mit James zog Mr. Theale Kopf und Schultern wieder in den Wagen zurück und sagte: »James erinnerte mich, daß es hier eine Art Gasthof gibt, in Bythorne, ein Stückchen weiter auf dieser Straße – eine Angelegenheit von höchstens zwei Meilen. Es ist zwar keine Poststation, aber wie er sagt, ein recht anständiger Gasthof, wo Sie eine Weile ruhen könnnen. Wenn er uns sehr langsam hinführe –«

»O danke, ich bin Ihnen sehr verbunden«, sagte Amanda, die kaum soviel Kraft aufzubringen schien, um vernehmbar zu sprechen. »Vielleicht wäre es aber besser, wenn er uns so schnell wie möglich hinbrächte.«

Mr. Theale verabscheute es aufs heftigste, selbst auf ebenster Straße herumgebeutelt zu werden, aber die schreckliche Drohung, die sich hinter diesen düsteren Worten verbarg, veranlaßte ihn, seinen Kopf wieder aus dem Fenster zu stecken und dem Kutscher zu befehlen, im raschesten Tempo loszufahren.

Erstaunt, jedoch bereitwillig gehorchte James, und die Kutsche rolle alsbald eiligst die Straße entlang, wodurch die Karosserie auf ihrer Schwanenhalsfederung unaufhörlich rüttelte und schwankte, was auf Mr. Theales zarte Konstitution von verheerender Wirkung war. Er begann sich selbst äußerst unwohl zu fühlen. Hätte er nicht befürchtet, die Krise, die er herannahen fühlte, zu beschleunigen, wenn er Amanda seines Riechsalzes beraubte, dann hätte er ihr dieses Stärkungsmittel erbarmungslos entrissen. Er staunte nur, daß sie nicht schon längst unterlegen war. Jedesmal wenn sie stöhnte, fuhr er nervös empor, und seine Augen rollten ängstlich in ihre Richtung; sie ertrug aber alles mit größter Standhaftigkeit, ja es gelang ihr sogar, ihm mit einem Lächeln zu danken, als er ihr versicherte, daß sie nur noch ein ganz kleines Stückchen zu fahren hatten.

Ihm erschien der Weg allerdings sehr lang, aber gerade als er glaubte, das Schwanken des Wagens nicht mehr länger ertragen zu können, verringerte sich das Tempo.

Einige Häuschen kamen in Sicht; die Pferde verfielen in einen gemächlichen Trott, und Mr. Theale sagte mit einem Aufatmen der Erleichterung: »Bythorne!«

Amanda begrüßte Bythorne mit leisem Stöhnen.

Der Wagen hielt auf der Dorfstraße vor einem kleinen, aber sauberen Gasthof, an den sich ein Hof anschloß. Der Kutscher rief: »He, Leute, hierher« und Wirt und Kellner kamen geschäftig herausgestürzt, um sie zu bewillkommnen. Amanda mußte behutsam aus der Kutsche gehoben werden. Der Wirt, dem James kurz und bündig mitteilte, daß die Lady erkrankt sei, leistete ihr respektvoll und mit ermutigenden Worten diesen Dienst und befahl dem Kellner, die Wirtin unverzüglich zu ihrem Beistand zu holen. Mr. Theale, völlig durchgeschüttelt, gelang es, ohne Hilfe auszusteigen, aber seine gewohnte blühende Gesichtsfarbe hatte einen gelblichen Stich erhalten, und seine Beine in den engen gelben Pantalons zitterten ein wenig.

Amanda, von dem Wirt und seinem kräftigen Gehilfen gestützt, wurde sorgsam in den Gasthof geleitet; und Mr. Theale, der seine Gesichtsfarbe ebenso wie seine Geistesgegenwart wiedererlangte, erklärte, seiner jungen Verwandten sei durch die Hitze des Tages und das Schwanken der Kutsche übel geworden. Mrs. Sheet bestätigte, daß ihr des öfteren genau dasselbe widerfahren sei, und bat Amanda, mit ihr zu kommen und sich in ihrem schönsten Schlafzimmer niederzulegen. Mr. Sheet neigte zu der Ansicht, ein Tropfen Brandy würde der jungen Dame ihre volle Lebenskraft wiedergeben, aber Amanda, die alles mit vollendeter Tapferkeit und Würde ertrug, erklärte mit versagender Stimme, daß sie in einer ihrer Hutschachteln ein belebendes herzstärkendes Mittel habe. »Ich kann mich nur nicht erinnern, in welcher«, fügte sie vorsichtig hinzu.

»Lassen Sie beide sofort in das Zimmer bringen«, befahl Mr. Theale. »Und Sie, meine Liebe, gehen mit dieser guten Frau hinaus, und ich verbürge mich, daß Sie sich in kurzer Zeit wieder ganz wohl fühlen werden.«

Amanda dankte ihm und ließ sich wegführen. Mister Theale, der das Gefühl hatte, alles getan zu haben, was von ihm erwartet werden konnte, zog sich in die Bar zurück, um den von Amanda abgelehnten Brandy zu probieren. Mrs. Sheet kam etwa zwanzig Minuten später hereingewogt und brachte frohe Kunde. Trotz unverantwortlicher Nachlässigkeit der Zofe der jungen Dame, die vergessen hatte, das herzstärkende Mittel in eine Hutschachtel einzupacken, glaubte sie sagen zu dürfen, daß sich die junge Dame bereits auf dem Wege der Besserung befinde; und wenn man sie etwa eine halbe Stunde ruhig in dem verdunkelten Zimmer liegen ließe, würde sie wieder frisch sein wie ein Veilchen. Sie hatte das Fräulein genötigt, eines ihrer eigenen Heilmittel zu trinken, und obwohl die Dame dies nur widerwillig getan habe und sie ihr ziemlich heftig habe zusetzen müssen, konnte jedermann sehen, daß es bereits viel dazu beigetragen hatte, sie wieder herzustellen.

Mr. Theale, der selbst hinreichend wiederhergestellt war, um sich eine seiner Zigarillos anzuzünden, hatte nichts dagegen einzuwenden, eine halbe Stunde in der gemütlichen Bar zu verbringen. Er begab sich hinaus, um James anzuweisen, die Pferde für kurze Zeit in den Stall zu bringen; und während er argwöhnisch zusah, wie James die schwierige Wendung in den Hof hinter dem Gasthof nahm, fuhr der Wagen vor, in dem sich sein Kammerdiener und sein Gepäck befanden. Als er seinen Herrn erblickte, befahl der Kammerdiener dem Kutscher stehenzubleiben, und begierig zu erfahren, was Mr. Theale veranlaßt hatte, die Prinzipien eines ganzen Lebens aufzugeben und seine Pferde über eine so miserable Straße zu jagen, sprang er sogleich herab. Nachdem ihm Mr. Theale den Grund kurz mitgeteilt hatte, befahl er ihm, die Reise fortzusetzen und nach seiner Ankunft im Jagdhaus dafür zu sorgen, daß alles für den Empfang eines weiblichen Gastes bereit sei. Kurz danach rumpelte der Wagen schwerfällig seines Weges, und Mr. Theale, der befriedigt feststellte, daß die erzwungene Verzögerung seiner Haushälterin Zeit geben würde, ein anständiges Dinner für ihn vorzubereiten, zog sich wieder in die Bar zurück und bestellte noch ein Glas Brandy.

Allein gelassen, war Amanda, die sich in der erstickenden Weichheit von Mrs. Sheets bestem Federbett erholen sollte, inzwischen wieder aufgesprungen. Sie zog ihr geblümtes Musselinkleid wieder an, das Povey so hilfsbereit für sie gewaschen und gebügelt hatte und das die unerbittliche Mrs. Sheet sie auszuziehen gezwungen hatte, und setzte den Basthut wieder auf ihre Locken. Nachdem sie Mrs. Sheets unfehlbares Mittel gegen Breichreiz geschluckt hatte, befürchtete sie einige abscheuliche Minuten, daß ihr wirklich übel werde, es gelang ihr aber, den Brechreiz zu überwinden, und jetzt war sie wieder für jedes Abenteuer bereit. Mrs. Sheet hatte ihr die steile Hintertreppe gezeigt, die der Tür des schönsten Schlafzimmers gegenüber, in das obere Stockwerk mündete, und ihr mitgeteilt, sie müsse, wenn sie irgend etwas benötigte, nur die Tür öffnen und rufen, worauf sie in der Küche gehört würde. Amanda, die von ihr auch erfahren hatte, daß man durch eine rechts von der schmalen Halle am Fuße der Treppe befindliche Tür in die Küche gelangte, während die andere Tür nur in den Hof führte, hatte ihr gedankt und ihren Wunsch wiederholt, eine halbe Stunde völlig ungestört allein zu bleiben.

Mit siedender Ungeduld beobachtete sie, durch die herabgelassenen Jalousien spähend, Mr. Theales Unterredung mit James und dem Kammerdiener. Als sie annahm, daß James reichlich Zeit gehabt hatte, seine Pferde im Stall unterzubringen und gleich seinem Herrn Tröstung im Gasthof zu suchen, legte sie ihren Mantel um die Schultern, ergriff ihre Hutschachteln und trat vorsichtig aus dem Schlafzimmer. Niemand war in Sicht, und während die sich hastig eine Geschichte ausdachte, die rührend genug war, Mrs. Sheet Mitleid einzuflößen und ihr deren Beistand zu sichern, falls sie ihr durch einen unglücklichen Zufall auf ihrem gefahrvollen Weg zu jener Tat, die in den Hof führte, begegnen sollte, begann sie behutsam die steile Treppe hinunterzuschleichen. Geschirrklappern und Mrs. Sheets vorwurfsvoll erhobene Stimme, die eine unsichtbare Person zurechtwies, welche offenbar mit dem Geschirrwaschen beschäftigt war, zeigte ihr die Lage der Küche an. Eine geschlossene Tür am Fuß der Treppe verhieß ihr den ersehnten Ausgang in den Hof. Tief Atem holend, schlich Amanda die restlichen Stufen hinunter, öffnete vorsichtig den

Riegel der Tür, huschte durch die Öffnung und schloß die Tür hinter sich leise wieder zu. Wie erwartet, befand sie sich im Hof. Er wurde von einer Anzahl ziemlich baufälliger Stallungen und Schuppen eingeschlossen und war mit riesigen Quadern gepflastert. Im Schatten einer breitausladenden Scheune stand die gelbkarossierte Kutsche; und keine sechs Fuß von der Hintertür des Gasthofes entfernt stand ein mit einem kräftigen Pferd bespannter Bauernkarren, auf den ein rotbäckiger Jüngling leere Säcke warf.

Amanda war auf diese ländliche Erscheinung nicht gefaßt gewesen, sie zögerte einen Moment, denn sie wußte nicht recht, ob sie weitergehen oder sich zurückziehen sollte. Als der Jüngling sie erblickte, starrte er sie mit offenem Mund an und ließ den leeren Strohkorb fallen, den er in der Hand gehalten hatte. War Amanda nicht darauf gefaßt gewesen, ihn zu sehen, so war er noch weit weniger gefaßt, eine Erscheinung von solcher Schönheit aus dem »Roten Löwen« heraustreten zu sehen.

»Still«, befahl Amanda in zischendem Flüsterton.

Der Jüngling ließ sie nicht aus den Augen, gehorchte aber und blieb stumm.

Amanda warf einen warnenden Blick auf das Küchenfenster. »Werden Sie mit diesem Karren wegfahren?« fragte sie.

Sein Kinn senkte sich noch weiter; er nickte.

»Wollen Sie so gut sein und mich mitfahren lassen?« Als sie sah, daß seine Augen aus den Höhlen zu treten drohten, setzte sie hinzu: »Ich fliehe vor einer tödlichen Gefahr! Oh, bitte, beeilen Sie sich und sagen Sie, daß ich in Ihrem Karren mitfahren darf!«

Dem jungen Mr. Ninfield wirbelte der Kopf, aber da seine Mutter ihm eingeschärft hatte, Mitgliedern der vornehmen Welt gegenüber immer höflich zu sein, stieß er einsilbig hervor: »Ja, wenn's beliebt, Miss!«

»Nicht so laut«, bat Amanda. »Ich bin Ihnen sehr dankbar. Wie soll ich hinaufkommen?«

Der Blick des jungen Mr. Ninfield wanderte langsam von Ihrem Gesicht auf ihr Kleid aus zartem Musselin. »Er eignet sich nicht für Sie«, sagte er in heiserem Flüsterton. »Es war allerlei Gemüse, ein Dutzend Hühner und eine Menge Brennholz drin!«

»Das macht nichts. Wenn Sie mich hineinheben, kann ich mich mit den Säcken zudecken, damit mich niemand sieht. Oh, bitte, beeilen

Sie sich! Mein Fall ist verzweifelt. Können Sie mich nicht hinaufheben?«

Diese Heldentat lag allerdings in Mr. Ninfields Macht, aber bei dem Gedanken, diese zarte Schönheit hinaufzuheben, fiel er fast in Ohnmacht.

Da sie aber durchaus entschlossen war, in seinem Karren mitzufahren, gehorchte er ihr mannhaft. Sie war federleicht und duftete köstlich nach Veilchen. Mr. Ninfield, der sie ebenso behutsam anfaßte wie etwa seiner Mutter bestes Porzellan, hatte erneute Gewissensbisse. »Ich tue es nicht gern«, sagte er und hielt sie wie ein Kind in seinen muskulösen Armen. »Sie werden Ihr Kleid ganz beschmutzen!«

»Joe!« hörte man Mrs. Sheets Stimme plötzlich aus dem Hause. »Joe!«

»Rasch!« drängte Amanda.

Dergestalt beschworen, schluckte Mr. Ninfield einmal, dann kippte er sie geschickt in den Karren, wo sie sich sogleich auf dem Boden ausstreckte und seinem träumerischen Blick durch die Seitenwände des Karrens entzogen wurde.

»Die eingemachten Kirschen für deine Ma, Joe«, kreischte Mrs. Sheet aus dem Küchenfenster. »Fast hätte ich sie vergessen. Warte, bis ich dir das Einsiedeglas hinausbringe.«

»Verraten Sie mich nicht«, beschwor ihn Amanda und versuchte die leeren Säcke über sich zu ziehen. Mr. Ninfield war völlig überrascht. Denn Mrs. Sheet war, außer, daß sie ihr Leben lang die intime Freundin seiner Mutter war, auch noch seine Taufpatin, und er hatte sie stets für eine freundliche, gutmütige Person gehalten. Als sie jetzt in den Hof trat, erwartete er fast, daß sie sich verändert hatte, und stellte erleichtert fest, daß ihr rundliches Gesicht so gutmütig aussah wie immer. Sie reichte ihm ein geschlossenes Einsiedeglas und bat ihn, darauf zu achten, daß es aufrecht stehenblieb. »Und vergiß nicht, deine Mutter von mir zu grüßen und ihr für die Eier zu danken, und sag deinem Pa, daß Vater Sheet das Brennholz gleich bezahlt hätte, wenn er nicht einen Gentleman bedienen müßte«, sagte sie. »Wir haben nämlich Standespersonen im Haus: einen sehr vornehm aussehenden Gentleman und die hübscheste junge Dame, die ich je gesehen. Wahrscheinlich ist sie seine Nichte. Armes Ding, Ihr wurde in der Kutsche übel, und sie liegt jetzt oben in meinem schönsten Schlafzimmer.«

Mr. Ninfield wußte nicht, was er darauf erwidern solle, da er aber im allgemeinen nicht sehr gesprächig war, legte seine Patin seinem Schweigen keine besondere Bedeutung bei.

Sie gab ihm einen schallenden Kuß, schärfte ihm nochmals ein, auf die eingemachten Kirschen achtzugeben, und begab sich ins Haus zurück.

Mr. Ninfield hob den leeren Korb auf und spähte vorsichtig über den Rand des Karrens. Vom Boden sah ihn ein glänzendes dunkles Augenpaar fragend an. »Ist sie gegangen?« flüsterte Amanda.

»Ja.«

»Dann, bitte, fahren wir los.«

»Ja«, sagte Mr. Ninfield nochmals. »Ich werde diesen Korb aber hineinstellen müssen, wenn's beliebt, Miss.«

»Ja, bitte, tun Sie's nur. Und ich werde das Einsiedeglas für Sie halten«, sagte Amanda zuvorkommend.

Als die Angelegenheit dergestalt zufriedenstellend geordnet war, begab sich Mr. Ninfield zu dem Kopf des Pferdes und führte das sanfte Tier aus dem Hof und hinaus auf die Straße. Da die Räder des Karrens mit Eisen beschlagen waren, wurde Amanda erheblich herumgestoßen, sie beklagte sich aber nicht. Das Pferd zockelte langsam in westlicher Richtung die Straße entlang, und Mr. Ninfield schritt ihm zur Seite und grübelte tief versunken über das außergewöhnliche Abenteuer nach, das ihm begegnet war. Sein langsames, aber gründliches Nachdenken veranlaßte ihn, nach Ablauf einiger Minuten plötzlich auszurufen: »Miss!«

»Ja?« erwiderte Amanda.

»Wohin soll ich Sie bringen?« erkundigte er sich.

»Na ja, das weiß ich noch nicht genau«, sagte Amanda. »Ist jemand zu sehen?«

»Nein«, erwiderte Mr. Ninfield, der einige Augenblicke unverwandt die Straße auf und ab geblickt hatte. Über diesen Punkt beruhigt, richtete Amanda sich auf den Knien auf und sah über den Karrenrand auf ihren Retter hinunter. »Wohin fahren Sie selbst?« fragte sie im Plauderton.

»Nach Hause zurück«, erwiderte er. »Wenigstens–«

»Wo liegt Ihr Haus? Hier an dieser Straße?«

Er schüttelte den Kopf und zeigte mit dem Daumen in südlicher Richtung. »Whitethorn Farm«, erklärte er einsilbig.

»Oh!« Amanda sah ihn nachdenklich an, dann faßte sie einen neuen

Plan ins Auge. Eine Woge schüchternen Errötens stieg ihm langsam bis an die Haarwurzeln; er lächelte ihr scheu zu, sah aber rasch wieder weg, falls sie aus diesem Grund beleidigt wäre. Aber sein Lächeln entschied die Sache. »Leben Sie dort mit Ihrer Mutter?« fragte Amanda.

»Ja, und mit meinem Vater. Es ist die Farm meines Vaters, und vor ihm gehörte sie meinem Großvater und vor dem wieder dem Urgroßvater«, sagte er, gesprächiger werdend.

»Glauben Sie, Ihre Mutter würde mich eine Weile bei ihr wohnen lassen?«

Das veranlaßte ihn, wieder den Kopf zu wenden.

Er hatte nicht die geringste Ahnung von der diesbezüglichen Einstellung seiner Mutter, dennoch sagte er begeistert: »Ja!«

»Gut!« sagte Amanda. »Ich habe vorher nie daran gedacht, jetzt sehe ich aber ein, das einzig Richtige für mich ist, Milchmädchen zu werden. Das würde ich am liebsten tun. Sie können mir doch zeigen, wie man eine Kuh melkt, nicht wahr?«

Mr. Ninfield, von dem Gedanken geblendet, einer Märchenprinzessin beizubringen, wie man eine Kuh melkt, schluckte und stieß neuerdings sein einsilbiges Lieblingswort hervor: »Ja!« Dann verfiel er in eine Art Trance, aus der er durch den Anblick eines herannahenden Gefährts gerissen wurde. Er wollte Amanda darauf aufmerksam machen, sie hatte es aber bereits gesehen und war von der Bildfläche verschwunden. Er war der Meinung, daß es am besten wäre, wenn sie so lange verborgen bliebe, bis sie den schmalen Weg erreicht hatten, der von dem Dorf Keyston auf die Whitethorn Farm führte. Glücklicherweise war es nicht mehr weit, denn sie fand es außerordentlich unbequem, auf dem Boden des Karrens zu hocken.

Sowie Mr. Ninfield ihr mitteilte, daß sie die Poststraße verlassen hatten, tauchte sie wieder auf und verlangte von ihm, heruntergehoben zu werden, um ebenso wie er auf der Deichsel zu sitzen. »Denn es riecht am Boden nach Hühnern«, teilte sie ihm mit, »und außerdem ist es schrecklich schmutzig. Glauben Sie, daß Ihre Mutter sehr böse wäre, wenn wir etwas von den eingemachten Kirschen essen? Ich bin schrecklich hungrig.«

»Nein«, sagte Mr. Ninfield, zum zweitenmal unbekümmert einer Entscheidung seiner Mutter vorgreifend.

9

Nach Ablauf einer halben Stunde zog Mr. Theale seine Uhr zu Rate. Er beschloß, Amanda noch eine kleine Weile länger ruhen zu lassen, und begab sich mit seiner Zigarillo auf die Landstraße. Dort war jedoch nicht viel zu sehen, und nachdem er einige Minuten auf und ab geschlendert war, kehrte er wieder zum Gasthof zurück, wo ihm der Wirt anbot, als kleines Gabelfrühstück ein oder zwei Scheiben hausgeselchten Schinken zu sich zu nehmen. Es war noch nicht Mittag, aber Mr. Theale hatte sein Frühstück zu einer ungewohnt frühen Stunde eingenommen, und der Vorschlag reizte ihn sehr. Er erledigte einige Scheiben Schinken, denen er eine reichliche Portion Käse folgen ließ, die er aus der Mitte eines reifen Stilton herausgrub, und schwemmte das Ganze mit einem großen Krug Bier hinunter. Danach fühlte er sich den Anstrengungen der Reise gegenüber gewappnet, und da Amanda noch immer nicht zum Vorschein kam, bat er Mrs. Sheet, hinaufzugehen und nachzusehen, wie es ihr ginge. Mrs. Sheet erklomm mühsam die Treppen, kam aber sehr bald wieder zurück, um zu melden, daß sich die junge Dame nicht in ihrem schönsten Schlafzimmer befinde.

»Nicht dort?« wiederholte Mr. Theale ungläubig.

»Vielleicht ist sie im Speisezimmer, Sir«, sagte Mrs. Sheet gelassen.

»Dort ist sie nicht«, versicherte der Wirt. »Es ist doch klar, daß sie nicht dort sein kann, weil Seine Gnaden während der letzten halben Stunde in dem Zimmer etwas Schinken zu sich genommen hat. Ich glaube, Sir, sie wird, während Sie Ihr Gabelfrühstück aßen, ausgegangen sein, um ein wenig frische Luft zu schöpfen.«

Mr. Theale hielt das für äußerst unwahrscheinlich; wenn Amanda sich aber nicht im »Roten Löwen« befand, schien es keine andere Lösung für ihr rätselhaftes Verschwinden zu geben. Er trat also erneut auf die Landstraße hinaus und blickte auf und nieder. Von Amanda war keine Spur zu sehen. Aber Mr. Sheet, der ihm aus dem Gasthof gefolgt war, hielt es für sehr wahrscheinlich, daß es sie gereizt hatte, das kleine Wäldchen zu erforschen, das gleich hinter den letzten einzeln stehenden Häuschen des Dorfes begann. Sir Gareth würde nicht einmal fünf Minuten vergeudet haben, um Amanda in dem Wäldchen zu suchen, aber Mr. Theale, der bis nun mit ihrem sonderbaren Hang durchzubrennen noch nicht vertraut war, hielt es für möglich, daß sie tatsächlich weggegangen war, um ebenso wie er selbst vor kurzem einen kleinen Spaziergang zu machen. Ohne Zweifel hatte sie, da die Sonne auf die Straße brannte, der Verlockung nicht widerstehen können, das Wäldchen zu betreten. Es war gedankenlos von ihr und in der Tat sehr ärgerlich, aber junge Leute wurden, wie er glaubte, unwiderstehlich von Waldungen angezogen, und außerdem schenkten sie der Uhrzeit wenig Bedeutung. Er ging die Straße entlang, bis er vor dem Wäldchen stand und zu rufen begann. Nachdem er das einige Male vergebens getan hatte, fluchte er vor sich und betrat das Wäldchen durch eine Öffnung in der Hecke. Ein Pfad schlängelte sich zwischen den Bäumen hindurch, den er eine Zeitlang verfolgte, wobei er in kurzen Abständen Amandas Namen rief. Unter den Bäumen war es nicht so heiß wie auf der sonnendurchglühten Landstraße, aber noch immer heiß genug, um einem wohlbeleibten Gentleman Schweißausbrüche zu verursachen, der in einen enganliegenden Rock und in ein unter dem Kinn kompliziert gefaltetes voluminöses Halstuch eingezwängt war. Mr. Theale trocknete sich das Gesicht und stellte verärgert fest, daß die hohen Spitzen seines gestärkten Kragens schlaff geworden waren. Er stellte aber auch fest – wenn auch mit einiger Skepsis –, daß Amanda ihm heimlich entwischt war; warum sie es getan hatte oder wo sie sich versteckt halten konnte, vermochte er sich allerdings nicht vorzustellen. Er begab sich wieder zurück, und während er sich mühsam die staubige Straße entlang bewegte, überfiel ihn der beunruhigende Gedanke, daß sie vielleicht doch nicht zur leichten Welt gehörte, sondern in Wirklichkeit ein Kind war und ebenso unschuldig, wie sie aussah. In diesem Fall war ihr Wunsch, den Klauen Sir Gareths zu entrinnen – ebenso wie seinen eigenen –, verständlich. Ohne Zweifel, dachte Mr. Theale tugendhaft entrüstet, hatte Sir Gareth sie erst nach ihrer Entlassung aus dem Haushalt ihres verliebten Brotgebers kennengelernt und sich heimtückischerweise ihr liebenswürdiges Wesen und vielleicht auch ihre mittellose Lage zunutze gemacht. Mr. Theales Moralbegriffe waren wohl etwas exzentrisch, aber er fand, daß ein derartiges Betragen jenseits der noch erlaubten Grenze lag und überdies auch noch dumm war. Denn unschuldige Mädchen zu betrügen, führte unweigerlich zu Unannehmlichkeiten, wie es Sir Gareth aus eigener Erfahrung hätte sagen können. Allem Anschein nach stand sie allein auf der Welt. Man konnte sich aber darauf verlassen, daß, sowie das Unglück geschehen war, irgendein abscheulich respektabler Verwandter auftauchte, was soviel bedeutete, als verteufelt zahlen zu müssen, und nicht zu wenig!

Diese Überlegung brachte gewisse unwillkommene Erinnerungen mit sich und erweckte in Mr. Theale die Überzeugung, daß es vielleicht unklug wäre, Amanda ihrem Schicksal zu überlassen, was ihm zuerst als die vernünftigste Lösung erschienen war. Da sie seinen Namen kannte, wäre es klüger, sie wieder einzufangen, denn der Himmel allein wußte, welche Geschichten sie über die Ereignisse des Tages verbreiten würde, wenn es ihm nicht gelang, sie davon zu überzeugen, daß sein Interesse für sie rein menschenfreundlicher Art gewesen war. Das wäre ja leicht zu erreichen, wenn man die Möglichkeit dazu bekam. Er entschied sich dafür, daß es am besten wäre, sie unter den Schutz seiner Haushälterin zu stellen und es dieser tüchtigen Matrone zu überlassen, ihre Familie ausfindig zu machen. Natürlich, wenn sie tatsächlich keine lebenden Verwandten besaß und geneigt war – sobald sich ihre Angst gelegt hatte –, sich für ihn zu interessieren... Aber das war Zukunftsmusik. Die unmittelbare Aufgabe war es, sie zu finden, und das sollte in einem kleinen Dorf nicht allzu schwer sein.

Mr. Theale traf noch einmal im »Roten Löwen« ein und schlug sich weiterhin mit seiner Aufgabe herum. Sie erwies sich als ermüdend, fruchtlos und äußerst heikel. Mrs. Sheet, die die ganze Geschichte überlegte, erinnerte sich der Hutschachteln. Es war vorstellbar, wenn auch sehr unwahrscheinlich, daß Amanda weggegangen war, um Luft zu schöpfen, und sich dabei verirrt hatte. Daß sie sich aber mit den beiden Hutschachteln belasten würde, um auf dem Land spazierenzugehen, war höchst unwahrscheinlich und schien Mrs. Sheet nicht auf einen Spaziergang, sondern auf eine Flucht hinzudeuten. Und warum, fragte Mrs. Sheet ihren Gatten, sollte die hübsche Kleine vor ihrem rechtmäßigen Onkel davonlaufen?

Mr. Sheet kratzte sich den Kopf und gab zu, daß das Ganze ein schwieriger Fall sei.

»Sheet«, sagte sie, »du wirst schon sehen! Er ist ebensowenig ihr Onkel, wie du es bist!«

»Er hat nie behauptet, ihr Onkel zu sein«, erklärte Mr. Sheet. »Er sagte nur daß sie eine junge Verwandte ist.«

»Das besagt gar nichts. Ich bin überzeugt, er ist überhaupt kein Verwandter. Er ist ein Wolf im Schafspelz!«

»Er sieht aber nicht so aus«, wendete der Wirt, unsicher geworden, ein.

»Er ist einer dieser Londoner Wüstlinge«, beharrte seine Frau. »Er hat einen bösen Ausdruck in den Augen – ich habe es sofort bemerkt. Und dazu noch diese Hutschachteln! Ich dachte mir gleich, es ist schon sehr eigentümlich, daß eine junge Dame kein anständiges Gepäck hat.«

»Das Gepäck war in dem andern Wagen«, fügte der Wirt an.

»Aber nicht das ihre«, erwiderte Mrs. Sheet mit Überzeugung. »Sie hatte alle ihre Sachen in die zwei Hutschachteln gepackt, das sah ich mit meinen eigenen Augen. Du meine Güte, warum sagte sie mir nichts davon, daß dieser feine Gentleman gesetzwidrig mit ihr durchgebrannt ist? Ich wollte, ich wüßte, wohin sie gegangen ist.«

Aber alle Nachforschungen, ebenso wie die Bemühungen Mr. Theales, vermochten nicht die geringste Spur von Amanda zu entdekken. Sie war offenbar in die Wolken entschwebt, denn im Dorf hatte sie niemand gesehen, und es konnte sich auch niemand an ein Vehikel erinnern, das durch das Dorf gefahren war und angehalten hatte, um einen Passagier aufzunehmen. Zum Schluß sah sich Mr. Theale gezwungen, der Theorie des Wirts beizupflichten, daß Amanda unbemerkt auf die Landstraße geschlüpft und erst hinter dem Dorf von einer Equipage oder einer Postkutsche aufgegabelt worden war. Mrs. Sheet schnalzte mißbilligend mit der Zunge und schüttelte den Kopf. Da ihr aber nie eingefallen wäre, eine junge Dame von unstreitiger Vornehmheit, die überaus elegant und nach der letzten Mode gekleidet war, könnte Zuflucht in einem Bauernkarren gesucht haben, kam ihr der Gedanke überhaupt nicht in den Sinn, daß Joe Ninfield imstande wäre, das Rätsel aufzuklären. Wäre ihr dieser Gedanke aber gekommen, so hätte sie sich ihn sofort aus dem Kopf geschlagen. Sie kannte Joe als schüchternen, ehrlichen Burschen, der sich's weder träumen ließe, seine Patin zu beschwindeln, noch mit einem fremden jungen Mädchen anzubandeln, das offensichtlich adeliger Geburt war.

Mr. Theale sah sich gezwungen, seine Reise allein fortzusetzen; als er wieder in seine Kutsche kletterte, war er nicht nur von den Anstrengungen total erschöpft, sondern so aus der Fassung geraten, wie ein Mann seines Temperaments fassungslos zu sein vermochte. Seine Nachforschungen erweckten bei den Bewohnern Bythornes eine höchst unwillkommene Neugierde; obwohl Mr. Sheet ihn auch weiterhin mit angemessener Ehrerbietung behandelte, stand es ganz anders mit der gestrengen Herrin des Hauses, die nicht einmal versuchte, ihre wenig schmeichelhafte Meinung über ihn zu verbergen. Da ihm Amandas geniale Erfindungsgabe fehlte, war er außerstande, Mrs. Sheet eine Erklärung zu geben, die selbst für seine Ohren überzeugend geklungen hätte; und der Versuch, ihre Vermutung zu zerstreuen, forderte sie nur heraus, ihn mit ihrer Ansicht über sogenannte Gentlemen zu beglücken, die geckenhaft herausgeputzt durchs Land fuhren, um unschuldige Mädchen, die sie zu ruinieren beabsichtigten, leichter betrügen zu können.

Es dauerte einige Zeit, bis sich seine Laune wieder etwas aufheiterte. Das starre Gesicht seines Kutschers trug auch nicht dazu bei, seine gereizten Nerven zu beruhigen. Mr. Theale gab sich wenig Illusionen hin und war sich sehr wohl darüber im klaren, daß James nicht nur jedes Wort von Mrs. Sheets Moralpredigt mit angehört hatte, sondern auch, daß er keine Zeit verlieren würde, das übrige Dienstpersonal mit der Erzählung von der Blamage seines Herrn zu traktieren. Er würde James entlassen müssen, was ebenso ärgerlich war wie alles, was sich während dieses verhängnisvollen Tages ereignet hatte, weil ihm bisher kein Kutscher nur halb so gut zugesagt hatte. Überdies waren so viele Stunden vergeudet worden, daß es jetzt sehr fraglich war, ob er Melton Mowbray noch an diesem Abend erreichen konnte. Es war zwar Vollmond, wenn ihm aber das Mondlicht auch ermöglichte, seine Reise bis tief in die Nacht fortzusetzen, konnte es weder verhindern, daß das ausgezeichnete Dinner verderben würde, das man zweifellos zu seinem Empfang zubereitet hatte, noch konnte es ihn davor bewahren, tödlich erschöpft zu sein. Hätte er seinem Kammerdiener nur nicht befohlen, weiterzufahren! Er hätte die Nacht in Oakham verbringen können, wo er in der »Crown« wohlbekannt war und sich darauf verlassen konnte, daß man alles Erdenkliche zu seiner Behaglichkeit tun würde. Aber sein Kammerdiener und seine Koffer waren nicht mehr zurückzurufen, und sein Reisenecessaire war das einzige Gepäckstück, das er bei sich hatte.

Vier Meilen hinter Thrapston war er noch immer damit beschäftigt, zu entscheiden, was am besten zu tun sei, als das Schicksal eingriff und die Frage für ihn löste: der hohe Kutschersitz brach zusammen und stürzte auf die Karosserie. Wenn auch heftig erschrocken war, hatte

Mister Theale durch diesen Unfall doch keine wesentlichen Verletzungen erlitten. Das schlimmste war die Notwendigkeit, sich zu Fuß eine Meile mühsam bis zum nächsten Gasthof fortschleppen zu müssen. Dieser befand sich in dem Dörfchen Brigstock und war ein viel zu anspruchsloser kleiner Postgasthof, um bisher Mr. Theales Aufmerksamkeit erregt zu haben. Seine Absicht war es gewesen, dort eine Postchaise zu mieten, er fand das Gastzimmer aber so gemütlich, den Lehnstuhl, in den der Wirt ihn genötigt hatte, so bequem, den Brandy, mit dem er bemüht war, seine Kräfte wieder herzustellen, so ausgezeichnet, und das Dinner, das ihm angeboten wurde, so verlockend, daß er sehr bald jeglichen Gedanken aufgab, seine Reise an diesem Tag fortzusetzten. Nach der verächtlichen Behandlung, die ihm durch Mrs. Sheet wiederfahren war, wirkte die Aufmerksamkeit des Wirts des »Brigstock Arms« wie Balsam auf seinen verletzten Stolz. Außerdem drückten ihn seine zu engen Stiefel, und er sehnte sich danach, sie ausziehen zu können. Der Wirt bat, ihm ein Paar Pantoffel leihen zu dürfen, versprach ein Nachthemd und eine Schlafmütze bereitzustellen und versicherte ihm, das nichts seiner Frau mehr Vergnügen bereiten würde, als ihm, während er schlief, sein Hemd und sein Halstuch zu waschen. Dies gab den Ausschlag: Mr. Theale ließ sich gnädigst herab, das Haus als Gast zu beehren und streckte ein dickes Bein vor, um sich die Stiefel ausziehen zu lassen. Einmal von den Reitstiefeln befreit, die keineswegs für einen Fußmarsch bestimmt waren, fühlte er sich wie neugeboren und vermochte seine Gedanken unabgelenkt von schmerzenden Füßen der wichtigen Frage zu widmen, welche Speisen er für sein Dinner wählen sollte. Vom Wirt beraten und unterstützt, bestellte er ein auserlesenes und gleichzeitig kräftigendes Mahl; dann setzte er sich bequem zurecht, um sich der versöhnlichen Eigenschaften einer Zigarillo, eines behaglichen Feuteuils und einer Flasche Brandy zu erfreuen.

Es dauerte nicht lange, bis sich ein besänftigendes Wohlgefühl einstellte. Als er eben überlegte, ob er sich noch eine Zigarillo anstekken oder vor dem Dinner lieber ein kleines Nickerchen machen sollte, wurde sein Frieden durch Sir Gareth Ludlow gestört, der das Gastzimmer zielstrebig betrat. Mr. Theale war erstaunt. Er mußte einige Male blinzeln, ehe er sich überzeugt hatte, daß ihn seine Augen nicht trogen. Aber der Neuankömmling war ganz bestimmt Sir Gareth, und nach seinem Gesichtsausdruck zu schließen, schien er in rasender Wut zu sein. Mr. Theale stellte dies flüchtig fest, sein Interesse wurde jedoch von etwas weit Wichtigerem gefesselt. Sir Gareths blauer Rock wurde von einem Fahrmantel von so exquisitem Schnitt gegen den Staub geschützt, daß Mr. Theale vor Begeisterung außer sich war. Niemand wußte besser als er, wie selten es war, daß ein Mann in einem voluminösen Mantel mit einer Serie Schulterkragen vorteilhaft aussah, wie oft es dagegen vorkam, daß man breiter als hoch erschien. Sir Gareths Größe trug natürlich viel dazu bei, aber seine blendende Gestalt allein konnte den graziösen Fall der Falten nicht völlig erklären, die fast bis an seine Fußknöchel reichten, ebensowenig die Genauigkeit, mit der sich ein halbes Dutzend oder mehr Kragen über seine Schultern abstuften.

»Wer«, fragte Mr. Theale ehrfürchtig, »arbeitete Ihnen diesen Mantel?«

Sir Gareth hatte einen ermüdenden und erbitternden Tag hinter sich. Es war schwer gewesen, Mr. Theales Spuren bis Brampton zu verfolgen, obwohl ziemlich viel Zeit damit verschwendet wurde, in allen Gasthöfen, mit denen Huntingdon so reichlich gesegnet war, etwas über ihn in Erfahrung zu bringen. Erst hinter Brampton verwischte sich seine Spur. Daß er die Reise auf der Straße fortgesetzt hatte, die von Ely nach Kettering führte, war von einem Stallknecht bestätigt worden, aber in Spaldwick, wo Sir Gareth nach eingehendem Studium der Straßenkarte zu hören erwartete, daß er die Pferde gewechselt hatte, schien ihn niemand gesehen zu haben. Das deutete darauf hin, daß er den ersten Pferdewechsel in Thrapston vorgenommen, denn auf diesem Teil der Straße gab es keinen weiteren Postgasthof. Beim nächsten Schlagbaum glaubte sich der Zolleinnehmer zu erinnern, daß er drei oder vielleicht vier gelbkarossierte Kutschen passieren ließ, unter denen sich eine befand – außer er verwechselte sie mit einer schwarzen Chaise mit gelben Rädern –, die nördlich in die schmale Straße eingebogen war, die die Poststraße überquerte. Nach einem Blick auf seine Karte beschloß Sir Gareth, diesen Weg nicht zu verfolgen, da er nur zu einer Reihe winziger Dörfer führte. Eine Meile weiter bot eine etwas breitere Straße dem Reisenden wieder eine Abkürzung nach Oundle, und hier blieb Sir Gareth stehen, um Erkundigungen einzuziehen, da er es für möglich, wenn auch unwahrscheinlich hielt, daß Oundle Mr. Theales Reiseziel war. Er konnte nicht ausfindig machen, ob eine gelbkarossierte Kutsche an diesem Vormittag in die schmale Straße eingebogen war, aber ein scharfäugiger kleiner Schlingel gab ihm freiwillig die Auskunft, er habe genau so ein Gefährt gesehen, dicht gefolgt von einem Wagen, auf dessen Dach Gepäck aufgestapelt war, das vor etwa zwei Stunden in Richtung Thrapston gefahren sei. Es konnte kein Zweifel bestehen, daß dies Mr. Theales Kortege war, und nachdem er seinem Gewährsmann eine angemessene Belohnung gegeben, fuhr Sir Gareth weiter in der Überzeugung, daß er in einem der beiden Postgasthöfe Thrapstons gewißt Nachricht über den Flüchtling erhalten werde. Er fegte durch Bythorne hindurch und ließ sich's nicht träumen, daß der Wagen, den er verfolgte, in diesem Augenblick mit aufwärtsgerichteten Deichseln im Hof des bescheidenen kleinen Gasthauses stand.

Thrapston lag nur vier Meilen hinter Bythorne und war bald erreicht, aber weder im »White Hart« noch im »George«, vermochte Sir Gareth eine Spur der Verfolgten zu entdecken. Mr. Theale war in beiden Gasthöfen wohlbekannt, und sowohl die Wirte wie die Stallknechte erklärten übereinstimmend, daß er schon seit einigen Monaten nicht mehr in der Stadt gesehen worden sei.

Es schien so unglaublich, daß Mr. Theale die Pferde in Thrapston nicht gewechelt haben sollte, daß sich Sir Gareth fragte, ob er vielleicht alle diese Leute bestochen hatte, um seine Spuren zu verwischen. Aber diejenigen, die er befragte, waren so offensichtlich ehrlich, daß er sich diesen Argwohn aus dem Kopf schlug. Er neigte jetzt eher der Theorie zu, daß auch Mr. Theale – ebenso wie er selbst sich entschlossen hatte, in Brampton statt in Huntingdon zu rasten – es vorgezogen hatte, den zweiten Pferdewechsel in einem Gasthof vorzunehmen, der sich weit weg von der Stadt befand, in der er eine so wohlbekannte Figur war. An der Straße, die durch Corby, Uppingham und Oakham nach Melton Mowbray führte, lag allem Anschein nach, in der Umgebung von Thrapston, eine Vorstadt oder ein Dorf namens Islip. Eindringliche Nachforschungen entlockten dem Wirt des »George« das Geständnis, daß dort ein Pferdewechsel vorgenommen werden konnte – allerdings dürfte der Gentleman nicht zu wählerisch sein. Inzwischen waren Sir Gareths eigene Pferde, obwohl sorgsam behandelt, doch völlig erschöpft und mußten in einem Stall untergebracht werden. Es war nicht seine Gewohnheit, seine Vollblüter fremden Händen anzuvertrauen. Als Trotton daher hörte, wie er im »George« Verhaltungsmaßregeln für die Pflege seiner Füchse erteilte, und selbst den Befehl erhielt, darauf zu achten, daß sie richtig ausgeführt würden, während ihm gleichzeitig klargemacht wurde, daß er nicht hierbleiben sollte, um sie auch weiterhin zu beaufsichtigen, wußte er, daß der Fall seines Herrn und Gebieters ein verzweifelter sein mußte.

Für Sir Gareth, der jetzt ein Paar Mietspferde fuhr, waren sowohl Islip wie Lowick Enttäuschungen. Er wandte sich danach ostwärts und erreichte auf einer miserablen Straße den Fahrweg, der Thrapston mit Oundle verbindet. Hier war er ebenso erfolglos und fuhr auf die Straße zurück, die nach Kettering führte. Nirgends hatte man eine gelbkarossierte Kutsche gesehen, der ein Hochbeladener Gepäckwagen folge. Er kehrte nach Thrapston zurück. Trotz aller Enttäuschungen überzeugt, daß Mr. Theale in die Nachbarschaft von Melton Mowbary zu fahren beabsichtige, schlug er nochmals die Richtung stadtauswärts ein. Wie es Mr. Theales Kutscher fertigebracht hatte, seine Pferde an einem so schwülen Tag über Islip hinauszubringen, verstand er nicht, er war überzeugt, daß die gelbkarossierte Kutsche die Straße nach Melton Mowbray gefahren war. Wie recht er in dieser Überzeugung hatte, stellte sich alsbald heraus, als er eine Meile vor Brigstock auf den zertrümmerten Wagen stieß.

Das war bestimmt ein ausreichender Grund zur Genugtuung, aber Sir Gareth war den ganzen Tag gefahren und hatte seit seinem unterbrochenen Frühstück in Brancaster nichts mehr zu sich genommen. Als er in den »Brigston Arms« eintraf, mußte er sein Temperament außerordentlich zügeln. Als er aber das Gastzimmer betrat und Mister Theale bequem ausgestreckt fand, neben sich eine Flasche Brandy, seine in Pantoffeln steckenden Füße auf einem Schemel, regte sich in ihm der übermächtige Trieb, diesen gewissenlosen Wüstling mit einer Hand aus seinem Lehnstuhl zu zerren, um ihm mittels eines wissenschaftlich placierten Schlages mit der andern niederzuschmettern. Er hatte sie auch schon zur Faust geballt, als Mr. Theale zu sprechen begann. Seine Worte ließen Sir Gareth innchalten. Er sah verächtlich auf ihn herab, und seine rechte Hand löste sich wieder, als er seinen Zustand erkannte. Es wäre ungerecht gewesen, Mr. Theale als betrunken zu bezeichnen. Er prahlte damit, daß ihn seit den Tagen seiner ersten Jugend niemand mehr betrunken gesehen hatte, und seine Aufnahmefähigkeit an Brandy grenzte in der Tat ans Wunderbare. Aber sein stetiges Trinken hatte einen leichten Nebel über die Welt gebreitet und ihn in eine unendlich liebenswürdige Stimmung versetzt. Es stand außer Zweifel, daß man mit ihm nicht so verfahren konnte, wie er es verdiente. Sir Gareth sagte kurz angebunden: »Ach so, ich verstehe! Wo ist Miss Smith?«

»Schultz?« erkundigte sich Mr. Theale verständnislos.

»Wo – ist – Miss – Smith?« wiederholte Sir Gareth.

»Nie von ihr gehört«, sagte Mr. Theale. »Ach, jetzt erinnere ich mich. Natürlich. Weston arbeitet für Sie, nicht wahr?«

»Wo ist Amanda Smith?« fragte er, indem er die Fragestellung etwas veränderte.

»Ach, die?« sagte Mr. Theale. »Ich will verdammt sein, wenn ich das weiß.«

»Sie übertreiben etwas zu stark«, sagte Sir Gareth mit hörbarem Schnarren seiner Stimme. »Versuchen Sie nicht, mir weiszumachen, daß Sie sie heute morgen nicht aus Brancaster entführt haben.«

»War das erst heute morgen?« sagte Mr. Theale, leicht überrascht. »Sie können recht haben, aber es erscheint mir länger.«

»Wo ist sie?«

»Ich erkläre Ihnen doch andauernd, daß ich es nicht weiß. Ja, und wenn ich es recht überlege, mein Junge, so sind Sie ein ziemlich kaltblütiger Bursche. Zuerst bringen Sie das Lockvögelchen nach Brancaster und jetzt – ich will verdammt sein, wenn Sie nicht die Frechheit haben, hier hereinzustürzen, um mich zu veranlassen, sie Ihnen zurückzugeben. Sie wollen wohl versuchen, ob es Ihnen nicht doch gelingt? Wäre ich nicht ein so umgänglicher Mensch, dann würde ich Sie wahrscheinlich zur Rechenschaft ziehen. Dachte immer, Sie hätten feinfühligere Grundsätze.«

»Schlagen Sie sich wenigstens zwei ihrer lächerlichen Vorstellungen aus dem Kopf. Amanda ist weder meine Geliebte noch ein Lockvögelchen!«

»Nein? Tatsächlich? Ich habe selbst schon daran gedacht, daß sie es vielleicht nicht ist. Mein Junge, nehmen Sie den Rat eines Mannes an, der bedeutend älter ist als Sie und der mehr von der Welt gesehen hat, als Sie je sehen werden. Wenn sie nicht vom Haymarket ist – dann lassen Sie die Finger davon! Ich will damit nicht sagen, daß sie etwa kein verführerisches Stückchen Weiberfleisch ist – ich dachte es ja selbst–, aber lassen Sie sich von mir sagen . . .«

»Ich will von Ihnen nichts als das Kind«, unterbrach ihn Sir Gareth.

»Hören Sie mit Ihren Lügen auf und sagen Sie mir, was Sie mit ihr gemacht haben. Ich warne Sie, Theale, ich bin nicht in der Laune, mir weiterhin Ihre Lügen anzuhören.«

»Na, na, bringen Sie sich nur nicht selbst in eine Klemme«, empfahl ihm Mr. Theale. »Es hat keinen Zweck, mich zu fragen, was ich mit dem jungen Ding getan habe, weil ich gar nichts mit ihr getan habe. Sie machte sich nämlich aus dem Staub. Ich will nicht behaupten, daß ich in diesem Moment gerade in bester Laune war, aber jetzt bin ich nicht so sicher, ob es nicht ganz gut ist. Sollte mich nicht wundern, wenn sie mich in die größte Verlegenheit gebracht hätte. Und Sie ebenfalls. Vergessen Sie sie, mein Junge! Schließlich gehört sich's nicht, der armen Hester einen Heiratsantrag zu machen und im nächsten Augenblick hinter Amanda herzujagen.«

»Wann hat sie sich aus dem Staub gemacht und wo?« fragte Sir Gareth, der Mr. Theales Rat völlig ignorierte.

»Ich habe den Namen des Ortes vergessen, aber sie hat dort eine Unmenge Himbeeren gegessen.«

»Was?«

»Ich wundere mich nicht, daß Sie überrascht sind. Sie wären aber noch überraschter gewesen, wenn Sie die Portion Schlagsahne gesehen hätten, die sie ständig daraufhäufte. Ich warnte sie davor, wie es ihr ergehen würde, aber sie war nicht zu halten. Sie schwor, sie sei bei bester Gesundheit – naja, damals stimmte es auch. Das dauerte natürlich nicht lange. Ihr wurde entsetzlich übel – zumindest behauptete sie es. Sie kann mich aber auch zum besten gehalten haben, obwohl ich mir nicht vorstellen kann, wie jemand diese Unmenge Himbeeren essen kann, ohne zu speien wie ein Reiher. Sie saß stöhnend da und sagte, sie müsse sich unbedingt niederlegen. Sie veranlaßte mich, den Wagen in irgeneinem Dorf halten zu lassen. Ich glaube, der Name wird mir sofort einfallen, es war nicht weit von Thrapston. Jedenfalls begaben wir uns dort in einen Gasthof, und Amanda ging mit der Wirtin nach oben – übrigens ein teuflisches Weib! Ich kann Ihnen mein Wort geben, hätte ich gewußt, was für eine böse Sieben die Wirtin ist, dann hätte ich keinen Fuß in das Haus gesetzt!«

»Lassen Sie die Wirtin!« sagte Sir Gareth ungeduldig.

»Natürlich, Sie können leicht reden! Lassen Sie die Wirtin! Sie mußten sich auch das, was sie mir sagte, nicht anhören! Sie tat, als wäre ich wirklich ein verdächtiger Kunde, und ich will verdammt sein, wenn ich das bin!«

»Die Wirtin sagte Ihnen ihre Meinung? Ausgezeichnet! Was geschah, nachdem Amanda nach oben gegangen war?«

»Ich genehmigte mir ein Gläschen, ich hatte es nötig, das kann ich Ihnen sagen. Während ich im Wagen hin und her geschüttelt wurde, mußte ich jeden Augenblick gewärtigen, daß sich Amanda übergibt und dabei war mir gleichfalls verdammt übel!«

»Um Himmels willen–« rief Sir Gareth. »Es interessiert mich nicht, was Sie getrunken haben oder wie Sie sich fühlten. Was geschah mit Amanda?«

»Wie soll ich das wissen? Die Wirtin sagte, sie wolle eine halbe Stunde ruhen, und das ist das letzte, was ich von ihr hörte.«

»Wollen Sie damit sagen, daß sie den Gasthof verließ, ohne daß es jemand bemerkte?«

»So war es«, sagte Mr. Theale kopfnickend. »Sie brannte mir einfach durch, die schlaue kleine Katze. Komische Sache das, sie verschwand einfach, obwohl Gott allein wissen mag, wie ihr das gelang. Ich befand mich in einer schönen Lage! Ja, und einen hübschen Staub hat es auch aufgewirbelt!«

»Wollen Sie damit sagen«, rief Sir Gareth drohend, »daß Sie das Kind einfach sich selbst überließen und gemütlich davonfuhren?«

»Es war durchaus nicht gemütlich«, wendete Mr. Theale ein. »Zunächst ist es für mich überhaupt kein Vergnügen, in einer Kutsche zu fahren, und dann brach noch der verdammte Kutschersitz zusammen, und ich mußte gut eine Meile in zu engen Stiefeln zu Fuß gehen.«

»Haben Sie denn nicht den Versuch gemacht, Amanda zu finden?«

»Gewiß. Aber wie zum Teufel komme ich überhaupt dazu, etwas so Hirnrissiges zu tun – noch dazu in meinem Alter! Das gab mir den Rest, das kann ich wohl sagen!«

»Wo haben Sie nach Amanda gesucht?«

»Im ganzen Dorf«, erwiderte Mr. Theale erbittert. »Sie hätten wohl nicht geglaubt, ich könnte so ein Narr sein, nicht wahr? Denn kaum hatten diese gaffenden Tölpel erfahren, daß Amanda sich aus dem Staub gemacht hat, als sie sich schon einbildeten, es ginge etwas nicht mit rechten Dingen zu. Als wir in dem Gasthof eintrafen, hatte ich selbstverständlich gesagt, daß Amanda eine junge Verwandte ist. Als sie mir aber entwischt war, wollte das nicht mehr recht passen.«

»Wo – außer im Dorf – haben Sie noch gesucht?«

»In einem Wäldchen. Der Wirt dachte, sie wäre vielleicht hingegangen, um etwas Luft zu schöpfen. Ich brüllte mich heiser, aber es war zwecklos. Das war noch, bevor mir aufdämmerte, daß sie mich zum Narren gehalten hatte.« Er goß sich noch etwas Brandy in sein Glas, trank es in einem Zug und rief plötzlich: «Bythorne! Ich wußte, daß es mir wieder einfallen würde.«

»Bythorne? Du lieber Gott! Dann also – wohin gingen Sie, als Sie sie im Dorf nicht fanden?«

Mr. Theale stellte sein Glas nieder und betrachtete ihn mit geduldiger Resignation. »Hab noch nie einen Burschen gefunden, der mir so schafsköpfige Fragen stellte! Ich kam natürlich hierher. Wohin dachten Sie denn, daß ich gefahren bin?«

»Ich dachte«, sagte Sir Gareth in drohendem Ton, »daß Sie jede Straße und jeden Pfad abgesucht haben, der vom Dorf wegführt. Hielten Sie es denn für wahrscheinlich, daß Amanda, wenn sie Ihnen zu entwischen versucht,in einem Dorf bleiben würde? In einem Dorf das, wie ich mich erinnere, nur aus zwei Reihen kleiner Häuschen besteht, die die Poststraße flankieren?«

»Was Sie nicht sagen! Sie müssen ja Stroh im Kopf haben. Warum zum Teufel sollte ich mich zum Narren machen und das Land nach einem Mädel absuchen, das ich auf verdammt gute Art losgeworden bin?«

»Es wäre zwecklos, Ihnen das erklären zu wollen«, sagte Sir Gareth, dessen Stirnadern vor Zorn stürmisch pulsierten. »Wären Sie nicht fünfzehn Jahre älter als ich, so fett wie eine Mastsau und überdies betrunken, dann würde ich Ihnen eine so tüchtige Tracht Prügel verabreichen, daß Sie einen Monat lang das Bett hüten müßten.«

»Nicht, wenn Sie mich zum Onkel haben wollen«, sagte Mr. Theale ungerührt. »Das wäre sehr plump und grob. Und lassen Sie sich's gesagt sein, mein Junge, mich hat, seit ich in Oxford war, niemand mehr betrunken gesehen! Ich habe nie mehr als ganz, ganz klein wenig in der Krone. Fragen Sie, wen Sie wollen!« Als er sah, daß Sir Gareth Hut und Handschuhe ergriff und der Tür zuschritt, rief er: »Wohin wollen Sie denn? Bleiben Sie nicht zum Dinner?«

»Nein«, erwiderte Sir Gareth über die Schulter. »Wenn es Sie auch überraschend wird – ich fahre nach Bythorne.«

Die Tür schloß sich hinter ihm mit einem lauten Knall. Mr. Theale schüttelte traurig den Kopf und griff erneut nach der Brandyflasche.

»Nicht ganz richtig im Oberstübchen«, bemerkte er. »Armer Kerl!«

10

Mr. Sheet, an einem Tag zum zweitenmal berufen, einem Mitglied der vornehmen Welt zu Diensten zu stehen, war darüber hochbefriedigt, aber dennoch in großer Sorge. Denn der »Rote Löwe« war ein gemütlicher Gasthof, der nie danach gestrebt hatte, Herrschaften mit Equipagen zu bedienen. Sein Keller war wohl reichlich mit Bier und Schnaps versorgt, er stellte aber mit einem Blick fest, daß dieser hochgewachsene Elegant, mit dem ehrfurchteinflößenden Fahrmantel und den glänzenden Schaftstiefeln, falls er in seinem Haus zu dinieren beabsichtigte, unfehlbar nach einer Flasche Wein rufen werde. Überdies war es sehr fraglich, ob Mrs. Sheets wohlbekannte Kochkünste den Ansprüchen eines solchen Teufelskerls genügen würden, die er bei der Auswahl der ausgefallensten Speisen stellt. Als Sir Gareth den Grund seines Kommens bekanntgab, geriet Mr. Sheet in noch größere Verwirrung. Er hatte selbstverständlich mit seiner Frau über die merkwürdige Affäre der jungen Dame mit den Hutschachteln ausführlich gesprochen. Je länger er die Sache überlegte, desto stärker setzte sich die beunruhigende Überzeugung in ihm fest, daß sie darüber das letzte Wort noch lange nicht gehört hatten. Er glaubte zwar nicht, er könne für etwas, das er getan hatte, zur Rechenschaft gezogen werden, dennoch hatte er ein böses Vorgefühl, daß ihm Unannehmlichkeiten bevorstanden.

»Ja, Sir«, sagte er, »heute morgen ist eine junge Dame mit einem beleibten Gentleman hierher gekommen, aber sie lief ihm davon. Mehr als das kann ich Euer Gnaden nicht sagen, auch wenn man mich dafür hängen sollte.«

Er fand, daß die grauen Augen des Besuchers unangenehm durchdringend waren; er begegnete ihnen aber aufrichtig, wenn auch ein wenig nervös. Sir Gareth sagte: »Ich glaube Ihnen mitteilen zu sollen, daß ich der Vormund der jungen Dame bin. Ich habe sie den ganzen Tag gesucht, und Sie können sich vorstellen, wie groß meine Besorgnis ist. Ich habe sie nicht gefunden, aber ich fand den beleibten Gentleman. Was ich von ihm erfuhr, ließ mich von ganzem Herzen hoffen, Miss Smith hier zu finden.«

Der Wirt schüttelte den Kopf. »Nein, Sir. Wenn wir es wüßten, würden wir bestimmt – aber sie sagte uns kein Wort – und da sie, wie der dicke Gentleman sagte, eine Verwandte von ihm ist –«

»Was ist denn hier los?«

Eine Stimme ließ sich hinter Sir Gareths Rücken vernehmen. Er drehte sich rasch um und sah sich einer stattlichen Dame mit einer zierlichen Haube gegenüber, die mit einer gestärkten Masche unter ihrem rundlichen Kinn festgebunden war; die Hände hielt sie über ihren umfangreichen Magen gefaltet. Sie hatte ein hübsches, gutmütiges Gesicht, in dem aber jetzt feste Entschlossenheit zu lesen war. In ihren Augen blitzte ein kriegerisches Leuchten auf, als sie Sir Gareth, wenn auch nicht gerade feindselig, so doch mit einem gewissen Argwohn betrachtete.

»Der Gentleman erkundigt sich nach der jungen Dame, Mary«, erklärte Mr. Sheet. »Er sagt, er ist ihr Vormund.«

»Das kann stimmen oder auch nicht«, sagte Mrs. Sheet undurchsichtig.

»Ich bitte Sie, Madam, mir etwas zu beantworten. Sie waren es wohl, die mein Mündel gerettet hat?« fragte Sir Gareth. »Haben Sie sie hier in Sicherheit gebracht?«

Inzwischen hatte sie ihn gründlich in Augenschein genommen, angefangen von den gestiefelten Füßen bis zu den wohlgeordneten braunen Locken. Ihr Blick blieb auf seinem Antlitz haften. Nach einem Augenblick des Nachdenkens wurde ihre Miene etwas freundlicher. »Nein, Sir, das habe ich nicht – was nicht heißen soll, ich wünschte nicht, es getan zu haben, denn der Himmel weiß, sie hätte keinen Grund gehabt, auf diese Weise davonzulaufen. Hätte sie mir nur von der mißlichen Lage erzählt, in der sie sich befand! Und wer mögen Sie sein, Sir, wenn ich mir die Freiheit nehmen darf, zu fragen?«

Sir Gareth überreichte ihr seine Karte. «Hier ist mein Name und meine Adresse, Madam.«

Sie studierte die Karte. Dann beglückte sie ihn nochmals mit einem langen forschenden Blick. »Sir, Sie sind, wie Sie Sheet mitteilten, der Vormund der jungen Dame?«

»Ja, das bin ich«, erwiderte Sir Gareth und dachte, daß dies wenigstens der Wahrheit entsprach, wenn er auch nur ein selbsternannter Vormund war. Ein trauriges Lächeln blitzte plötzlich in seinen Augen auf. »Madam, ich will mit Ihnen ganz offen sein und Ihnen sagen, daß Miss Smith der eigensinnigste kleine Nichtsnutz ist. Und mein Unglück will es, daß ich es mit ihr zu tun bekam. Hören Sie sich ihre letzte Heldentat an: sie ist aus dem Pensionat durchgebrannt, in dem sie untergebracht war. Ich glaube, ich brauche Ihnen nicht erst zu sagen, in welch großer Sorge ich mich befinde. Wenn Sie mir helfen wollten, sie wiederzufinden, wäre ich Ihnen unendlich dankbar.«

Mr. Sheet, der seine Frau mit einiger Besorgnis betrachtet hatte, stellte erleichtert fest, daß sie sich offenbar zugunsten des Gentleman entschieden hatte. Der kriegerische Ausdruck war verschwunden, und sie erwiderte mit Wärme: »Ich wollte, ich könnte es, Sir, denn ich habe noch nie ein so süßes Geschöpf gesehen. Aber all das, was Ihnen Sheet berichtete, ist wahr: sie sagte niemandem von uns auch nur ein Sterbenswörtchen, sondern schlüpfte ungesehen hinaus. Sie ist also aus ihrer Schule durchgebrannt? Wie kam sie aber in die Gesellschaft dieses alten aufgeputzten Zappelfritzen? Sheet bildete sich ein, daß er ihr Onkel ist, ich bin aber überzeugt, daß das nicht stimmt.«

»Nein – er ist ihr Tanzmeister!« sagte Sir Gareth mit boshafter Befriedigung.

Sie starrte ihn offenen Mundes an. »Und der läuft einfach mit einer jungen Dame aus der Schule auf und davon? Nein, so was!«

»Miss Smith«, sagte Sir Gareth, mit Amanda an Erfindungsgabe konkurrierend, »ist eine sehr reiche Erbin. Mit welchen Mitteln sich dieser Bursche in ihr Vertrauen schlich, weiß ich nicht, es kann aber kein Zweifel bestehen, daß er es darauf abgesehen hat, sich ihres Vermögens zu bemächtigen. Sie ist noch nicht siebzehn. Was hätte ich aber tun können, wenn es ihm gelungen wäre, mit ihr Gretna Green zu erreichen und sie dort zu seiner Gattin zu machen?«

Ihre Augen wurden so rund wie Kronenstücke, und sie nickte verständnisinnig mit dem Kopf. »Ja, Sir, das wäre eine schöne Bescherung gewesen. Nun, ich habe ihn von Anfang an nicht leiden können. Ich kann nur nicht verstehen, was die junge Dame dazu brachte, Gefallen an ihm zu finden. Er ist doch alt genug, um ihr Großvater zu sein, und außerdem dick wie ein Mastschwein.«

»Ich bin überzeugt, daß sie bestimmt keinen Gefallen an ihm fand«, sagte Sir Gareth. »Wie ich sie kenne, ermutigte sie seine Bewerbung nur, um mit seiner Hilfe aus der Schule zu entwischen. Sobald sie sich außerhalb der Reichweite von – hm – Miss Hitchin glaubte, zögerte sie ja auch nicht, sich aus dem Staub zu machen. Dafür wenigstens kann ich dankbar sein. Wo ist sie aber?«

»Ja, das ist die Frage«, sagte Mr. Sheet tiefgründig.

»Ich meine, Sir, sie wird ganz bestimmt nicht davonlaufen, ohne zu wissen, an wen sie sich wenden soll«, rief Mrs. Sheet. »Hat sie denn keine Verwandten oder vielleicht Freunde, die glücklich wären, sie bei sich aufzunehmen?«

»Sie ist Waise. Bei Verwandten würde sie bestimmt nicht Zuflucht suchen, denn sie weiß ganz genau, daß diese mir sofort berichten würden, wo sie sich aufhält. Ich kenne auch keine Bekannten von ihr, die so inkorrekt wären, mir ihren Aufenthaltsort zu verheimlichen. Ich habe den Verdacht, daß sie die Absicht hat, sich als Zofe oder etwas ähnlich Verrücktes zu verdingen.«

»Wozu, Sir?« sagte Mrs. Sheet nach Luft schnappend. »Eine junge Dame wie sie? Du lieber Gott, sie muß ja völlig verzweifelt sein, um an etwas Derartiges zu denken. Ich bitte um Vergebung, Sir, aber mir will scheinen, als wäre die Schule, in die Sie sie schickten, ein sehr übler Ort.«

»O nein, ganz im Gegenteil«, erwiderte er. »Bitte glauben Sie ja nicht, Madam, daß Miss Smith dort oder sonst irgendwo unfreundich behandelt wurde. Das Unglück ist, daß man viel zu nachsichtig mit ihr war. Niemand außer mir hat ihr je ein Hindernis in den Weg gelegt, und da sie außerordentlich eigensinnig ist, wird sie vor nichts zrückschrecken, um ihren Willen durchzusetzten. Ich bezweifle durchaus nicht, daß diese Heldentat der Versuch ist, mich zu zwingen, sie aus der Schule zu nehmen und ihr die Erlaubnis zu geben, noch vor ihrem siebzehnten Geburstag in die Gesellschaft eingeführt zu werden.«

»Oh, was für ein ungezogenes Mädchen«, sagte Mrs. Sheet empört. »Mein Gott, Sir, sie kann in alle möglichen Gefahren geraten.«

»Ganz richtig! Das wissen Sie, und das weiß ich, sie aber ahnt davon nicht mehr als ein neugeborenes Kätzchen. Ich muß sie unbedingt finden, ehe sie diese Entdeckung macht!«

Sie nickte. »Ja, in der Tat. O Himmel, hätte ich nur eine Ahnung gehabt –! Welche Idee von einem so reizenden jungen Ding, wie sie es ist, ganz allein in der Welt herumzuziehen, und dazu nennt sie nichts als die beiden Hutschachteln ihr eigen! Wohin sie sich aber gewendet haben könnte, Sir, weiß ich ebensowenig wie Sie. Daß sie sich nicht im Dorf versteckt hat, ist sicher, weil keine Menschenseele sie gesehen hat. Ich kann mir auch nicht denken, daß sie die Straße hätte entlang gehen können, ohne von irgend jemandem bemerkt zu werden. Wir überlegten uns schon, ob sie nicht jemand in einem Wagen mitgenommen hat, allerdings erinnere ich mich nicht, daß in der Zeit, in der sie im Hause war, auch nur ein Gig hier stehenblieb. Und was die Postkutsche betrifft, die gegen Mittag durch Bythorne kam, so hat Mrs. Bude, die hier den Kramladen betreibt, dem Postillon ein Paket mitgegeben; sie weiß bestimmt, daß keine junge Dame eingestiegen ist.»

Sir Gareth breitete seine Karte auf dem Tisch aus. »Ich bezweifle sehr, daß sie über die Chaussee zu entfliehen versuchte. Sie wußte genau, daß man sie verfolgen wird, und ihre erste Sorge war es bestimmt, sich so weit wie möglich von der Straße zu entfernen. Könnte sie durch eine Hintertür aus dem Haus entkommen sein?«

»Ja, das wäre möglich«, erwiderte Mrs. Sheet unschlüssig. »Es ist wohl eine Tür da, die in den Hof führt, aber dort befanden sich der Kutscher und der Bursche, der uns Hühner und Kartoffeln brachte, und sie hätte fürchten müssen, von ihnen gesehen zu werden.«

»Der Kutscher kam sofort ins Schankzimmer, nachdem er die Pferde in den Stall gebracht hatte«, warf Mr. Sheet ein.

»Ja, aber Joe nicht«, widersprach sie. »Vielleicht hat Joe sie gesehen. Er würde es sich aber nie einfallen lassen . . . nein, Joe keinesfalls! Er hätte sie wahrscheinlich kaum bemerkt.«

»Vielleicht hat sie so lange gewartet, bis er ihr den Rücken kehrte«, sagte Sir Gareth. »Ist es möglich, über die hinter dem Haus liegenden Felder den Weg zu erreichen, der die Poststraße kreuzt?«

»Na ja, Sir, man könnte so hinkommen, es ist aber ein beschwerliches Gehen, und woher sollte die junge Dame gewußt haben, daß sich dort ein Feldweg befindet?«

»Vielleicht wußte sie es nicht. Wenn sie aber nach einer Möglichkeit zu entwischen Ausschau hielt, dann hätte sie den Weg bestimmt bemerkt, bevor die Kutsche Bythorne erreichte. Wie ich mich erinnere, befindet sich dort ein Wegweiser, der nach Catworth und Kimbolton zeigt.« Er legte einen Finger auf die Karte. »Ich nehme an, daß Catworth nicht mehr als ein kleines Dörfchen ist. Gibt es dort einen Gasthof? Nein, zu nahe an der Poststraße. Sie würde niemals versuchen, dort Zuflucht zu suchen. Dann muß es Kimbolton sein. Ja, ich glaube, Kimbolton muß mein erstes Ziel sein.« Er faltete die Karte wieder zusammen und richtete sich auf. Er sah, daß ihn Mrs. Sheet verwundert lächelnd betrachtete. »Ich bin lediglich auf Vermutungen angewiesen und diese Möglichkeit erscheint mir am wahrscheinlichsten.«

»Es sind aber bestimmt sieben Meilen bis Kimbolton, Sir«, rief Mrs. Sheet. »Sie könnte nicht den ganzen Weg zu Fuß gehen, und dazu noch beide Hutschachteln tragen.«

Er steckte die Karte in die Tasche und ergriff seinen Hut. »Wahrscheinlich nicht. Da ich sie genau kenne, kann ich mir vorstellen, daß sie den Kutscher jeglichen Fuhrwerkes, das sie auf der Straße erblickte, überredet hat, sie mitzunehmen. Ich hoffe zu Gott, daß sie in anständige Hände gefallen ist.«

Er wandte sich der Tür zu, bevor er sie aber erreichte, wurde die Öffnung von einer beleibten Gestalt in einem Friesmantel und mit Reitstiefeln ausgefüllt, bei dessen Anblick Mrs. Sheet erfreut ausrief: »Ned! Gerade der Mann, den ich sehen wollte! Bitte warten Sie einen Augenblick, Sir. Komm herein, Ned, und beantworte mir eine Frage. Als Joe heimkam, sagte er zu dir oder zu Jane irgend etwas von einer jungen Dame, die er im Hof gesehen hat, als er die Kartoffeln von seinem Karren ablud?«

Das plumpe Wesen, das beim Anblick Sir Gareths ziemlich verlegen an seiner Stirnlocke zupfte, sagte mit tiefer schwerfälliger Stimme: »Ja. Gewissermaßen, wie man zu sagen pflegt. Das ist es, was mich herführt, weil Jane sich durchaus nicht beruhigt und erklärte, wenn jemand das Richtige weiß, dann ist es Mary.«

»Sir Gareth, Sir, das ist Ned Ninfield, er ist Joes Vater, und Joe ist der Bursche, von dem ich Ihnen erzählt habe«, sagte Mrs. Sheet, hastig eine Vorstellung vornehmend. »Und dieser Gentleman, Ned, ist der Vormund der jungen Dame, er sucht sie überall, denn sie ist aus ihrer Schule durchgebrannt.«

Mr. Ninfields nachdenklicher Blick richtete sich auf Sir Gareths Gesicht und verweilte dort, während er offensichtlich einen Gedanken im Kopfe wälzte.

»Hat Ihr Sohn gesehen, wohin sie gegangen ist?« fragte Sir Gareth.

Diese Frage schien Mr. Ninfield außerordentlich komisch vorzukommen. Ein breites Grinsen überzog sein Gesicht, und er sagte kichernd: »Das hat er, gewissermaßen. Aber sie sagte nichts über eine Schule.«

»Himmel, Ned«, rief Mrs. Sheet mit aufsteigendem Argwohn. »Du wirst mir doch nicht erzählen, daß du sie auch gesehen hast. Wo ist sie?«

Er deutete mit seinem Daumen über die Schulter und sagte lakonisch: »Whitethorne.«

»Whitethorne?« rief sie atemlos. »Wie ist sie denn dorthin gekommen?«

Er begann wieder zu kichern. »In meinem Karren. Joe brachte sie mit. War völlig übergeschnappt, der Junge.«

»Ned Ninfield!« rief sie zitternd vor Wut. »Du willst damit doch nicht sagen, daß Joe so verblödet war, einer jungen Dame, wie sie eine ist, den Vorschlag zu machen, in deinem dreckigen Karren zu fahren?«

»Scheint so, als wäre sie darauf versessen gewesen, nicht er. Sagte ihm, er solle sie aufheben und in dem Karren verstecken, daß niemand sie sehen kann. Was er auch getan hat. Und ich weiß nicht, ob ich ihm die Schuld geben soll«, setzte Mr. Ninfield nachdenklich hinzu. »Wenigstens nicht ihm allein.«

»Das glaube ich nicht«, erklärte Mrs. Sheet.

»O ja«, warf Sir Gareth ziemlich belustigt ein. »Tatsächlich ist nichts wahrscheinlicher. Es ist noch nicht so lange her, daß sie sich in dem Karren eines Fuhrmanns versteckte. Ich glaube sogar, daß ihr die Fahrt Spaß gemacht hat.«

»So ist es, Euer Gnaden«, unterstützte ihn Mr. Ninfield. »Sie und mein Joe aßen noch dazu den größten Teil von dem Glas mit den eingemachten Kirschen auf. Himmel, Sie hätten die beiden sehen sollen! Total klebrig!«

»Die Kirschen habe ich ausdrücklich für Jane mitgeschickt«, stieß Mrs. Sheet hervor.

Sir Gareth lachte. »Ich bitte Sie um Entschuldigung, Madam: ich sagte Ihnen doch, daß sie ein kleiner Nichtsnutz ist.« Er wandte sich um und streckte dem Landwirt seine Hand entgegen. »Mr. Ninfield, ich bin Ihnen wirklich dankbar – dankbarer, als ich Ihnen schildern kann, daß mein Mündel so glücklich war, an Ihren Sohn zu geraten. Übrigens hoffe ich zu Gott, Sie sagten ihr nichts davon, daß Sie herkommen wollten, um sich nach ihr zu erkundigen. Wenn Sie es getan haben, dann hat sie Ihr Haus bestimmt verlassen, ehe ich hingelangen kann.«

»Nein, Sir, sie weiß nichts davon«, erwiderte Mr. Ninfield, der, bevor er Sir Gareths Hand ergriff, die seine erst ehrerbietig an seiner Reithose abwischte. »Die Sache ist nur die – nun ja, es ist so, Sir! Ich möchte gewiß nicht unverschämt sein, aber – Sie sind nicht zufällig der Gentleman, der der Vater einer jungen Dame ist, bei der Miss Amanda in Diensten stand, nicht wahr?«

»Durchaus nicht«, sagte Sir Gareth, der Amandas Lieblingsgeschichte erkannte. »Wahrscheinlich meinen Sie den Gentleman, der ihr so ungebührliche Anträge machte, so daß seine Schwester – völlig ungerechterweise, wie man überzeugt sein kann – sie ohne vorherige Kündigung aus dem Hause warf. Nun, ich habe weder eine Tochter noch bin ich verheiratet, geschweige denn ein Witwer. Miss Amanda war auch niemals ein Dienstmädchen. Sie hat diese Idee einem alten Roman entnommen.«

»Nun ja, ich muß gestehen, daß Sie mir nicht danach aussehen, als könnten Sie dieser Mann sein«, sagte Mr. Ninfield. »Ein Erzschurke, dachte ich mir, aber meine Frau wollte nichts davon wissen. Sie sagte mir unter vier Augen, sie könne wetten, daß die Miss uns eine Menge Märchen auftischt, denn nichts konnte sie davon überzeugen, daß die Miss eine Zofe ist oder je gewesen war. Also aus der Schule ist sie durchgebrannt, Sir? Na, das wird meine Frau nicht überraschen, denn sie dachte, sie könnte vielleicht von zu Hause davongelaufen sein. Wahrscheinlich, weil jemand ihre Wünsche nicht erfüllt hat. Sie ist sehr jähzornig, würde ich sagen – ohne damit respektlos sein zu wollen.«

»Sie haben ganz recht«, sagte Sir Gareth. »Übrigens – unter welcher Verkleidung hoffte sie, in Ihrem Haus bleiben zu können? Hat sie sich Ihrer Frau als Zimmermädchen angeboten?«

»Nein, Sir«, sagte Mr. Ninfield grinsend, »als ich sie zuletzt sah, veranlaßte sie meinen Joe, ihr zu zeigen, wie man Kühe melkt, und sie freute sich wie ein Schneekönig.«

»Ach, sie will also Milchmädchen werden?« sagte Sir Gareth fröhlich. Eine Idee, die ihm durch den Sinn gegangen war, nahm jetzt vielversprechende Formen an. Er betrachtete Mr. Ninfield nachdenklich und sagte nach einem Moment: »Ist sie Ihnen eine sehr starke Belastung? Oder glauben Sie, daß Mrs. Ninfield bereit wäre, sie einige Tage als Gast zu behalten?«

»Sie als Gast behalten, Sir?« wiederholte Mr. Ninfield und starrte ihn an.

»Sehen Sie, der Fall liegt nämlich so«, sagte Sir Gareth. »Entweder ich muß sie in die Schule zurückbringen, oder ich muß eine andere Regelung für sie treffen. Nun, ich bin sehr eindringlich gebeten worden, sie nicht in die Schule zurückzuschicken, was mich in eine unangenehme Lage versetzt, denn es ist mir unmöglich, im Handumdrehen eine Gouvernante für sie zu engagieren. Ich müßte sie nach London in das Haus meiner Schwester bringen, und offen gestanden, bin ich davon überzeugt, daß sie nicht gern hinfährt. Ich möchte meiner Schwester, wie ich hinzufügen muß, auch keine solche Bürde aufhalsen. Da fiel mir ein, falls sie sich unter dem Schutz Ihrer Frau wohl fühlt, könnte man sie vielleicht ebensogut dort lassen, bis ich in der Lage bin, angemessen für sie vorzusorgen. Wenn sie nicht erfährt, daß ich ihren Aufenthaltsort kenne, wird sie wahrscheinlich sehr gerne bei Ihnen bleiben, denn es würde ihr sehr viel Spaß machen, Kühe zu melken, Eier einzusammeln und sich überhaupt einzureden, sehr nützlich zu sein.«

»Ich bin überzeugt, daß das hübsche Ding dort glücklich wäre«, sagte Mrs. Sheet beifällig. »Ich halte das für eine sehr gute Idee, und es ist genau das, womit sie sich Tanzmeister und ihresgleichen aus dem Kopf schlagen wird.«

Aber Mr. Ninfield zerstörte Sir Gareths Hoffnungen. »Ich wäre natürlich hocherfreut, sie bei uns zu haben, Sir«, sagte er und fuhr in entschuldigendem Ton fort: »und es geht mir sehr gegen den Strich, ungefällig zu sein, aber sehen Sie, Sir, es handelt sich um Joe. Sie hat ihn so behext, daß er den Verstand total verloren hat. Er läßt sie nicht eine Minute aus den Augen, und als er seiner Ma sagte, die Miss sei wie eine Märchenprinzessin, da sagte mir Mrs. Ninfield unter vier Augen, daß wir schnellstens herausbekommen müssen, woher sie gekommen ist, ehe sich Joe Ideen in den Kopf setzt, die seinem Stand nicht entsprechen. Denn das geht nicht, Sir.«

»Nein, das geht wirklich nicht«, stimmte Sir Gareth zu und ließ seinen Plan mit Bedauern fallen. »Wenn die Sache so steht, dann muß ich sie natürlich sogleich wegbringen. Wo liegt Ihre Farm?«

»Das ist nur eine Angelegenheit von drei Meilen, Sir, es ist aber keine sehr gute Straße. Sie fahen zuerst die Chaussee etwa eine halbe Meile, von dort führt eine Abzweigung nach links. Dieser folgen Sie bis hinter Keyston, bis Sie, wieder zur Linken, einen holprigen Weg sehen. Diesen fahren sie wieder etwa eineinhalb Meilen, vielleicht auch etwas mehr, als hätten Sie die Absicht, nach Catworth zu fahren, und fast genau bevor Sie zu einer scharfen Kurve kommen, werden Sie Whitethorne sehen. Sie können es nicht verfehlen.«

»Du lieber Himmel, Ned, wo hast du deinen Verstand gelassen?« unterbrach ihn Mrs. Sheet ungeduldig. »Du fährst einfach mit deinem Gig voraus und führst den Gentleman.«

»Danke, es wäre mir schon recht, wenn Sie das tun wollten«, sagte Sir Gareth. »Ihre Farm liegt in der Richtung von Catworth, nicht wahr? Sagen Sie mir, kann ich Kimbolton von Whitethorne aus ohne große Schwierigkeiten erreichen?«

»Ja, Sir, das können Sie leicht. Sie brauchen nur die Straße weiterzufahren bis Sie auf die Chaussee kommen, und zwar jene, die von dort aus zwischen Wellingborough und Cambridge nach Süden führt. Hierauf zweigen Sie links ab, und dann ist Kimbolton nur noch etwa fünf Meilen entfernt.«

»Ausgezeichnet! Ich werde die Nacht dort verbringen und das Kind morgen mit der Postkutsche nach London führen – falls es ihr nicht gelingt, mir von der Poststation aus noch einmal durchzubrennen. Bevor wir uns aber auf den Weg machen, müssen Sie noch ein Gläschen mit mir trinken. Madam, darf ich Ihren Gatten bitten, mir die Freude zu machen, Sie mit einem Gläschen zu bedienen?«

»Nun, Sir, ich weiß wahrhaftig nicht«, sagte Mrs. Sheet überwältigt. »Nein, ich weiß wirklich nicht, ob ich das darf.«

Seiner Überredungskunst unterliegend, stimmte sie einem kleinen Gläschen Portwein zu. Hierauf schenkte der Wirt drei Krüge seines eigenen hausgebrauten Bieres ein; Sir Gareth, schändlicherweise auf Amandas Verderben sinnend, sagte gedankenvoll: »Ich möchte gerne wissen, welchen Streich mir dieses entsetzliche Kind nächstens spielen wird. Das eine ist gewiß: sie wird mir eine recht lebhafte Schlacht liefern. Das letzte Mal, als sie sich in einer Klemme befand, sagte sie einem völlig Fremden, daß ich sie entführt habe. Ich wäre froh, nicht wieder monatelang auf ihrer schwarzen Liste zu stehen, weil ich verraten habe, daß sie noch ein Schulmädel ist. Nichts kann sie mehr in Wut bringen.«

Mrs. Sheet sagte einsichtsvoll, daß Mädchen ihres Alters immer wollten, daß man sie schon für ganz erwachsen hielte. Und Mr. Ninfield, durch den Gedanken, Sir Gareth könne die Rolle eines Entführers spielen, ungeheuer zum Lachen gereizt, gestand, daß er und seine Frau vom Anfang an argwöhnten, die Miss binde ihnen einen Bären auf.

»Na ja, es ist wahr, sie hätte keine solche Märchen erzählen dürfen«, sagte Mrs. Sheet, »aber das alles ist doch nur ein Scherz, wie eben Kinder sind, wenn Sie sich einreden, Dick Turpin oder Robin Hood zu sein.«

»Das stimmt«, sagte Sir Gareth kopfnickend. »Aber es ist wirklich an der Zeit, daß sie vernünftig wird. Unglücklicherweise ist sie noch immer in einem Stadium, in dem sie nach Abenteuern lechzt. Soweit ich feststellen konnte, hält sie es für äußerst langweilig, daß sie noch ein Schulmädel ist, und so täuscht sie ständig vor, jemand anderer zu sein. Ich wäre froh, wenn einige ihrer Geschichten weniger abscheulich wären.«

Alle stimmten darin überein, daß er sich in einer sehr heiklen Lage befand, und das Symposion endete in der Atmosphäre größter Herzlichkeit. Sir Gareth hatte sich drei Freunde und Beistände erworben, die in dem Gedanken einig waren, daß er der feinste Gentleman ihrer Bekanntschaft sei, die Nase nicht hoch trage, und, wie Mr. Sheet es später ausdrückte, wirklich schick und tonangebend in der Mode sei.

Trotton war außerordentlich dankbar, als er vernahm, daß die Jagd zu Ende war. Er hatte befürchtet, daß sein verrückter Gebieter entschlossen war, die ganze Nacht durchzufahren, und er hatte bereits genug davon. Überdies empfand er einen noch weit heftigeren Widerwillen als Sir Gareth, die Füchse in einem fremden Stall zu lassen. Er hatte gegen den ersten Stallknecht eine tiefe Abneigung gefaßt, ein unglücklicher Umstand, der dazu führte, daß er sich immer mehr in die Überzeugung hineinredete, die unübertrefflichen Tiere seien der allerärgsten Mißhandlung ausgesetzt. Nun erfuhr er, daß es seine Aufgabe sei, sie in leichten Etappen nach London zurückzubringen, was ihn unverzüglich in fröhlichste Laune versetzte.

»Du wirst mit mir nach Kimbolton kommen müssen«, sagte Sir Gareth und streifte seine Fahrhandschuhe über. »Ich werde die junge Dame morgen ins Haus meiner Schwester begleiten und zu diesem Zweck eine Kutsche mieten. Du kannst das Kabriolett dann nach Thrapston zurückfahen, dort die Rechnung für die Miete dieser Gäule bezahlen und mir die Füchse nach London nachbringen. Ich erwarte dich keinesfalls vor zwei Tagen; gib also acht, daß du sie nicht überanstrengst.«

»Nein, Sir«, sagte Trotton mit einer sorgsam ausdruckslos gehaltenen Stimme. »Ich würde es auch niemandem raten – bei diesem heißen Wetter!«

»Weil«, fuhr Sir Gareth fort, als ob er nichts gehört hätte, jedoch mit dem Schimmer eines anerkennenden Lächelns, »ich sie bereits weit stärker beansprucht habe, als ich eigentlich dürfte.«

»Stimmt, Sir«, sagte sein Diener grinsend.

Die Fahrt zur Whitethorne Farm dauerte nicht lange. Sir Gareth ließ Trotton bei dem Kabriolett zurück und wurde von Mr. Ninfield in das langgestreckte alte Haus geleitet. Jetzt breitete die Dämmerung ihre Schatten bereits über die Landschaft, und in der großen gepflasterten Küche hatte man eine Lampe entzündet. Ihr gelblicher Schein fiel auf Amanda, die auf dem Fußboden mit einem Wurf kleiner Kätzchen spielte. In einem Windsorstuhl, die Hände zwischen den Knien gefaltet, saß ein kräftiger junger Mann und sah ihr zu, einen verzückten, leicht idiotischen Ausdruck auf dem sonnverbrannten Gesicht. Mit furchterregender Miene, auf beide ein wachsames Auge haltend, bügelte eine ältere Frau mit Nachdruck ein Hemd ihres Gatten. Als sich die Tür öffnete, blickte Amanda beiläufig auf; sowie sie aber gewahrte, wer die Küche betreten hatte, saß sie wie erstarrt, dann rief sie entsetzt: »Sie! Nein! Nein!«

Der junge Ninfield, obwohl nicht rasch von Begriffen, brauchte nur wenige Sekunden, um sich darüber klarzuwerden, daß er diesem geckenhaften Nonpareil den Verfolger Amandas zu sehen habe. Er stand auf und starrte Sir Gareth mit geballten Fäusten an. Er war bereit, ja selbst erpicht, mit ihm zu kämpfen, aber Sir Gareth nahm ihm den Wind aus dem Segel, indem er zuerst Amanda zunickte, dann liebenswürdig sagte: »Guten Abend, Amanda!«, um sich hierauf mit ausgestreckter Hand ihm zuzuwenden. »Sie müssen Joe Ninfield sein«, rief er. »Ich habe Ihnen zu danken, daß Sie sich meines Mündels so hervorragend angenommen haben. Sie sind ein braver Bursche!«

»Jane, das ist der Vormund der jungen Dame«, teilte Mr. Ninfield seiner Frau in durchdringendem Flüsterton mit.

»Das ist er nicht«, rief Amanda leidenschaftlich. »Er versuchte, mich zu entführen.«

Joe, der Sir Gareth in seiner Betäubung gestattet hatte, seine Hand zu ergreifen, wandte ihr seinen verwirrten Blick zu, als erwartete er von ihr eine Richtschnur für sein Verhalten.

»Werfen Sie ihn hinaus!« befahl Amanda, während sie ein rötliches Kätzchen in rührender Haltung an die Brust drückte.

»Joe, du wirst nichts dergleichen tun«, sagte seine Mutter scharf. »Nun, Sir! Vielleicht haben Sie die Güte zu erklären, was das bedeutet.«

»Ist alles in schönster Ordnung, Jane«, sagte Mr. Ninfield kichernd. »Es ist alles so, wie du dachtest, nur war es die Schule, aus der die Miss durchgebrannt ist.«

»Das ist nicht wahr«, schrie Amanda, vor Zorn hochrot im Gesicht. »Und er ist auch nicht mein Vormund. Ich kenne ihn nicht einmal. Er ist ein abscheulicher Mensch!«

»Natürlich bin ich das«, sagte Sir Gareth besänftigend, »wenn ich mir auch nicht vorstellen kann, wieso du das wissen kannst, wenn du mich nicht einmal kennst.« Er lächelte Mrs. Ninfield zu und sagte in seiner charmanten Art: »Ich hoffe, Madam, daß sie Ihnen nicht lästig gefallen ist? Ich kann Ihnen nicht genug für die Güte danken, die Sie ihr erwiesen.«

Vor Amandas fassungslos wütenden Blicken knickste Mrs. Ninfield und stotterte: »Nein, nein, o nein, Sir, gewiß nicht!«

Sir Gareth sah auf Amanda hinunter. »Komm, mein Kind, steh vom Boden auf«, sagte er in freundlichem, aber autoritativem Ton. »Wo ist dein Hütchen? Ich entführe keine Damen ohne Hut. Setz ihn also auf, und zieh deinen Mantel an.«

Amanda gehorchte dem ersten dieser Befehle, hauptsächlich weil sie sich, zu seinen Füßen sitzend, im Nachteil fühlte. Sie bemerkte, daß der Ton, den er gewählt hatte, seine unvermeidliche Wirkung auf alle, selbst auf ihren übergeschnappten Anbeter ausübte; dennoch bemühte sie sich verzweifelt um ihre Freiheit. Während sie in seine belustigten Augen bickte, sagte sie: »Also gut! Wenn Sie mein Vormund sind, dann sagen Sie, wer ich bin!«

»Eine Waise, die ohne einen Penny in die Welt gestoßen wurde«, erwiderte er prompt. »Du warst zuletzt bei einer jungen Dame engagiert, deren verwitweter Vater – ein höchst tadelnswerter Mensch, wie ich fürchten muß – so unschickliche Annährungen an dich versuchte, daß –«

»Oh, wie ich Sie hasse«, schrie sie, vor Demütigung errötend, und stampfte mit dem Fuß. »Wie können Sie es wagen, dazustehen und solche Lügen zu erzählen?«

»Aber, Fräuleinchen, das haben Sie doch selbst erzählt«, sagte Mr. Ninfield, der sich königlich unterhielt.

»Ja, aber das war, weil – also, das war bloß Schwindel. Er weiß, daß es nicht wahr ist! Und es ist auch nicht wahr, daß er mein Vormund ist, daß ich aus der Schule durchgebrannt bin oder sonst irgend etwas!«

Mrs. Ninfield holte tief Atem. »Sir, sind Sie ihr Vormund oder sind Sie es nicht?« fragte sie.

»Nein«, erwiderte er mit feierlicher Stimme, aber seine Augen sprühten vor Vergnügen. »Ich bin ein Verführer. Ich habe sie erst gestern kennengelernt, und das durch puren Zufall, habe sie in mein Kabriolett gepackt und entführte sie trotz aller Proteste in ein düsteres Herrenhaus im Innern des Landes. Ich brauche Ihnen kaum zu erzählen, daß ihr die Flucht aus dem Hause gelang, während ich schlief. Doch es bedarf einer Menge, um einen in der Wolle gefärbten Schurken einzuschüchtern, also wird Sie's nicht überraschen, daß ich hier bin, nachdem ich sie erbarmungslos verfolgt habe. Ich bin nun im Begriff, sie in mein Schloß zu entführen. Dieses liegt, nebenbei gesagt, auf der Spitze eines steilen Felsens und befindet sich nicht nur in einem höchst ungemütlichen Zustand der Vernachlässigung und des Verfalls, sondern wird außerdem nur von Geistern und meiner feindseligen Dienerschaft bewohnt. Aus dieser Festung wird sie, nachdem sie eine Reihe außerordentlich schauerlicher Abenteuer bestanden hat, wie ich nicht bezweifle, von einem schönen vornehmen, wenngleich verarmten Jüngling gerettet werden. Ich nehme an, daß er mich tötet, worauf man herausfinden wird, daß er der betrogene Erbe eines riesigen Besitzes ist – wahrscheinlich des meinen –, und schließlich wird alles glücklich enden.«

»Nein, aber, Sir–!« protestierte Mrs. Ninfield und versuchte ernst zu bleiben. »Bitte, lassen Sie diesen Unsinn.«

Joe, der mit gespannter Aufmerksamkeit dem Programm zugehört hatte, das zu Amandas künftiger Unterhaltung entworfen wurde, ballte neuerdings seine großen Fäuste und sagte langsam, aber entschlossen: »Ich dulde nicht, daß man sie in ein Schloß bringt.«

»Sei kein Narr!« sagte seine Mutter. »Merkst du denn nicht, daß sich der Gentleman bloß einen Spaß mit ihr macht?«

»Ich will aber nicht, daß er sich einen Spaß mit ihr macht«, sagte Joe eigensinnig.

»Sir, bitte, beachten Sie ihn nicht«, bat Mrs. Ninfield. »So, jetzt ist es aber genug, Joseph! Willst du, daß dich der Gentleman nicht für klüger hält als ein Wickelkind?«

»Nein, nein, durchaus nicht. Ich halte ihn für einen prachtvollen Burschen«, sagte Sir Gareth. »Keine Sorge, Joe, ich habe nur gescherzt.«

»Ich will aber nicht, daß Sie sie irgendwohin bringen«, murmelte Joe. »Ich möchte, daß sie hierbleibt – das wäre herrlich.«

»Ja, ich wäre auch gern hiergeblieben«, sagte Amanda herzlich. »Mir hat noch nie etwas so viel Spaß gemacht – aber alles ist jetzt zerstört, weil Sir Gareth weiß, wo ich bin, und es hat auch keinen Sinn, länger hierzubleiben. »Ihre Stimme zitterte, und eine Träne glitzerte auf den Spitzen ihrer langen Wimpern. Sie küßte das rötlichbraune Kätzchen, setzte es widerstrebend auf den Fußboden und schluchzte so traurig auf, daß Mr. Ninfield, ein warmherziger Mann, voll Unbehagen sagte: »Nehmen Sie sich's nicht so zu Herzen, Fräuleinchen! Vielleicht, wenn es meiner Frau recht ist . . .« Er unterbrach sich, als er den Blick seiner Frau auffing, und hüstelte nur noch verlegen.

»Nur Mut, mein Kind«, sagte Sir Gareth. »Jetzt ist nicht die richtige Zeit für Tränen. Du mußt dich doch sogleich an die Arbeit machen und dir überlegen, wie du dich am besten an mir rächen kannst.«

Sie warf ihm einen finsteren Blick zu, erwiderte aber nichts.

Joe, dessen Geduld durch ihren Kummer auf eine unerträgliche Probe gestellt wurde, hatte plötzlich eine Eingebung. Er stürzte sich auf das rötlichbraune Kätzchen, hob es an der Hautfalte hoch und hielt es Amanda hin: »Nehmen Sie es«, sagte er mürrisch.

Nichts wäre in diesem Augenblick wirkungsvoller gewesen, um ihre Gedanken abzulenken. Ihr Gesichtchen heiterte sich auf, sie nahm das Kätzchen wieder auf den Arm und rief: »Oh! Wie außerordentlich freundlich von Ihnen! Ich bin Ihnen sehr dankbar! Nur . . .« Ihre Augen wandten sich besorgt ihrer Gastgeberin zu, und sie sagte voll Liebreiz: »Vielleicht gehört das Kätzchen aber Ihnen, und Sie wollen nicht, daß ich es mitnehme?«

»Ich freue mich, wenn Sie es behalten, Miss, aber ich glaube kaum, daß sich der Gentleman auf der Fahrt mit einem Kätzchen belasten will«, erwiderte Mrs. Ninfield.

»Ich werde dieses liebe kleine Kätzchen mitnehmen«, sagte Amanda, indem sie sich mit ungeheurer Würde und einem herausfordernden Blick an Sir Gareth wandte.

»Tue das«, sagte er freundschaftlich und kraulte das Kätzchen hinter dem Ohr. »Wie wirst du es nennen?«

Sie überlegte die Sache. »Vieleicht Honey, wegen der Farbe, oder ...« Sie brach ab, als ihr Blick auf den Spender des Kätzchens fiel. »Nein, das tue ich nicht«, sagte sie und schenkte ihm ein strahlendes Lächeln. »Ich werde es nach Ihnen Joseph nennen, und das wird mich immer daran erinnern, wie man Schweine füttert und Kühe melkt.« Diese schönen Worte überwältigten Joe dermaßen, daß er die Farbe einer roten Rübe annahm, alle Gewalt über seine Sprache verlor, nur konvulsivisch schluckte und in einer Weise grinste, die in seiner liebevollen Mutter den Wunsch entstehen ließ, ihm eine schallende Ohrfeige zu versetzen. Mr. Ninfield, mit seinem praktischen Sinn, entfernte sich, um ein Deckelkörbchen zu suchen. Und in sehr kurzer Zeit konnte Sir Gareth – der stumm einen wirksamen Segen auf das Haupt desjenigen herabflehte, der, wenn auch unbeabsichtigt, die drohende Gefahr einer peinlichen Szene abgewendet hatte – seine Schutzbefohlene in das Kabriolett heben und ein Körbchen in ihre Hände legen, in dem ein ungehaltenes Kätzchen seiner Mißbilligung über die Veränderung seiner äußeren Umstände Ausdruck gab.

11

Es war nicht zu erwarten gewesen, daß die Freude, die Amanda am Besitz des kleinen Tierchens hatte, Sir Gareth vor Vorwürfen schützen würde. Sie war nie ganz abgelenkt gewesen, hatte aber von weiteren Debatten Abstand genommen, weil sie einsah, wie geschickt er ihr den Boden unter den unerfahrenen Füßen abgegraben hatte. Das ärgerte sie sehr, aber heimlich mußte sie seine Strategie bewundern, die sie als meisterhaft anerkannte; trotz ihrer Entschlossenheit, ihn ganz zu vernichten, dachte sie nicht schlecht über ihn, weil er sie überlistet hatte. Das würde sie ihm aber ganz bestimmt nicht sagen, sondern sie zog es bei weitem vor, ihren Gefühlen dadurch Luft zu machen, daß sie sich einer restlos vernichtenden Kritik seines Charakters hingab. All das hörte Trotton, auf seinem hohen Sitz hinter ihr hockend, mit empörtem, aber neugierigem Schweigen. Was Sir Gareth an einem so jungen Zankteufel fand, daß er sich bis über die Ohren in sie verliebte, konnte sich Trotton nicht vorstellen, er zweifelte keinen Augenblick daran, daß sein Herr und Gebieter völlig vernarrt war.

»Sie mischen sich in alles ein, Sie sind tyrannisch und verlogen, und das Schlimmste ist: Sie sind hinterlistig!« warf ihm Amanda vor.

»Nein, hinterlistig bin ich nicht«, protestierte Sir Gareth. »Ich versichere Ihnen, daß ich keinem einzigen dieser Leute die wahre Geschichte erzählt habe.«

»Ich bin sehr erstaunt, das zu hören, denn Sie machen sich nicht das geringste daraus, Ihr feierliches Ehrenwort zu brechen.«

»Ich dachte nicht, daß man mir glauben würde«, erklärte Sir Gareth.

»Und außerdem sind Sie noch schamlos«, sagte Amanda ärgerlich.

»Nein, nein, nicht *ganz* schamlos, denn ich kann Ihnen versichern, daß ich über meine eigene Verlogenheit tief empört bin.«

»Tatsächlich?« rief sie und wandte den Kopf, um sein Profil zu betrachten.

»Zutiefst! Ich habe nie gewußt, daß ich imstande sein könnte, so viele freche Lügen aufzutischen.«

»Nun wohl, Sie haben es getan – und noch dazu mit frecher Stirne.«

»Ja, das ist wahr. Und dabei wissen Sie nicht einmal die Hälfte. Wenn ich erst an die Geschichte denke, die ich im ›Roten Löwen‹ erzählte, dann weiß ich, daß ich so verdorben bin, daß es jedes Maß übersteigt.«

Seine List hatte Erfolg. »Was erzählten Sie denn?« fragte Amanda sehr interessiert.

»Also gut. Ich erzählte, Sie seien eine reiche Erbin, die mit ihrem Tanzmeister durchgebrannt ist, der sie Ihres Geldes wegen heiraten will.«

»Haben Sie das wirklich gesagt?« fragte Amanda, tief beeindruckt.

»Ja – und mit frecher Stirn.«

»Naja, dadurch wird Ihr Benehmen natürlich nicht besser, und ich bin Ihnen sehr böse. Ich muß aber dennoch gestehen, daß ich das wirklich für eine großartige Geschichte halte«, sagte Amanda neiderfüllt. »Besonders die Sache mit dem Tanzmeister!«

Ja, das gefiel mir auch gut«, gab Sir Gareth zu. »Haben Sie übrigens tatsächlich so viele Himbeeren gegessen, daß Ihnen übel wurde?«

»Ja, ich habe viele Himbeeren gegessen, aber mir wurde nicht übel. Das behauptete ich nur, weil mir kein anderer Ausweg einfiel, den ekelhaften alten Mann loszuwerden. Ich möchte gerne wissen, was aus ihm geworden ist.«

»Er hatte ein böses Schicksal. Nachdem er Sie bis zur Erschöpfung in einem Wäldchen gesucht hatte, wurde er von Mrs. Sheet entsetzlich beschimpft. Um seinen Tag aber zu krönen, brach der Kutschersitz seines Wagens zusammen, und er sah sich gezwungen, in zu engen Stiefeln eine Meile zum nächsten Gasthof zu Fuß zu gehen.«

Sie kicherte, dann sagte sie: »Sie haben ihn also gesehen?«

»Ja.«

»Und was geschah?« fragte sie, von angenehmer Vorfreude erfüllt.

»Er erzählte mir, wo er sie verloren hat, und ich fuhr unverzüglich nach Bythorne zurück.«

»Das ist alles?« fragte sie enttäuscht. »Ich dachte, Sie würden ihn zu einem Duell fordern.«

»Ja, ich weiß, daß es von mir sehr feig war«, pflichtete er ihr bei, »aber ich dachte mir, daß er vielleicht genug gestraft ist. Ich vermute, daß ihm die Fahrt mit Ihnen nicht viel Vergnügen bereitet hat.«

»Nein, und mir machte sie ebensowenig Vergnügen«, sagte Amanda. »Er versuchte mir den Hof zu machen!«

»An Ihrer Stelle würde ich ihn vergessen, denn er ist ganz bestimmt keiner Erinnerung wert. Aber, mein Kind, es ist nicht klug, fremden Leuten zu erlauben, sich mit Ihnen aus dem Staub zu machen, mögen sie Ihnen auch noch so alt und vertrauenserweckend erscheinen.«

»Nein, so etwas!« rief sie. »Sie, der Sie mich, seitdem ich Sie kennenlernte – wenn es nur nie geschehen wäre!–, immer nur gezwungen haben, mit Ihnen zu fahren! Obwohl Sie schon ziemlich alt sind, ist mir doch völlig klar, daß Sie keineswegs vertrauenswürdig sind, sondern ganz im Gegenteil ein hinterlistiger Mensch und ebenso ekelhaft wie Mr. Theale.«

Er lachte. »Der Stich sitzt, Amanda!« gab er zu. »Aber wenigstens bin ich nicht so dick wie Mr. Theale, wenn ich auch ebenso ekelhaft bin.«

»Nein«, räumte sie ein, »aber Sie haben mich weit ärger übervorteilt.«

»Tatsächlich?«

»Ja. Denn als Sie Mrs. Ninfield die Lügen über mich erzählten, taten Sie so, als wären sie wahr, und als Sie nachher die Wahrheit sagten, klang sie wie eine Lüge. Das war – das war der übelste Streich, den Sie mir spielen konnten!«

Er unterhielt sich königlich, sagte aber: »Das weiß ich. Es war wirklich unschön von mir, und ich fühle aufrichtig mit Ihnen. Es muß sehr unangenehm sein, in gleicher Münze heimgezahlt zu bekommen. Und das schrecklichste ist: wahrscheinlich wird es mir in kürzester Zeit zur Gewohnheit werden. Ich denke bereits über eine neue glaubhaft klingende Lüge nach, falls Sie weiterhin ableugnen wollen, daß Sie mein Mündel sind.«

»Ich finde Sie abscheulich«, sagte sie wütend. »Und wenn Sie mir nicht augenblicklich sagen, wohin wir fahren, werde ich aus diesem widerlichen Wagen springen und mir höchstwahrscheinlich ein Bein brechen. Das wird Ihnen dann sehr leid tun!«

»Na ja, es wäre tatsächlich lästig, wenn ich gezwungen wäre, Sie mit einem geschienten Bein nach London zu schaffen, anderseits wären Sie allerdings nicht mehr imstande, mir durchzubrennen, nicht wahr?«

»Nach London?« rief sie und ignorierte das übrige.

»Ja, nach London. Die Nacht werden wir jedoch im Kimbolton verbringen.«

»Nein, nein! Ich will nicht mit Ihnen fahren!«

Er bemerkte Angst und Bestürzung in ihrer Stimme und sagte unverzüglich: »Ich bringe Sie ins Haus meiner Schwester, Amanda, seien Sie also, bitte, keine Gans!«

Ihre Angst legte sich, sie wiederholte aber ihren Entschluß, nicht mit ihm zu kommen, und war mit ihrem Los durchaus nicht versöhnt, als er ihr sagte, sie werde dort seine Neffen und Nichten kennenlernen. Sie hatte eine ziemlich deutliche Vorstellung von dem, was sich ereignen würde. Mrs. Wetherby würde sie wie ein ungezogenes Kind behandeln, man würde sie ins Schulzimmer verbannen, und eine Gouvernante hätte den Befehl, sie nie aus den Augen zu lassen. Sir Gareth würde ihren Namen durch Neil erfahren, und man würde sie schimpflich nach Hause zurückbringen, nachdem es ihr weder gelungen war, ihr Ziel zu erreichen noch ihrem Großpapa zu beweisen, daß sie eine erwachsene junge Dame und hervorragend tüchtig sei.

Schwärzeste Niedergeschlagenheit bemächtigte sich ihrer. Sir

Gareth würde ihr nicht die geringste Gelegenheit geben, ihm zum zweitenmal zu entwischen. Und selbst wenn es ihr gelänge, hatte sie die Erfahrung gelehrt, daß es einem wenig half durchzubrennen, wenn man kein bestimmtes Ziel vor sich hatte. Sie fühlte sich müde und geschlagen, war sehr verdrießlich und weigerte sich für den Rest der Fahrt, die Lippen auch nur zu öffnen.

In Kimbolton befand sich nur ein einziger Postgasthof, und das war ein kleines, altmodisches Gebäude. Es versprach wohl keinen besonderen Komfort, dafür besaß es aber eine Eigenschaft, die es für Sir Gareth unverzüglich empfehlenswert machte. Als er vor dem Gebäude vorfuhr und es mit kritischem Blick betrachtete, bemerkte er nämlich, daß alle Fenster nur winzige Öffnungen hatten. Dieser Umstand löste das Problem, das ihn während der letzten Meilen beschäftigt hatte. Sir Gareth hatte die Geschichte mit der Ulme nicht vergessen.

Der Wirt, der auf den ersten Blick den Stand seiner unvermuteten Gäste erkannte, überschlug sich vor Zuvorkommenheit und Ehrerbietung. Obwohl er es zunächst seltsam fand, daß ein so großer Herr wie Sir Gareth sein Mündel mit einem offenen Sportwagen – noch dazu ohne Zofe – reisen ließ, verbannte er alsbald jedwedes unwürdige Mißtrauen. In Sir Gareths Benehmen war recht wenig von einem Liebhaber zu entdecken, und was die junge Dame betraf, schien sie äußerst übler Laune zu sein.

Amanda machte keinen Versuch, in Abrede zu stellen, Sir Gareths Mündel zu sein. Wie ahnungslos sie auch über den Lauf der Welt sein mochte, war sie sich doch der Ungehörigkeit ihrer Lage wohl bewußt, da man sie sorgfältig mit den Grundsätzen vertraut gemacht hatte, die das gesellschaftliche Betragen junger Damen bestimmten. Es war gerade noch erlaubt, wenn auch ein wenig kühn gewesen, mit Sir Gareth in einem offenen Sportkabriolett zu fahren; die Reise mit Mr. Theale in einer geschlossenen Kutsche hätte Tante Adelaide bereits als leichtfertig gebrandmarkt; aber mit einem Gentleman in einem Gasthof abzusteigen, mit dem man nicht verwandt war, ein derart schamloses Betragen überstieg alle Grenzen. Amanda nahm das als gegeben hin, stand ihrer Lage aber völlig ungeniert gegenüber. Keines der vagen Angstgefühle, die sich ihrer in Mr. Theales Kutsche bemächtigt hatten, überkam sie; und es fiel ihr nicht einen Augenblick ein, daß man Sir Gareth – wie abscheulich er auch sonst war – nicht völlig vertrauen könne. Als sie ihm zuerst begegnete, war sie erstaunt gewesen, zu erfahren, daß ein so charmanter, gutaussehender Mann ein Onkel sein konnte. Jetzt wäre sie kaum überrascht gewesen, wenn sie entdeckt hätte, daß er ein Großonkel war. Sie hatte nicht mehr *gêne* in seiner Gesellschaft als in der ihres Großpapas. Obwohl es ihre persönliche Überzeugung war, daß seine Anwesenheit, weit davon entfernt, ihren Ruf zu schädigen, ihrem Abenteuer sogar eine bedrükkende Wohlanständigkeit verlieh, wußte sie doch, daß diese Ansicht keineswegs vom Pöbel geteilt wurde. Sie schwieg also dazu, daß er sie als sein Mündel bezeichnete, und ergriff nur die erste Gelegenheit, die sich ihr bot, um ihm gegenüber auf die grobe Ungehörigkeit seines Betragens hinzuweisen. Während sie einem Bild gekränkter Unschuld glich, verkündete sie mit sichtlicher Befriedigung, daß sie jetzt kompromittiert sei.

Sir Gareth erwiderte, daß sie Joseph vergesse, und empfahl ihr, statt Unsinn zu schwatzen, ihre »Anstandsdame« daran zu hindern, die winzigen Krällchen an den polierten Sesselbeinen zu schärfen

Nach einer derart gefühllosen Probe seiner Redseligkeit war es nur zu erwarten, daß Amanda ihren Beschützer mit dem Gehaben einer christlichen Märtyrerin in das Gastzimmer hinunter begleitete.

Der Wirt entschuldigte sich wortreich, daß er nicht imstande sei, Sir Gareth einen Privatsalon anzubieten. Der einzige, den der »Weiße Löwe« besaß, war bereits von einem älteren gichtleidenden Gentleman besetzt; obwohl der Wirt Sir Gareth dessen offenbar für würdiger hielt, bezweifelte er doch, daß der gichtige Gentleman seine Ansicht teilen würde.

Sir Gareth, der Amandas plötzlichen Anfall mädchenhafter Bescheidenheit einen wohlüberlegten Dämpfer aufgesetzt hatte, war sich der Gefahr seiner Situation viel stärker bewußt als sie. Er wünschte dem Verstoß gegen die gesellschaftlichen Regeln, den diese Reise an sich schon bedeutete, nicht noch einen weiteren hinzuzufügen, indem er mit ihr in einem Privatsalon speiste. Der Wirt, sichtlich erleichtert, ihn so entgegenkommend zu finden, versicherte ihm, daß man seiner Bequemlichkeit jede nur mögliche Aufmerksamkeit schenken werde. Er fügte hinzu, da der einzige andre Gast seines Hauses ein sehr ruhiger junger Herr sei, brauche er nicht zu befürchten, daß sein Mündel einer lärmenden Tischgesellschaft ausgesetzt wäre.

Das Gastzimmer war ein behaglicher, niedriger Raum, der mit einem langen Tisch, einer Anzahl Sesseln und einem massiven Büffet eingerichtet war. Im Erker befand sich eine Polsterbank, die, als Amanda und Sir Gareth das Zimmer betraten, von dem ruhigen jungen Herr okkupiert wurde, der bei bereits schwindendem Tageslicht in einem Buche las. Er hob den Blick nicht sogleich von seiner Lektüre. Nachdem Sir Gareth dem Kellner aber befohlen hatte, ihm ein Glas Sherry zu bringen, sah er auf. Als sein Blick auf Amanda fiel, war er wie gebannt.

»Und eine Limonade für die Dame«, setzte Sir Gareth unvorsichtig hinzu.

Es wurde ihm sehr rasch zu Bewußtsein gebracht, daß er sich einer groben Ungeschicklichkeit schuldig gemacht hatte. Amanda konnte dazu gezwungen werden, ihn als ihren Vormund anzuerkennen, sie war aber nicht bereit, sich einer derart despotischen Behandlung zu beugen. »Danke, ich mache mir nichts aus Limonade«, sagte sie. »Ich möchte ein Glas Sherry.«

Sir Gareths Lippen zuckten. Er begegnete dem verständnisinnigen Blick des Kellners und sagte kurz: »Ratafia.«

Amanda, die jetzt die Anwesenheit des ruhigen Gentleman entdeckte, hielt es für klug, von weiteren Debatten Abstand zu nehmen, und verfiel in trübsinniges Schweigen. Der ruhige junge Gentleman, der sein Buch völlig vergaß, betrachtete weiter ihr zartes Profil, und sein eigenes Gesicht trug den Ausdruck scheuer Bewunderung. Dadurch ergab sich für Sir Gareth, der seine Anwesenheit bereits wahrgenommen hatte, die Gelegenheit, ihn nach Belieben zu studieren. Normalerweise hätte er es nicht für nötig erachtet, einem zufällig anwesenden Reisenden viel Beachtung zu schenken, aber seine kurze Bekanntschaft mit Amanda hatte ihn gelehrt, daß diese vertrauensselige junge Dame nicht zögern würde, sich jeden einigermaßen vielversprechenden Fremden für ihre Zwecke nutzbar zu machen. Was er aber erblickte, befriedigte ihn sehr. Der ruhige junge Gentleman, den er auf etwa achtzehn bis neunzehn Jahre schätzte, war ein schlanker Jüngling mit glatten Wangen, einem empfindsamen Mund und einem Paar träumerischer grauer Augen. Er war mit einem Reitanzug bekleidet, dessen Schnitt, ohne danach zu streben, den Rang eines Weston, Schultz, Schweitzer oder Davidson zu erreichen, dennoch die Geschicklichkeit eines ausgezeichneten Provinzschneiders erkennen ließ. Gewisse ehrgeizige Versuche verrieten sich in der Wahl einer Weste von so kühnem Muster, daß man sicher sein konnte, damit den Geschmack eines Oxford- oder Cambridgestudenten getroffen zu haben; und das komplizierte, wenn auch nicht gerade glücklich gewählte Arrangement seines Halstuchs glich aufs Haar den Bemühungen Mr. Leigh Wetherbys, der die verschiedenen Stilarten, mit denen sein Onkel so viel Effekt erzielte, nachzuahmen versuchte. Als ob er die Prüfung Sir Gareths gefühlt hätte, wendete er seinen verzückten Blick von Amanda ab, sah zu ihm hinüber und errötete flüchtig, als er bemerkte, daß er beobachtet worden war. Sir Gareth lächelte ihm zu und richtete einige alltägliche Worte an ihn, Er erwiderte mit einem leichten Stottern der Befangenheit, aber mit kultivierter Stimme, die Sir Gareths Vermutung über seine gute Herkunft bestätigte. Ein angenehmer, wohlerzogener Junge von guter Familie, aber mit wenig weltlicher Erfahrung, entschied Sir Gareth. Zu jung, um Amanda im Lichte eines möglichen Retters zu erscheinen, aber vielleicht könnte er dazu beitragen, sie ihre Gekränktheit vergessen zu lassen. Jedenfalls konnte man ihn nicht ignorieren, da er binnen kurzem mit ihnen an einem Tisch sitzen würde.

In wenigen Minuten hatte der junge Mann seine Lektüre aufgegeben, sich den beiden Gästen am leeren Kamin in der Mitte des Zimmers angeschlossenen und plauderte nun gewandt mit seinen neuen Bekannten. Sir Gareth war ihm zuerst ziemlich respekteinflößend erschienen, unverkennbar ein Mann von Welt, möglicherweise – wenn man nach den auf Hochglanz polierten Stulpenstiefeln urteilen konnte – sogar ein »großes Tier«. Er erkannte aber bald, daß er keinswegs stolz war, sondern ganz im Gegenteil äußerst liebenswürdig und zuvorkommend. Lange ehe die Gedecke auf der Tafel aufgelegt wurden, hatte ihnen der junge Mann mitgeteilt, daß er Hildebrand Ross heiße und in Suffolk lebe, wo sein Vater – wie Sir Gareth schloß – Gutsbesitzer und Friedensrichter eines Dorfes war, das sich nicht weit von Stowmarket befand. Er hatte die Schule in Winchester besucht und studierte derzeit in Cambridge. Er besaß mehrere Schwestern, die alle älter waren als er selbst, aber keine Brüder; und man konnte unbeschwert erraten, daß er die Hoffnung und der Liebling seines Vaterhauses war. Er erzählte Sir Gareth, daß er sich auf dem Wege nach Ludlow befand, um sich einer Gruppe befreundeter Studenten anzuschließen, mit denen er eine Fußtour durch Wales unternehmen wollte. Er hatte die Absicht gehabt, die Nacht in Wellingbourough zu verbringen, war aber von dem altertümlichen Äußeren des »Weißen Löwen« gefesselt worden. Glaubte Sir Gareth nicht auch, daß der Gasthof aller Wahrscheinlichkeit nach in den Tagen, als man die Königin Katharina in Kimbolton gefangenhielt, genauso wie heute hier gestanden war?

Diese Fage verfehlte nicht, Amandas Aufmerksamkeit zu erregen. Sie gab vorübergehend die Rolle der gemarterten Unschuld auf, um weitere Einzelheiten zu erfahren. Im gleichen Maße entzückt, über eine Sache sprechen zu können, die allem Anschein nach sein Lieblingsthema war, wie mit dem überwältigend schönsten Geschöpf, das er je gesehen, plaudern zu dürfen, wandte sich Mr. Ross ihr eifrig zu.

Sir Gareth, der froh war, seinen Schützling nach diesem anstrengenden Tag nicht mehr unterhalten zu müssen, zog sich aus dem Gespräch zurück und erfreute sich in Ruhe seines Sherrys, während er leicht amüsiert dem eifrigen Vortrag Mr. Ross' zuhörte.

Dieser schien ein romantisch veranlagter Jüngling mit besonderer Vorliebe für historische Themen zu sein. Er dachte, die Scheidung und der Tod der Königin Katharina von Aragonien wäre ein vielversprechender Stoff für eine Tragödie in Blankversen. Hielt es Amanda da von einem unbedeutenden Dichter nicht für überheblich, in die Fußtapfen Shakespeares treten zu wollen? Ja, sagte er errötend, sein Ehrgeiz sei es, in die heiligen Bezirke der Literatur einzudringen. In der Tat habe er schon eine Reihe von Gedichten geschrieben. O nein, nicht veröffentlich, es seien bloß flüchtige Fragmente, die er geschrieben, als er noch sehr jung war, er würde sich heute schämen, sie gedruckt zu sehen. Er glaube eher, daß sein Talent ihn auf das Drama verweise, wenigstens – und er errötete noch stärker – waren verschiedene kluge Personen gütig genug gewesen, dies zu sagen. Um die Wahrheit zu gestehen, hatte er bereits ein kurzes Drama geschrieben, als er noch in Winchester war, das einige Schüler der sechsten Klasse auch aufgeführt hatten. Natürlich nichts als Schuljungenzeugs, aber eine Szene wurde als sehr wirkungsvoll bezeichnet, und er bilde sich ein, daß sich einige Stellen darin befinden, die nicht ganz zu verachten seien. Aber er rede daher wie ein eingebildeter Laffe.

Nachdem sie ihn über diesen Punkt beruhigt hatte, vertraute er ihr an, daß er seit langer Zeit den Ehrgeiz habe, eine Tragödie über die Königin Katharina zu schreiben. Er habe dieses Projekt aber bisher nicht zur Ausführung gebracht, weil er fürchtete, diesem Thema nicht völlig gewachsen zu sein, ehe er über die nötige Erfahrung und Weltkenntnis verfüge. Jetzt schien ihm aber der Moment gekommen, denn beim Anblick Kimboltons, wo die unglückliche Königin gestorben war – wie Amanda gewiß wußte –, hatte er ein oder zwei ausgezeichnete Einfälle gehabt.

Amanda, die nie zuvor einen Schriftsteller, geschweige denn einen Dramatiker kennengelernt hatte, war tief beeindruckt. Sie bat Mr. Ross, ihr doch mehr zu erzählen; und Mr. Ross, teils aus Schüchternheit und teils vor Freude stotternd, sagte, daß er, falls sie überzeugt sei, ihn nicht für den langweiligsten Menschen der Welt zu halten, ihr Urteil über das Stück, wie er sich's bisher vorstellte, außerordentlich schätzen würde. Sir Gareth, behaglich in seinen Fauteuil zurückgelehnt, die wohlgeformten und auserlesen beschuhten Füße an den Knöcheln gekreuzt, beobachtete sie mit kaum wahrnehmbarem Lächeln. Ein reizendes Kinderpaar: der Junge, ein wenig schüchtern und offenbar wie geblendet; das Mädchen, völlig frei von jedweder Schüchternheit und hübsch genug, um einem weit reiferen Mann als dem jungen Ross den Kopf zu verdrehen. Sie übte auf ihn so ziemlich dieselbe Wirkung aus wie auf Joe Ninfield, aber an einem einzigen Abend konnte sie seinem Herzen keinen wesentlichen Schaden zufügen. Was das Stück des angehenden Dramatikers betraf, so schien es ungewiß, ob es sich als Chronik entwickeln würde, die mit der Vermählung Katharinas mit dem Prinzen Arthur begann – denn das würde eine blendende Szene ergeben –, die, nach Sir Gareth stummer Berechnung, zu ihrer Darstellung mindestens drei Abende beanspruchen würde, oder in Form einer kürzeren, aber weit düsteren Version, die mit der Scheidung begann und mit der Autopsie endete. Das junge Paar, das rasch das Stadium der Vertrautheit erreichte, war bereits in eine hitzige Debatte verwickelt, als die Schüsseln auf die Tafel gestellt wurden. Mr. Ross hatte Amanda mit erschütternden Worten die Geschichte von Katharinas bloßgelegtem Herzen geschildert, das so untilgbar schwarz geworden war, daß keine Bemühung des »chandler« half, um es wieder reinzuwaschen. Hierauf schnitt er das Herz in zwei Teile, und siehe da! es war schwarz bis in die Mitte und wurde von einem unbekannten Ding so fest umklammert, daß man es auch nicht mit Gewalt loszulösen vermochte. Amanda lauschte dieser grauenhaften Geschichte mit immer größer werdenden Augen und spendete ihr enthusiastischen Beifall. Mr. Ross sagte, er sei von diesem Stoff wie besessen, dennoch zweifle er, ob sich diese Szene für eine Dramatisierung eignen würde. Amanda vermochte keinerlei Schwierigkeiten zu sehen. Die Autopsie könne natürlich an einer Puppe vorgenommen werden, und ein Schwamm, gut in Pech eingeweicht, würde sich hervorragend zur Darstellung des Herzens eignen. Sie war überzeugt, daß kein anderer Dramatiker je auf eine so blendende und originelle Schlußszene verfallen war. Aber Mr. Ross, wenn er auch die Großartigkeit und Originalität zugab, war doch einigermaßen unsicher, ob es dem Geschmack des Publikums entsprechen werde.

Sir Gareth, der sich bis dahin bewunderungswürdig beherrscht hatte, gewahrte jetzt den überraschten Blick des Kellners und brach in lautes Lachen aus. Als sich ihm zwei erschrockene Gesichter zuwandten, erhob er sich und sagte: »Kommt zu Tisch, ihr jungen Dämonen! Und ich warne euch, sollte mir jemand als Beilage zu einem Brathühnchen ein schwarzes Herz anbieten, so wird er augenblicklich von der Tafel verbannt!«

Dazu machte Mr. Ross gute Miene und grinste, aber gerade als auch er sich erhob, bemerkte er, daß mit Amanda eine beunruhigende Wandlung vor sich gegangen war. Noch vor einem Augenblick sprühte sie vor Munterkeit und angeregtestem Interesse, ihre ausdrucksvollen Augen blitzten und ihr bezauberndes Lächeln mit dem winzigen Anflug von Bosheit schwand nie von ihren Lippen. Aber jetzt! Wie durch Zauberschlag war alle Lebhaftigkeit aus ihrem Antlitz verschwunden, ihre Augen hatten sich umwölkt, und sie sah aus, als wäre sie plötzlich aus einem angenehmen Traum zu einer höchst unangenehmen Wirklichkeit erwacht. Einen beängstigenden Augenblick fragte sich Mr. Ross, ob er möglicherweise etwas gesagt hatte, das sie verletzen konnte. Dann aber sagte Sir Gareth, hinter Amandas Stuhl stehend, den er für sie zurechtgerückt hatte, nicht gerade im Befehlston, aber doch mit autoritativer Stimme: »Komm jetzt, mein Kind!«

Sie erhob sich mit sichtlichem Widerstreben, und nachdem sie ihren Platz an der Tafel eingenommen hatte, warf sie ihrem Vormund einen so rachsüchtigen Blick zu, daß Mr. Ross völlig überrascht war. Er konnte nur annehmen, daß zwischen ihnen irgendeine Unstimmigkeit bestand. Sir Gareth war ihm ungemein liebenswürdig und gutmütig erschienen, aber vielleicht verbarg sich hinter seinem charmanten Wesen ein strengerer Vormund, als man vermutete. Diese Annahme bestätigte sich fast unmittelbar darauf, denn er gestattete Amanda nicht, ihr Kätzchen ins Gastzimmer herunterzubringen. Kaum hatte sie sich nämlich niedergelassen, als sie sich wieder erhob und erklärte, er müsse ihr gestatten, daß Joseph ihre Mahlzeit teile. Sie hätte die Tafel nach diesen Worten auch verlassen, hätte sich Sir Gareths Hand nicht ausgestreckt, um ihr Handgelenk zu umfassen: »O nein!« sagte er.

Es klang belustigt, aber Amanda stieg das Blut zu Kopf, und sie versuchte sich zu befreien, während sie mit bebender Stimme ausrief: »Nein, das wollte ich nicht tun! Ich habe nicht einmal daran gedacht . . . Lassen Sie mich sofort los!«

Er ließ ihr Handgelenk los, hatte sich jedoch ebenfalls erhoben und nötigte sie, indem er seine Hände auf ihre Schultern legte, sich wieder zu setzen. Er ließ seine Hände eine Minute dort liegen. »Joseph kann nach dem Dinner zu uns herunterkommen«, sagte er.

»Bei Tisch wollen wir ihn nicht hierhaben.«

Er begab sich an seinen Platz zurück und begann mit Hildebrand zu plaudern, als hätte sich nichts ereignet. Wenn man Hildebrand gebeten hätte, die Frage leidenschaftslos zu betrachten, dann hätte er sicher dagegengestimmt, das Kätzchen in die Tischgesellschaft miteinzubeziehen, dem erbitterten Gesicht Amandas gegenüber war es ihm aber unmöglich, objektiv zu bleiben. Mit gesenkten Augen und geröteten Wangen nagte sie an ihren hübschen Lippen, und dieses Zeichen der Verärgerung ließ Sir Gareths Betragen doch ein wenig tyrannisch erscheinen. Da er jedoch mitangesehen hatte, daß sich seine Schwestern, wenn ihnen ein Wunsch versagt wurde, in genau derselben Weise betrugen, dachte er, daß sich ihre üble Laune wahrscheinlich wieder bessern werde, wenn man sie weiter nicht beachtete; er wandte daher seine Augen entschlossen von ihr ab und lauschte dem, was ihm Sir Gareth erzählte.

Inzwischen bekämpfte Amanda, die die Suppe refüsiert hatte, ihre Erregung. Mr. Ross hatte mit seiner Vermutung ganz recht, als er annahm, daß sie in eine unangenehme Wirklichkeit zurückgeworfen worden sei. Während sie seinen unterhaltenden Anekdoten über Königin Katharina zuhörte, hatte sie vergessen, was ihr in weiterer Zukunft bevorstand. Sir Gareths Stimme hatte ihr wieder alles ins Gedächtnis zurückgerufen. Ihre ganze unglückliche Lage kam ihr wieder mit solcher Gewalt zu Bewußtsein, daß sie fast in Tränen ausbrach. Unsagbare Bitterkeit über die Vernichtung ihrer Pläne erfaßte sie, und die Tatsache, daß sich dessen Urheber, Sir Gareth, in so guter Laune wie stets befand, trug nicht dazu bei, sie zu besänftigen. Es ärgerte sie sehr, wie ein Kind behandelt zu werden, dessen Kummer belanglos ist, und das ihn bald vergessen haben wird. Der Blick, den sie ihm zugeworfen und den Hildebrand aufgefangen hatte, war in der Tat rachsüchtig gewesen. Sie hatte mit dem Gedanken gespielt, es abzulehnen, sich zu Tisch zu setzen, aber zu ihrer weiteren Verärgerung leistete sie seiner liebenswürdigen, aber entschiedenen Aufforderung Folge. Sie wußte selbst nicht genau, warum, aber es war unmöglich gewesen, etwas anderes zu tun. Nachher hatte er ihr nicht gestattet, das liebe kleine Kätzchen zu holen, weil er argwöhnte, sie wolle ihm wieder durchbrennen. Da sie in der Tat keine derartige Absicht hatte, betrachtete sie es als Gipfel der Ungerechtigkeit, und der Leidensbecher floß über. Und statt die Beleidigung wieder gutzumachen, indem er sie liebevoll überredete, ihre Suppe zu trinken, beachetete er sie überhaupt nicht, sondern plauderte mit Mr. Ross. An eine derartige Behandlung war sie nicht gewöhnt. Obgleich Neil es nie versuchte, sie zu umschmeicheln, wenn sie übler Laune war, hatte er es bisher nie so weit getrieben, sie völlig zu ignorieren. Das Gefühl, mißhandelt zu werden, wurde zusehends stärker. Nicht einmal dem angehenden Dramatiker, der anscheinend so viel Verständnis hatte, lag etwas daran, ob sie von dem, was vor sie hingestellt wurde, etwas aß oder ob sie verhungerte. Er berichtete Sir Gareth alle Einzelheiten über sein Pferd, das ihm sein Vater als Geburtstagsgeschenk gegeben hatte. Das edle Tier stehe eben jetzt im Stall neben dem »Weißen Löwen«, denn er habe die Absicht, nach Ludlow zu reiten, was der Fahrt in einer dumpfen Postkutsche bei weitem vorzuziehen sei: stimme Sir Gareth mit ihm darin nicht überein? Seiner Mama war es nicht recht gewesen, daß er ganz allein fortritt, aber sein Vater verstand, daß man den Wunsch hatte, während der Ferien ganz ungebunden zu sein, um sich überall dort hinbegeben zu können, wohin es einen gerade zog. Er sei überhaupt ein famoser Bursche, nicht so wie einige Väter, die er kennengelernt hatte, die immer nur nörgelten oder ein großes Aufheben machten, bloß weil ihre Söhne ein oder zwei Wochen vergessen hatten, nach Hause zu schreiben.

Wie abscheulich war es von Sir Gareth, dachte Amanda, daß er den jungen Mr. Ross dazu verleitete, sie völlig zu vergessen! Das gehörte auch zu seiner Taktik: ohne Zweifel spielte er nur ihr zum Trotz den Liebenswürdigen, für den Fall, daß sie versuchen sollte, Mr. Ross als Verbündeten zu gewinnen. Das hatte er schon auf der Whitethorne Farm so gemacht, indem er den freundlichen Mr. Ninfield gegen sie aufhetzte und ihn soweit brachte, all die empörenden Lügen zu glauben, die er erzählte.

Aber Mr. Ross hatte sie nicht vergessen, er hatte sie heimlich beobachtet und wagte es jetzt, ihr sein Gesicht voll zuzuwenden und ihr zuzulächeln. Sie lächelte zurück, aber so traurig, daß er überzeugt war, irgend etwas müsse schiefgegangen sein.

Nach dem Dinner wurde sie wieder etwas fröhlicher, denn ihr gestrenger Vormund erlaubte ihr, Joseph ins Gastzimmer zu bringen. Nachdem dieser mit einer Portion gehackten Hühnerfleisches bewirtet worden war, unterhielt er die Gesellschaft damit, daß er sich auf eine Schlacht mit einem Papierknäuel einließ.

Während dieser Unterhaltung trat Trotton ein, um die endgültigen Befehle, die ihm sein Herr noch zu geben wünschte, zu empfangen. Während Sir Gareth mit ihm sprach, benützte Mr. Ross die Gelegenheit zu flüstern: »Ich bitte um Vergebung – aber – ist irgend etwas nicht in Ordnung?«

Seine diesbezügliche Befürchtungen wurden bestätigt. Amandas Augen wiesen in einer Art auf Sir Gareth, die deutlich erkennen ließ, wie sehr sie ihn fürchtete. Sie flüsterte: »*Alles*! Still!«

Er gehorchte und verstummte, war aber entschlossen, weiter zu fragen, sowie ihm Sir Gareth Gelegenheit gab, mit ihr allein zu sprechen. Dazu gab ihm Sir Gareth unglücklicherweise keine Gelegenheit, ja, er vernichtete bald darauf alle seine Hoffnungen dadurch, daß er frühzeitig aufbrach. Er erklärte, Amanda müsse zu guter Stunde zu Bett gehen, da sie einen sehr langen ermüdenden Tag hinter sich habe und ihr morgen ein ebensolcher Tag bevorstehe.

»Aber ich will noch nicht zu Bett gehen, ich bin noch gar nicht schläfrig!« wendete Amanda ein.

»Das glaube ich, aber ich bin es, und du siehst doch, daß auch Joseph müde ist«, erwiderte Sir Gareth. Der ungemein sprechende Blick, den sie mit Mr. Ross wechselte, als sie sich widerwillig erhob, war darauf berechnet, ihm ihre Ansicht über Personen zu vermitteln, die sie zu Bett schickten, als wäre sie noch ein Baby.

Er legte ihn aber als dringenden Hilferuf um Beistand aus, und seine Ritterlichkeit flammte auf.

Sir Gareth, ein belustigter Beobachter dieses Zwischenspiels, fand, es sei jetzt denn doch an der Zeit, dem allen Einhalt zu gebieten. Sollte dieser romantische und eindrucksfähige Jüngling mehr von Amanda zu sehen bekommen, dann würde seine Fußtour höchstwahrscheinlich durch einen schweren Anfall von unglücklicher Liebe zu Wasser werden, was recht bedauerlich wäre, denn er machte ganz den Eindruck eines überempfindsamen Jungen, der dadurch ernstlich aus dem Gleichgewicht geriete. So bot er ihm freundlich, aber entschlossen, eine gute Nacht, schüttelte ihm die Hand und sagte, es sei wohl besser, Lebewohl zu sagen, da er und Amanda Kimbolton sehr früh am Morgen verlassen würden.

Hierauf führte er Amanda erbarmungslos mit sich fort. Mr. Ross, der darauf erpicht war, mit der unglücklichen jungen Dame ein Stelldichein zu verabreden, kam auf die glückliche Idee, ihr ein Briefchen unter die Schlafzimmertür zu schieben; doch plötzlich fiel ihm ein, daß er keine Ahnung hatte, welches Zimmer man ihr zugewiesen hatte. Die einzige Möglichkeit, dies zu ergründen, war daher, ebenfalls hinaufzugehen, so als befände er sich auf dem Weg in sein eigenes Zimmer, und vorsichtig an allen Türen auf ein Geräusch zu horchen, das ihm ihren Aufenthaltsort verriete. Denn er war fest überzeugt, daß sie beim Auskleiden mit Joseph plaudern würde. Mit dieser Hoffnung stieg er ebenfalls die Treppe empor.

12

Als Mr. Ross den quadratischen Vorplatz am oberen Ende der Stiege erreichte, fand er es viel einfacher, Amandas Zimmer festzustellen, als er befürchtet hatte. Er venahm ihre Stimme aus dem Korridor, der vom Vorplatz zur Rückseite des Hauses führte. Es war ihm sofort klar, daß sie, anstatt sich sofort zu Bett zu begeben, Sir Gareth zurückgehalten hatte, um ihn in einen heftigen Streit zu verwickeln.

»Sie haben kein Recht, mich zu zwingen, mit Ihnen zu kommen!«3

»Gut: ich habe kein Recht, aber nichtsdestoweniger werden Sie mit mir kommen«, erwiderte Sir Gareth müde. »Um Himmels willen, Amanda, hören Sie auf zu streiten und gehen Sie zu Bett!«

Hildebrand zögerte. Nach den Regeln seiner Gesellschaftsschicht hatte er nur die Wahl, seine Gegenwart jetzt bemerkbar zu machen oder weiterzugehen. Er begann schon, die Treppe auf den Zehenspitzen hinabzusteigen, als ihm einfiel, daß sich eine zu skrupulöse Rücksichtnahme auf seine eigene Ehre in diesem Fall im Widerspruch mit seinem Entschluß befand, Amanda zu retten. Er blieb also, wo er war, nicht gerade mit angenehmen Gefühlen, aber überzeugt, daß zumindest Amanda gegen sein Horchen keine Einwendungen erheben würde. Ihre nächsten Worte trieben ihm fast Tränen des Mitgefühls in die Augen.

»Oh, wenn sie ein Herz besäßen, dann ließen Sie mich gehen«, rief sie traurig.

Aus dem Lachen, das diesem leidenschaftlichen Ausbruch folgte, konnte man entnehmen, daß Sir Gareth keineswegs gerührt war. »Das ist eine großartige Textstelle und sehr anerkennenswert gesprochen«, lobte er. »Jetzt müssen Sie aber den Vorhang fallen lassen, sonst geraten Sie in die Gefahr, daß sich eine Antiklimax ergibt. Haben Sie alles, was Sie für die Nacht brauchen?«

Sie beachtete seine Worte nicht, sondern sagte mit einer vor Erbitterung zitternden Stimme: »Ich wurde noch nie von jemandem so betrogen! Nein, auch die andern nicht«

»Welche andern?«

»Alle! – Die dicke Wirtin und die Ninfields, und jetzt Mr. Ross. Sie b-becircen alle, weil Sie so ch-charmante Manieren haben und so gewandt sind, und alle g-glauben Ihnen, wenn Sie die t-tollsten Unwahrheiten erzählen, und Sie d-drehen alles immer so, daß es keinen Z-Zweck hat, Ihnen zu sagen, daß Sie kein Gentleman, sondern eine Schlange sind!«

»Arme Amanda! Nun hören Sie zu, Sie närrisches Kind! Ich weiß, daß ich Ihnen herzlos erscheinen muß und schrecklich tyrannisch, aber glauben Sie mir, Sie werden mir eines Tages dafür dankbar sein. Kommen sie jetzt, trocknen Sie Ihre Augen. Man könnte sonst glauben, daß ich Sie wirklich in mein verfallenes Schloß entführen will. Statt dessen bringe ich Sie nach London. Ist das so schrecklich? Ich glaube, es wird Ihnen Freude machen. Wie wäre es, wenn ich Sie ins Theater führte?«

»Nein!« rief sie leidenschaftlich. »Ich bin kein Kind, und ich will nicht mit dieser Art bestochen werden. Wie können Sie es wagen, mir vorzuschlagen, in irgendein dummes Theaterstück zu gehen, wenn Sie entschlossen sind, mein ganzes Leben zu vernichten? Sie sind ein abscheulicher Mensch, und ich sehe, daß es sinnlos ist, an Ihr besseres Ich zu appelieren, denn Sie besitzen kein besseres Ich!«

»Schwarz bis in den Kern – wie das Herz der Königin Katharina«, bestätigte Sir Gareth feierlich. »Gehen Sie zu Bett, mein Kind. Die Zukunft sieht morgen bestimmt nicht so schlimm aus. Ich muß Ihnen nur noch eines sagen, bevor ich Ihnen eine gute Nacht wünsche. So tief ich diese Notwendigkeit auch bedaure, sehe ich mich doch gezwungen, Ihre Tür zu versperren.«

»Nein!« rief Amanda außer sich. »Das werden Sie nicht tun! Nein, das werden Sie nicht tun! Geben Sie mir augenblicklich meinen Schlüssel zurück! Geben Sie ihn mir augenblicklich zurück!«

»Nein, Amanda.Ich habe Ihnen von allem Anfang an gesagt, daß Sie es nicht mit einem Dummkopf zu tun haben. Wenn ich Ihnen den Schlüssel überließe, dann würden Sie durchbrennen, sobald Sie annähmen, daß ich eingeschlafen bin. Sie werden mir aber kein zweites Mal entwischen!«

»So unmenschlich können Sie nicht sein und mich einsperren! Ich könnte krank werden!«

»Oh – das glaube ich nicht.«

»Ich könnte sterben!« drängte sie.

»Nun, in diesem Fall wäre es doch bedeutungslos, ob Sie eingeschlossen sind oder nicht, stimmt's?«

»Oh, wie abscheulich Sie sind! Ich könnte in meinem Bett verbrennen!«

»Sollte das Haus tatsächlich zu brennen anfangen, verpflichte ich mich, nicht nur Sie, sondern auch Joseph aus den Flammen zu retten. Und nun gute Nacht – und träumen Sie von Ihrer Rache an mir!«

Mr. Ross hörte, wie die Tür zufiel und der Schlüssel sich im Schloß drehte. Er bewegte sich leise vorwärts, spähte um die Mauerecke, und kam gerade zurecht, um zu sehen, wie Sir Gareth den Schlüssel aus dem Schloß zog und den Korridor zu seinem genau gegenüberliegenden Zimmer überquerte. Mr. Ross blieb einige Minuten auf dem Treppenabsatz stehen und konnte zu keinem Entschluß kommen, was er jetzt tun solle. Als er hörte, wie Amanda Sir Gareth bat, die Tür nicht abzusperren, wollte er instinktiv vorstürzen, um ihr beizustehen. Bevor er es aber durchführen konnte, wurde ihm das Heikle seiner Lage klar, und er zögerte. Wenn auch aufs äußerste empört und darauf brennend, für Amanda eine heroische Tat zu vollbringen, fühlte er sich nicht gerechtfertigt, sich hier einzumischen. Er wußte nicht einmal, ob er überhaupt Erfolg hätte. Gewiß war es von Sir Gareth grausam, Amandas Tür zu versperren, aber da er ihr Vormund war, konnte ihm niemand das Recht dazu absprechen. Die Dinge, die Amanda ihm vorgeworfen hatte, bewiesen, daß er sich ihr gegenüber sehr übel benommen hatte, was er aber getan hatte und warum sie sich seinem Wunsch, ihn nach London zu begleiten, widersetzte, waren vorläufig nur Vermutungen. Er beschloß, als ersten Schritt einen Weg zu suchen, mit Amanda eine Verbindung aufzunehmen. Zunächst fiel ihm nichts ein, wie er das bewerkstelligen könnte. Eine geflüsterte Konversation durchs Schlüsselloch wäre ein recht mittelmäßiger Weg, sich mit ihr in Verbindung zu setzten, und könnte überdies leicht von Sir Gareth gehört werden. Nach weiterer Überlegung fiel ihm ein, daß der Lage ihres Schlafzimmers nach ihre Fenster auf den kleinen ummauerten Garten hinter dem Gasthof führen mußten, und er beschloß, dort spazierenzugehen und Amandas Aufmerksamkeit dadurch zu erregen, daß er kleine Steinchen an ihr Fenster warf.

Glücklicherweise erwies sich dieser Ausweg als überflüssig, besonders da es ihm schwergefallen wäre, unter den vielen andern Fenstern, die in den Garten führten, das ihre herauszufinden. Amanda kniete vor dem offenstehenden Fenster, die Ellbogen auf den Sims gestützt, das Gesicht zwischen den Händen und wurde von der hinter ihr stehenden Kerze klar silhouettiert.

Nachdem die Tür geschlossen und das Zimmer fest versperrt worden war, hatte sich die Erregung in einem Tränenstrom Luft gemacht. Ohne sich für irgendeinen bestimmten Weg zu entscheiden, hatten sich ihre Gedanken den ganzen Abend mit dem Problem beschäftigt, wie sie es bewerkstelligen sollte, sobald es hell genug war, aus dem »Weißen Löwen« zu entwischen. Die Entdeckung, daß Sir Gareth es gemerkt hatte, löste in ihr einen ganz unvernünftigen Wutanfall aus. Wenn sie auch hoffte, ihn zu überlisten, falls sich ihr die Gelegenheit bot, fand sie es dennoch beleidigend von ihm, sie zu verdächtigen; seine ruhige Überlegenheit erweckte in ihr den Wunsch, ihn zu schlagen. Nun gut, sie würde es ihm schon zeigen!

Ihr erster Schritt, es ihm zu zeigen, war es, ans Fenster zu stürzen und sich zu vergewissern, ob man hinunterklettern, oder aber, da sich das erste Stockwerk nicht hoch über den Boden befand, hinunterspringen konnte. Sie hatte an diesen Fluchtweg vorher nicht gedacht und es daher unterlassen, die Fenster zu untersuchen. Es bedurfte nur des allerflüchtigsten Blicks, um sie davon zu überzeugen, daß es unmöglich war, sich hindurchzuzwängen. Sie begann wieder zu weinen und schluchzte noch immer konvulsivisch, als Mr. Ross den Garten behutsam durch das Pförtchen betrat, das zu den Stallungen führte. Er bemerkte sie sogleich.

Der Mond stand hoch und erhellte den Schauplatz so strahlend, daß für Mr. Ross, der vorsichtig über den gepflasterten Pfad schritt, bis er unmittelbar unter Amandas Fenster stand, tatsächlich keine Notwendigkeit vorlag, ihre Aufmerksamkeit durch ein leises »Pst!« zu erregen. Amanda hatte ihn sofort bemerkt, als er den Garten betrat, und sein Näherkommen niedergeschlagen verfolgt, denn sie sah keine Möglichkeit, wie er ihr behilflich sein könnte.

»Miss Smith! Ich muß mit Ihnen sprechen«, flüsterte Mr. Ross durchdringend. »Ich habe alles mit angehört!«

»Was alles?« fragte Amanda ärgerlich.

»Alles, was Sie zu Sir Gareth sagten. Teilen Sie mir nur mit, was ich tun soll, um Ihnen zu helfen.«

»Mir kann niemand helfen«, erwiderte Amanda trübselig

»Ich kann es, und ich will es«, versprach Mr. Ross sorglos.

Ein schwaches Interesse glomm in ihren Augen. Sie gab ihre verzweifelte Pose auf und sah in sein aufwärtsgerichtetes Antlitz. »Wie denn? Er hat mich eingesperrt und das Fenster ist zu schmal, um durchzukriechen.«

»Mir wird schon ein Weg einfallen. Aber wir können uns unmöglich längere Zeit auf diese Art unterhalten. Es könnte uns jemand hören. Aber warten Sie! Im Stall muß eine Leiter sein. Wenn es mir gelingt, sie unbeobachtet zu erwischen, bringe ich sie her und steige zu ihnen hinauf.«

Amanda begann wieder Hoffnungen zu schöpfen. Bisher war er ihr nicht im Licht eines möglichen Retters erschienen, denn er kam ihr noch sehr jugendlich vor und einem Mann von Sir Gareths teuflischer Erfindungsgabe keinesfalls ebenbürtig. Nun erwies er sich als Mann der Tat, der sich in jeder Lage zu helfen weiß. Sie wartete. Die Zeit verging, und die schwache Hoffnung, die sie genährt, schwand wieder dahin. Gerade als sie überlegte, daß ihr nichts übrigbliebe, als zu Bett zu gehen, kam Mr. Ross mit einer kurzen Leiter zurück, wie man sie benützt, um auf den Heuboden zu steigen. Er stellte sie gegen die Hausmauer und begann hinaufzuklimmen. Er mußte bis zur obersten Sprosse steigen, ehe sein Kopf über dem Fenstersims erschien und er sich mit den Händen anhalten konnte. Der letzte Teil seines Aufstiegs war ein wenig riskant gewesen.

»O bitte, seien Sie vorsichtig«, bat Amanda ängstlich, aber voll Bewunderung.

»Ach, es ist ganz ungefährlich«, versicherte er ihr. »Ich bitte um Entschuldigung, daß es lang dauerte: ich mußte nämlich warten, weil dieser Mensch – der Groom Ihres Vormunds – dem Oberstallknecht allerlei Befehle gab. Warum hat man Sie eingesperrt?«

»Weil Sir Gareth fest entschlossen ist, mich nicht entwischen zu lassen«, erwiderte sie bitter.

»Ja aber – sehen Sie, ich konnte aus dem, was Sie zu ihm sagten, nicht ganz verstehen, warum Sie ihm entwischen wollen oder was er mit Ihnen zu tun beabsichtigt. Ich habe selbstverständlich schon lange vorher bemerkt, wie sehr Sie ihn fürchten.«

»Sie bemerkten, wie sehr – oh! O ja!« sagte Amanda und schluckte mit Anstrengung ihre sehr natürliche Erbitterung hinunter. »Ich befinde mich völlig in seiner Macht!«

»Ja – nun – hm – ich vermute – ich meine, da er Ihr Vormund ist, müssen Sie es doch sein. Was hat er aber getan, um Sie derart in Furcht zu versetzen? Warum sagten Sie, er sei eine Schlange?«

Amanda antwortete nicht sogleich. Sie war müde und der Aufgabe nicht mehr so recht gewachsen, rasch eine geeignete Erklärung zu finden. Ein Seufzer entrang sich ihr. Der wehmütige Laut griff Mr. Ross mächtig ans Herz. Er wagte es, eine Hand vom Fensterbrett zu nehmen und sie zärtlich auf die ihre zu legen. »Erzählen Sie mir alles!« bat er.

»Er hat mich entführt«, sagte Amanda.

Mr. Ross war dermaßen erstaunt, daß er fast von der Leiter fiel.

»Er hat Sie entführt?« sagte er atemlos. »Das kann doch nicht Ihr Ernst sein!«

»Doch! Es ist wahr!« sagte Amanda.

»Du lieber Himmel! Das hätte ich nicht für möglich gehalten. Meine liebe Miss Smith, seien Sie unbesorgt! Ich lasse Sie sofort befreien. Das wird keinerlei Schwierigkeiten bereiten. Ich brauche bloß den Gemeindepolizisten zu verständigen oder vielleicht den Richter – das weiß ich noch nicht genau –, aber ich werde es sogleich herausfinden . . .«

»Nein, nein«, unterbrach sie ihn hastig. »Das wäre nutzlos. Bitte tun Sie das nicht!«

»Aber ich bin überzeugt, daß es genau das ist, was ich tun sollte«, wandte er ein. »Warum wäre es nutzlos?«

Sie suchte verzweifelt nach einer Erklärung, die ihm genügen würde. Es fiel ihr nichts ein. Als sie eben überlegte, ob sie es wagen könne, ihm die Wahrheit zu sagen, oder ob er – was sie argwöhnte – ihren Kriegsplan ebenso mißbilligen würde wie Sir Gareth, hatte sie eine Idee von geradezu überwältigender Großartigkeit. Es verschlug ihr fast den Atem, denn es war nicht nur ein an sich großartiger Einfall, sondern er würde ihr auch, richtig durchgeführt, ermöglichen, sich grausam an Sir Gareth zu rächen. »Sehen Sie«, sagte Amanda und holte tief und hingerissen Atem, »ich bin nämlich eine reiche Erbin.«

»Oh!« sagte Mr. Ross ziemlich verständnislos.

»Ich blieb im zartesten Kindesalter als Waise zurück«, fuhr sie fort, indem sie Sir Gareths künstlerisch wenig durchgearbeitete Erzählung aufs prächtigste ausschmückte. »Leider stehe ich ganz allein auf der Welt, ohne Freunde und Verwandte.«

Mr. Ross, der selbst ein eifriger Romanleser war, fand an dem Stil ihrer Erzählung nichts auszusetzen. Er machte nur einen Einwurf» »Was, Sie haben überhaupt keine Verwandten?« fragte er ungläubig. »Nicht einmal Cousins?«

Amanda fand, daß er überflüssig spitzfindig war, förderte aber bereitwillig einen Verwandten zutage. »Ja, ich habe einen Onkel«, gestand sie ihm zu. »Er kann mir aber nicht helfen, folglich –«

»Warum nicht? Bestimmt –«

Amanda, die die Erschaffung eines Onkels, der ihr höchstwahrscheinlich Schwierigkeiten bereiten würde, bereits bereute, entzog ihn mit großer Geistesgegenwart der Reichweite von Mr. Ross. »Er ist im Irrenhaus«, sagte sie. »Wir brauchen also nicht weiter an ihn zu denken. Die Sache ist die –«

»Verrückt?« unterbrach Mr. Ross in entsetztem Ton.

»Völlig verrückt«, sagte Amanda entschlossen.

»Wie entsetzlich!«

»Ja, nicht wahr? Denn ich habe außer Sir Gareth niemanden, an den ich mich wenden kann.«

»Ist er ein gefährlicher Irrer?« fragte Mr. Ross, von diesem Onkel sichtlich fasziniert.

»Ich wäre Ihnen dankbar, wenn Sie aufhören würden, mich über meinen Onkel auszufragen! Hören Sie lieber zu, was ich sage«, rief Amanda fassungslos.

»Bitte um Vergebung! Natürlich! Es muß für Sie ja außerordentlich schmerzlich sein.«

»Ja, und außerdem hat es mit der Frage selbst gar nichts zu tun, denn Sir Gareth, der sich in den Besitz meines Vermögens setzen will, ist entschlossen, mich zu einer Ehe mit ihm zu zwingen und zu diesem Zweck nach London zu bringen.«

»Nach London? Ich dachte –«

»Nach London«, wiederholte Amanda nachdrücklich. »Weil er dort wohnt und die Absicht hat, mich so lange in seinem Haus einzusperren, bis ich mich füge. Daher hat es keinen Zweck zu sagen, der Gemeindepolizist wird ihn daran hindern, denn Sir Gareth wird jedes Wort ableugnen und behaupten, er bringe mich zu seiner Schwester, die eine äußerst widerwärtige Person ist und ihm jeden Gefallen tun würde. Und alle würden ihm glauben, wie jedesmal... Sie würden also nur Staub aufwirbeln, was ich gründlich verabscheue, und es wäre doch zwecklos.«

Mr. Ross sah diese Möglichkeit ein, er stand aber noch immer vor einem Rätsel.

»Wo haben Sie denn bisher gelebt?« fragte er. »Ich verstehe das alles nicht ganz. Sie sagten, er hätte Sie entführt: wohnten Sie denn nicht in seinem Haus?«

»Nein, nein, ich habe bisher bei einer sehr würdigen Dame gewohnt, die –« sie schwieg und beschloß einer möglichen Gefahr auszuweichen – »die gestorben ist. Ich meine, sie starb vor zwei Jahren, worauf mich Sir Gareth in ein Internat brachte. Das sieht ihm so richtig ähnlich, etwas Derartiges zu tun! Und jetzt, wo ich alt genug bin, um zu heiraten, erschien er und nahm mich aus der Schule. Ich war natürlich sehr froh darüber, denn damals hielt ich ihn noch für besonders liebenswürdig. Als er mir aber erklärte, daß ich ihn heiraten müsse –«

»Du lieber Gott, ich hätte ihm mehr Lebensart zugetraut«, rief Mr. Ross. »Er sagte Ihnen, wenige Minuten nachdem er Sie aus der Schule abholte, daß Sie ihn heiraten müssen?«

»O nein! Die Sache ist so. Er glaubte, ich würde von der Idee entzückt sein, weil ich von ihm – vorher – wegen seines guten Aussehens und wegen seiner Liebenswürdigkeit außerordentlich eingenommen war. Nur dachte ich natürlich nie daran, ihn zu heiraten. Er ist doch schon alt! Ich bekam so große Angst, daß ich aus dem Gasthof durchbrannte, in dem wir die letzte Nacht verbrachten; er verfolgte mich den ganzen Tag, und als er mich schließlich fand, fuhr er mit mir hierher. Ich kann mir nicht denken, wie es mir gelingen soll, ihm nochmals zu entkommen, und, oh, ich bin so schrecklich unglücklich!«

Die leidenschaftliche Aufrichtigkeit, mit der die letzten Worte gesprochen wurden, schnitt Mr. Ross ins Herz. Er schämte sich, daß er ihre Geschichte einen Moment lang angezweifelt hatte, und beschwor Amanda in heftigster Erregung, doch nicht zu weinen. Amanda berichtete ihm unter Schluchzen von ihren vorherigen Abenteuern. Sie waren an sich recht vergnüglich gewesen, aber rückblickend betrachtet, müde und enttäuscht, wie sie jetzt war, erschien ihr der Tag wie eine ununterbrochene Folge von Trübsal und Trostlosigkeit. Es bereitete Mr. Ross keinerlei Schwierigkeiten, wenigstens das zu glauben. Er hatte es in der Tat für unmöglich gehalten, daß irgend etwas, mit Ausnahme der gräßlichsten Zwangslage, ein junges Mädchen von vornehmer Geburt veranlassen könnte, einen so beispiellos gefährlichen Schritt zu unternehmen und sich, wie sie es getan, schutzlos in die Welt zu stürzen. Von dem Augenblick ihrer Flucht an war das arme junge Ding unbarmherzig gehetzt worden. Es überraschte ihn nicht, zu erfahren, daß der dicke Gentleman, der sich mit so falscher Güte erboten hatte, sie nach Oundle zu bringen, versuchte, sich ihre Unschuld zunutze zu machen. Seine empfindsame Natur erleichterte es ihm, sich das verzweifelte Entsetzen vorzustellen, das sie ergriffen hatte; und der Gedanke, daß ein so zartes, reizvolles Geschöpf auf dem Boden eines Bauernkarrens hockte, ließ ihn erschauern, und nicht der kleinste Argwohn überkam ihn, daß sie gerade diesen Teil des Abenteuers ungemein genossen hatte. Die Beschreibung der teuflischen Schlauheit, deren sich Sir Gareth bediente, um ihrer wieder habhaft zu werden, verlor durch ihre Erzählung nichts an Wirkung. In Mr. Ross' Vorstellung nahm Sir Gareth die

Gestalt eines kalt lächelnden Bösewichts an. Er wunderte sich, daß er sich von seinem liebenswürdigen Gehaben hatte bestricken lassen, bis er sich gewisser Ermahnungen seines Vaters erinnerte, glattzüngigen und offensichtlich würdigen Gentlemen von modischer Eleganz nicht zu bereitwillig zu vertrauen. Die Welt, sagte der Squire, ist voll von Banditen mit einnehmendem Wesen, die stets auf der Lauer nach unerfahrenen, vermögenden jungen Männern sind. Ihr Kapital besteht aus einem einnehmenden, charmanten Wesen, sie nehmen häufig glänzende Titel an, am häufigsten militärische. Zweifellos waren sie ebenso auf dem Ausflug nach reichen Witwen, der Squire hatte es aber natürlich nicht für möglich gehalten, auch das seinem Sohn zu erzählen.

Wäre Mr. Ross durch Zufall Sir Gareth wieder gegenübergestanden, dann wäre es möglich gewesen, seiner bewegten Phantasie etwas Einhalt zu gebieten. So aber war Sir Gareth zu Bett gegangen, und das letzte, was Mr. Ross auf dem Korridor von ihm gesehen hatte, war, daß er Amanda in ihr Zimmer sperrte. Jedes Wort, das er zu Amanda gesagt hatte, bewies die Wahrhaftigkeit ihrer Erzählung, und über seine zynische Herzlosigkeit konnte kein Zweifel bestehen. Nur ein durch und durch verhärteter Erzschurke hätte nach Mr. Ross' Ansicht über Amandas Angst lachen können. Sir Gareth, nicht zufrieden mit seinem Gelächter, hatte ihren Kummer obendrein noch verspottet. Jetzt, da er darüber nachdachte, fiel ihm ein, daß er auch versucht hatte, sie durch das Versprechen reichlicher Unterhaltung in London zu verlocken.

Doch kein Zufall brachte Sir Gareth auf den Schauplatz, um dem vereinten Einfluß Amandas und des Vollmonds auf einen leicht entflammten Jüngling entgegenzuwirken. Auf der Stalleiter hockend, erörterte ein moderner Romeo mit seiner Julia die verschiedensten Mittel und Wege. Es dauerte nicht lange, bis sie alle konventionellen Äußerlichkeiten fallen ließen. »Oh, ich möchte, daß Sie mich nicht Miss Smith nennen«, sagte Julia.

»Amanda«, seufzte Mr. Ross ehrfurchtsvoll. »Mein Name ist Hildebrand.«

»Ist es nicht seltsam, daß wir beide so lächerliche Namen haben?« fragte Amanda. »Betrachten Sie den Ihren als eine schwere Prüfung?«

Von ihrem anbetungswürdigen Verständnis tief ergriffen, erzählte ihr Mr. Ross, welch eine harte Prüfung sein Name für ihn gewesen, und erklärte ihr die genauen Umstände, die dazu führten, daß ihm ein Name gegeben wurde, der geeignet war, seine ganze Schulzeit zu verdüstern. Er hätte sich nie träumen lassen, daß er gut klingen könne, bis zu dem Augenblick, da er ihn von ihren Lippen hörte!

Nach dieser Abschweifung wandten sie sich wieder praktischeren und weit strittigeren Gegenständen zu. Eine Reihe von Plänen für Amandas Befreiung wurde in Betracht gezogen, die aber alle von so unwahrscheinlichen Glückszufällen abhingen, daß man sie mit Bedauern wieder fallenließ; eine vielversprechende neue Beziehung fand fast ihr Ende, weil Hildebrand den kühnen Vorschlag ablehnte, sich in Sir Gareths Zimmer zu schleichen, um den Schlüssel von Amandas Zimmer unter seinem Kissen hervorzuholen, wo er zweifellos verborgen war. Hildebrands Respekt vor dem Herkömmlichen kämpfte mit seiner Sehnsucht nach Romantik. Der Gedanke an die Auslegung, die Sir Gareth dem versuchten Diebstahl des Schlüssels unweigerlich unterschieben würde, falls er vor der Ausführung des Planes erwachen sollte – was Hildebrand für fast sicher hielt –, ließ den jungen Mann über den ganzen schlanken Körper siedendheiß erröten. Er war natürlich außerstande, Amanda den Grund seines Zögerns zu erklären, daher mußte er die Kränkung ertragen, daß sie ihn für einen erbärmlichen Feigling hielt.

»Na ja, wenn Sie Angst haben . . .« sagte Amanda mit verächtlichem Achselzucken.

Ihr Zorn schärfte seinen Witz. Die Anfänge des Planes, noch kühner als der Amandas, formten sich in seinem Kopf. »Warten Sie!« befahl er mit bedeutsam gefurchten Brauen. »Ich habe eine bedeutend bessere Idee.«

Sie wartete. Nach längerem gedankenschwerem Schweigen sagte Mr. Ross plötzlich: »Sind Sie bereit, Ihre Ehre in meine Hände zu legen?«

»Ja, ja selbstverständlich«, erwiderte Amanda in begieriger Erwartung.

»Und glauben Sie«, fragte er besorgt und fiel mit enttäuschender Rapidität von seiner Höhe herab, »daß Sie, wenn ich auf meinem Pferd Prinz säße, zu mir in den Sattel springen könnten?«

»Wenn Sie mir die Hand herunterreichen, kann ich es bestimmt«, erwiderte Amanda optimistisch.

Er überlegte das einen Moment, und sagte dann ziemlich entmutigt:

»Nun ja, aber in der rechten Hand habe ich eine Pistole. Da glaube ich nicht, daß ich es fertigbrächte, auch die Zügel in derselben Hand zu halten«, sagte er unsicher. »Ich kann es natürlich versuchen, aber – nun, wahrscheinlich wäre es am besten, wenn ich mir die Zügel um das Knie wickeln würde. Habe ich Sie erst einmal fest gefaßt, dann macht es auch nichts mehr aus, wenn Prinz unruhig wird. Sie hätten nichts zu tun, als Ihren Fuß auf den meinen im Steigbügel zu setzen und im selben Augenblick aufzuspringen, in dem ich das Zeichen geben. Glauben Sie, daß Sie das könnten?«

»Werden Sie mich, bevor Sie davonreiten, quer über Ihren Sattel legen?« frage Amanda begierig.

»Ja – na ja – nein – nicht ganz so. Ich meine – ich dachte, wenn Sie Ihre Arme um mich legten, könnten Sie unmittelbar vor mir sitzen – natürlich nur so lange, bis wir außer Reichweite der Verfolger sind«, fügte er rasch hinzu.

»Ja, das wäre viel bequemer«, mußte sie zugeben. »Natürlich könnte ich das tun.«

»Als ich die Idee zuerst faßte, dachte ich auch, daß Sie es könnten. Aber, wenn ich alles genauer überlege, meine ich, daß wir die Sache erst üben müßten.«

»Nein, nein, ich bin überzeugt, es wird dabei nicht die geringsten Schwierigkeiten geben«, drängte sie. »Erinnern Sie sich nur an die Ritter, die in früheren Zeiten beständig mit unglücklichen Damen auf und davon ritten.«

»Ja, und noch dazu gewappnet«, sagte er äußerst betroffen. »Aber wir wissen eben nicht, wieviel sie dabei verpatzten, ehe sie daran gewöhnt waren, und wenn wir es verpfuschen, wäre es schrecklich für uns. Es wird wahrscheinlich besser sein, wenn ich absteige und Prinz halte, während Sie sich auf seinen Rücken schwingen. Sind Sie imstande, ohne Hilfe aufzusteigen?«

»Selbstverständlich! Aber was werden Sie tun?«

»Ich werde Sie auf der Straße nach Bedford überfallen«, verriet Hildebrand.

Amanda stieß einen kleinen Schrei aus, den er ganz richtig als Ausdruck uneingeschränkter Bewunderung und Zustimmung deutete. Schließlich hüpfte sie noch vor Begeisterung auf und ab. »Genauso wie ein Straßenräuber? Oh, was für ein herrlicher Plan! Bitte, verzeihen Sie mir, daß ich glaubte, Sie hätten keinen Mut.«

»Es ist natürlich eine recht verzweifelte Sache«, sagte Hildebrand, »aber ich habe eingesehen, daß in diesem Fall nur verzweifelte Maßnahmen Erfolg haben, und ich würde alles tun, um Sie vor Ihrem Vormund zu retten. Ich kann mir nicht denken, wie es kam, daß Ihr Vater Sie der Obhut eines so infamen Menschen anvertraute! Das ist schon sehr merkwürdig!«

»Er täuschte sich eben in ihm – aber lassen wir das«, sagte Amanda hastig. »Woher wissen Sie, daß er die Absicht hat, nach Bedford zu fahren?«

»Ich hörte es, als ich auf die Gelegenheit wartete, mich der Leiter zu bemächtigen. Wenn man bedenkt, daß ich diesen Groom ins Pfefferland wünschte, während mich die Vorsehung die ganze Zeit über lenkte und zuletzt in die Stallungen führte! Denn der Groom unterhandelte dort wegen einer Chaise für seinen Herrn und erkundigte sich bei dieser Gelegenheit auch gleich über den Straßenzustand nach Bedford. Es gibt dort nämlich keine Chaussee, aber Sir Gareth beabsichtigt dennoch, bis Bedford zu fahren, was allerdings von hier aus nur eine Poststation entfernt ist. Und dort sollen Sie aus dieser schäbigen, altmodischen Chaise in eine bessere umsteigen, die nach London fährt. Denn in einem Ort wie Bedford kann man sie, ebenso wie vier Pferde, ohne Schwierigkeiten mieten. Beim Zeus, das ist bestimmt ein weiteres Beispiel für die Vorsehung! Wäre hier kein so ruhiger Ort mit so wenig Reiseverkehr, dann könnte man auch hier eine Reihe schneller Wagen und erstklassiger Pferde mieten, und ich befände mich in der größten Verlegenheit. Denn es fiele mir wahrscheinlich sehr schwer, außer Sir Gareth auch noch zwei Postillons gleichzeitig in Schach zu halten. Für die erste Etappe wurde aber nur ein Pferdepaar gemietet, was mir meine Aufgabe wesentlich erleichert. Ich würde mich nicht wundern, wenn wir die Straße nicht völlig menschenleer fänden. Ich meine, sie wird, besonders so früh am Morgen, nicht so belebt sein wie die Chausseen, auf denen ein ständiger Verkehr von Postkutschen und Equipagen ist.«

Amanda stimmte dem zu, wurde aber noch von Zweifeln gequält. »Ja, wie wollen Sie sich aber eine Pistole verschaffen?« wendete sie ein.

»Verschaffen? Ich besitze ein Paar, sie befinden sich in meiner Satteltasche«, sagte Hildebrand, außerstande, seinen Stolz ganz zu verbergen. »Sie sind auch geladen.«

»Oh!« sagte Amanda recht nachdenklich.

»Sie brauchen keine Angst zu haben, daß ich sie nicht zu benützen verstehe. Mein Vater meint nämlich, man solle sich so bald wie möglich an die Handhabung von Pistolen gewöhnen. Ich möchte nicht prahlen, aber man hält mich für einen ziemlich guten Schützen.«

»Ja, aber ich will nicht, daß Sie Sir Gareth erschießen – auch den Postillon nicht«, sagte Amanda unbehaglich.

»Du lieber Gott, nein! Natürlich werde ich nichts dergleichen tun. Du gütiger Himmel, das würde einen schönen Staub aufwirbeln. Vielleicht werde ich gezwungen sein, über den Kopf des Kutschers hinweg eine Pistole abzufeuern, nur um ihm Angst einzujagen – aber ich verspreche Ihnen, nicht mehr zu tun. Dafür wird auch nicht die geringste Veranlassung bestehen. Ich werde auf Sir Gareth zielen, und Sie können sich darauf verlassen, er wird es nicht wagen, sich zu rühren, solange meine Pistole auf seinen Kopf gerichtet ist. Er wird bestimmt völlig überrascht sein. Sie sind es jedoch nicht. Sie dürfen daher keinen Augenblick zögern – sie müssen sofort aus der Chaise springen und Prinz besteigen. Dann schwinge ich mich hinter Ihnen in den Sattel und im Nu sind wir auf und davon!« Er wartete, aber Amanda schwieg. Nach einem Moment sagte er ziemlich verletzt: »Gefällt Ihnen mein Plan nicht?«

»Doch«, erwiderte sie herzlich. »Er gefällt mir sogar außergewöhnlich gut, denn ich habe mir immer gewünscht, Abenteuer zu erleben, und ich bin überzeugt, es wäre ein wahrhaft großartiges Abenteuer. Mit Ausnahme der Pistolen!«

»Ach, wenn das alles ist!! Seien Sie ganz unbesorgt. Ich verspreche Ihnen, nicht einmal in die Luft zu feuern.«

»Ja – dann – nein, es geht nicht. Das alles hat ja keinen Zweck, weil ich nicht weiß, wohin ich nachher gehen soll«, sagte Amanda und gab sich neuerlich ihrer Verzweiflung hin.

Aber Hildebrand ließ sich nicht entmutigen. »Bitte seien Sie nicht unglücklich«, bat er. »Ich habe darüber nachgedacht, wohin ich Sie bringen könnte, und wenn es Ihnen nicht mißfällt, dann glaube ich das Richtige gefunden zu haben. Wenn das Ganze nicht zufällig in eine ungünstige Zeit fiele, hätte ich Sie zu mir nach Hause bringen können; dort hätte sich meine Mama Ihrer angenommen, was sie, wie ich Ihnen versichern kann, mit Begeisterung getan hätte. Der Zufall will es aber, daß meine älteste Schwester eben im Begriff ist, ein Baby zu bekommen. Meine Mama ist zu ihr gefahren, um bei ihr zu sein, wärend mein Vater meine Schwestern Blanche und Amabel gerade jetzt für einen ganzen Monat nach Scarborough begleitete. Es ist recht ärgerlich, aber das macht nichts, denn ich werde Sie statt dessen zu Hanna bringen. Sie ist das liebste Geschöpf, das man sich denken kann, und ich weiß, daß Sie sich bei ihr wohlfühlen werden. Sie war unsere Nurse, und sie würde alles in der Welt für mich tun. Auch ihr Mann ist ein sehr gutmütiger Mensch. Er ist Landwirt, und sie besitzen eine hübsche kleine Farm in der Nähe von Newmarket. Ich dachte mir, daß ich mit Ihnen quer durchs Land nach St. Neots reite, wo wir eine Chaise mieten können. Vermutlich werde ich Prinz in einem Stall lassen müssen, vielleicht kann ich mit ihm aber doch bis nach Cambridge kommen. Ja, so wird es am besten sein, denn ich bin gewohnt, mein Pferd gut zu behandeln, und ich weiß, daß man es dort gut versorgt.«

»Eine Farm?« sagte Amanda, die sich wie durch Zauberschlag belebte. »Mit Kühen, Hühnern und Schweinchen? Oh, das hätte ich von allen Dingen am liebsten. Ja, ja, bitte, überfallen Sie uns morgen!«

»Na schön, ich werde es tun«, sagte er hocherfreut. »Nachdem ich Sie zu meiner Nurse gebracht habe, werde ich nach Scarborough fahren, um meinen Vater zu fragen, was in einem derartigen Fall am besten zu geschehen hat. Sie können sich darauf verlassen, daß er es ganz genau wissen wird.«

Dieser Teil des Planes reizte Amanda durchaus nicht, sie sagte aber nichts, denn ihr stand genug Zeit zur Verfügung, um Hildebrand davon abzubringen. Das Gebot der Stunde war – Sir Gareth zu entkommen. Es schien ihr sehr unwahrscheinlich, daß er sie in Newmarket aufstöbern konnte; und eine Farm wäre, wie sie bereits herausgefunden hatte, eine ideale Zufluchtsstätte, um die Kapitulation ihres Großpapas abzuwarten. Ihre Müdigkeit war mit dem Wiederaufleben ihrer Hoffnung völlig vergessen, und sie erörterte mit Hildebrand lebhaft die verschiedenen Stadien seines Plans; als sie sich schließlich voneinander trennten, verdarb nur ein Schatten ihre Freude. Hildebrand, obwohl bereit, sich ihretwegen in ein gefährliches Unternehmen einzulassen, machte bezüglich Josephs keine Konzessionen. Das Kätzchen, sagte er, könnte das ganze Unternehmen gefährden. Überdies bezweifelte er sehr, daß Joseph an dem Ritt auf einem Pferd viel

Vergnügen fände. Er glaubte es eher nicht. Amanda sah sich gezwungen, in diesem Punkt nachzugeben, und es blieb ihr nur die Hoffnung, daß Sir Gareth sich Josephs annehmen werde, wenn er entdeckte, daß er jetzt dessen einziger Beschützer war.

13

Am folgenden Morgen wurde Mr. Ross auf eigenen Wunsch, wenngleich nicht ohne erhebliche Schwierigkeiten, zu einer unchristlich frühen Stunde vom Hausknecht geweckt. Nachdem er auf die Uhr gesehen hatte, war er eben im Begriff, sich auf die andere Seite zu drehen und wieder in Schlaf zu versinken, als die Erinnerung an die Ereignisse des vergangenen Abends wieder lebendig wurde. Er atmete tief aus, setzte sich auf und schlug sich bei dieser Erinnerung – die, wie zugegeben werden muß, außerordentlich unerfreulich war – den Wunsch wieder einzuschlafen, augenblicklich aus dem Kopf. Es war erstaunlich, welch himmelweiten Unterschied das Tageslicht machte. Kaum wurde ein Plan, der bei Mondschein nur Vorteile zu haben schien, bei klarem Tageslicht genauer betrachtet, als er unweigerlich das Gepräge wenn nicht gerade der Verrücktheit, so doch mindestens einer beängstigenden Tollkühnkeit annahm. Bei genauerer Überlegung neigte Mr. Ross zu der Ansicht, er müsse behext gewesen sein. Er stand dem Plan keineswegs ablehnend gegenüber: im richtigen Rahmen durchgeführt, hätte er nichts lieber getan, als mit Amanda quer über dem Sattel auf und davon zu reiten. Das Unglück wollte es aber, daß der richtige Rahmen fehlte. Das Abenteuer schrie förmlich nach einem oder gar zwei unheimlichen Drachen im Hintergrund und einigen treulosen Rittern in voller Rüstung. Im Notfall konnte man sich mit Schmachtlocken und einem Lederwams begnügen und die Drachen und Ritter durch einen Kontingent Puritaner ersetzen; aber ein Schauplatz des 19. Jahrhunderts war ein hoffnungsloser Anachronismus. Man hatte nicht einer Begegnung mit einem Drachen auszuweichen, sondern mit einer Postkutsche oder dem Wagen eines Fuhrmannes, und anstatt nach vollbrachter Tat die größte Bewunderung zu ernten, war es viel wahrscheinlicher, daß man ins Gefängnis gesperrt oder mindestens ernsthaft verwarnt wurde, weil man etwas getan hatte, von dem die Eltern behaupteten, daß es sich nicht gehöre.

Mr. Ross setzte sich im Bett auf, umklammerte seine Knie, und während er aus dem Fenster in den anbrechenden Tag starrte, der wieder sehr heiß zu werden versprach, überlegte er ernstlich, ob er seine Vereinbarung mit Amanda nicht wieder absagen könnte. Je länger er aber darüber nachdachte, desto unmöglicher erschien es ihm. Erstens war es unmöglich, bei hellem Tageslicht auf einer Leiter zu Amandas Fenster zu gelangen, und zweitens war sein letztes Wort die Versicherung gewesen, sie könne ganz auf ihn vertrauen – und sie in zwölfter Stunde im Stich zu lassen, wäre ein unverzeihlich erbärmliches Betragen. Außerdem hatte sie seinen Mut schon einmal bezweifelt. Es blieb also nichts übrig, als das Abenteuer so gut er konnte zu einem triumphalen Ende zu bringen. Anstatt sich zu wünschen, nicht ganz so impulsiv gewesen zu sein, zwang er seine Gedanken, bei dem Unrecht zu verweilen, das Amanda durch den hinterlistigen Sir Gareth zu erdulden hatte; auf diese Art gelang es ihm, bei seinem Entschluß zu verharren. Nachdem er ein Paar schwarze Seidenstrümpfe, die zu seinem Abendanzug gehörten, geopfert hatte, gelang es ihm, aus ihnen eine recht annehmbare Maske zu verfertigen. Als er sie später vor dem Spiegel probierte, den Reitmantel aus Friesstoff um die Schultern geworfen und den Hut tief in die Stirn gezogen, war die Wirkung so furchteinflößend, daß sich sein Mut beträchtlich hob. Beim Frühstück hatte er allerdings wenig Appetit. Doch er trank etwas Kaffee, aß eine Scheibe Schinken und nahm darauf Bedacht – falls sich Sir Gareth später nach ihm erkundigen sollte –, sich des langen und breiten vor dem gelangweilten, verschlafenen Kellner über seine Pläne für die vorgebliche Reise nach Wales auszulassen. Er erkundigte sich eingehend nach den Straßenverhältnissen und welche Städte er passieren werde. Schließlich erhob er sich von der Tafel, in der angenehmen Überzeugung, daß Sir Gareth, falls er irgendwelche Fragen stellen sollte, ganz bestimmt erfahren würde, daß sich Mr. Ross bereits vor einer Stunde auf den Weg nach Wales gemacht hatte, weil er möglichst weit zu kommen wünschte, ehe die Hitze des Tages seinen Ritt unangenehm gestaltete.

Aber Sir Gareth stellte keine Fragen. Seiner Erfahrung nach fiel es sehr jungen Leuten weit schwerer als älteren, frühmorgens aufzustehen. Wenn er Mr. Leigh Wetherby einlud, ihn auf dem Land zu besuchen, war er häufig gezwungen, die rücksichtslosesten Methoden anzuwenden, um seinen Neffen aus dem Bett herauszubringen. Daher hatte er gar nicht erwartet, Hildebrand am Frühstückstisch zu sehen.

Er freute sich, feststellen zu können, daß sich seine Gefangene offenbar in ihr Schicksal ergeben hatte. Sie ließ sich auf keine weiteren Auseinandersetzungen ein. Wenn ihre Miene auch noch unzufrieden war und die Blicke, die sie ihm zuwarf, abweisend, so war sie doch bereit, sich eines ziemlich reichlichen Frühstücks zu erfreuen. Er unterließ es taktvoll, etwas anderes als alltägliche Bemerkungen zu machen, auf die er eiskalte und meistens einsilbige Antworten erhielt.

Die Abreise verzögerte sich etwas durch die Verspätung, mit der sich der Postillon im »Weißen Löwen« zum Dienstantritt einfand. Der vorhergehende Tag war ihm als Ruhetag bewilligt worden, und er entschuldigte sich damit, er habe nicht gewußt, daß seine Dienste zu so früher Stunde benötigt würden. Im Gasthof befand sich kein Postmeister, da dort nur zwei Kutscher angestellt waren. Der Wirt vertraute Sir Gareth an, alle Postillons seien gleich: eine verwünschte Pest! Sie brauchten immer zweimal so lang, um ihre Pferde zurückzubringen, stritten ständig miteinander, und wenn man sie brauchte und sie bereit sein sollten, ihre weißen Kittel abzulegen und in den Sattel zu springen, stahlen sie sich ins Dorf. Auf diesen hier sei er besonders wütend, weil er die ganze Nacht ausgeblieben war.

Es gab aber eine Person, die wesentlich erleichtert gewesen wäre, hätte sie von dieser Pflichtvergessenheit gewußt. Es fiel Mr. Ross, der auf dem Ausflug nach einem geeigneten Hinterhalt die Straße nach Bedford entlangtrabte, nämlich plötzlich ein, daß der Postillon des »Weißen Löwen« seinen schönen Fuchs wiedererkennen mußte, den er in einer der Boxen des Gasthofes eingestellt hatte.

Die Chaise, die Sir Gareth zu mieten gezwungen war, erwies sich nicht nur als keines der leichten modernen Vehikel, sondern sie war auch miserabel gefedert. Sir Gareth, der die zornigen, beleidigten und anzüglichen Blicke bemerkte, die Amanda auf die abgenützten Sitzkissen warf, entschuldigte sich gebührend dafür, daß er sie in einem ihrer Würde völlig unzulänglichen Wagen nach Bedford bringen müsse, und versprach, sie in die smarteste und schnellste Chaise umsteigen zu lassen, die die beste Poststation Bedfords zu bieten hatte. Aber Amanda schnaubte nur verächtlich durch die Nase.

Sie war offenbar entschlossen, nicht nachzugeben, und da Sir

Gareth nicht den geringsten Wunsch hegte, zu so früher Stunde höfliche Konversation zu machen, unternahm er gar nicht den Versuch, sie aus ihrer schlechten Laune hervorzulocken, sondern lehnte sich in seine Ecke der Chaise zurück und sah müßig aus dem Fenster auf die vorbeiziehende Landschaft. Sie war allerdings nicht sehr bemerkenswert, denn die scheinbar wenig benützte Straße war schmal und wurde von ungleich hohen einzelstehenden Hecken umschlossen. Sie passierten nicht eine einzige Stadt, und die wenigen Dörfer, die sie zu sehen bekamen, bestanden lediglich aus einigen Hütten. Hie und da sah man einige Bauernhäuser und verschiedene schmale Sträßchen, kaum besser als Karrenwege. Gelangweilt von der einförmigen, uninteressanten Aussicht, wandte Sir Gareth nach einiger Zeit den Kopf und blickte zu Amanda hinüber. Es fiel ihm sogleich auf, daß der Ausdruck mürrischer Resignation aus ihrem Antlitz verschwunden war, und einen Augenblick später bemerkte er an ihr sogar eine unterdrückte Erregung. Eine reizende Röte war ihr in die Wangen gestiegen, ihre Augen blitzten, sie hatte sich kerzengerade aufgerichtet und ihre Hände, fest zusammengepreßt, im Schoß gefaltet.

»Amanda«, sagte Sir Gareth mit falschem Ernst, »welchen Unfug gedenken Sie jetzt wieder zu stiften?«

Sie schrak schuldbewußt zusammen. »Das werde ich Ihnen nicht verraten! Aber ich sagte Ihnen ja, ich werde dafür sorgen, daß Sie das, was Sie mir angetan haben, noch bereuen werden!«

Er lachte, unterließ es aber, sie wieder zu necken, denn er fragte sich, welchen phantastischen Plan sie wieder ausheckte, tat dies aber keineswegs mit dem Gefühl des Unbehagens. Bestimmt mußte er sie im Auge behalten, wenn sie die Reise zu einer kurzen Rast oder um einige Erfrischungen zu nehmen, unterbrachen, aber er vermutete eher, sie werde nicht nochmals versuchen, ihm zu entwischen, bevor sie London erreichten. Nun, die beiden, Beatrix und Miss Felbridge, würden wohl imstande sein, sie zu überwachen, bis er sie ihrem Großvater einhändigen konnte.

Er lag eben mit halbgeschlossenen Augen behaglich zurückgelehnt und gab sich der Hoffnung hin, während seiner Nachforschungen bei den Horse Guards nicht feststellen zu müssen, daß der Brigademajor die Stadt bereits verlassen habe, als ein lauter Schrei an sein Ohr drang und die Chaise knarrend und schwankend mit einem Ruck stehenblieb. »Was zum Teufel ...« rief er, setzte sich auf und blickte aus dem

Fenster, um festzustellen, aus welchem Grund der Postillon so plötzlich gehalten hatte.

Die Chaise war knapp hinter einer schmalen Straßenkreuzung stehengeblieben, und die Ursache war unverzüglich ersichtlich. Eine düstere Gestalt, eine Maske vor dem Gesicht und in einen weiten Mantel gehüllt, der ihre Umrisse verbarg, zielte mit einer silberbeschlagenen Pistole auf den bestürzten Postillon und drohte in erschreckend barschen Tönen, ihm eine Kugel durch den Kopf zu jagen, sollte er auch nur mit einem Augenlid zucken. Die Erscheinung saß auf einem schönen Pferd, schien jedoch Schwierigkeiten zu haben, ihr Tier zu beruhigen und gleichzeitig in korrekter Form mit der Pistole zu zielen.

Ein rascher Blick verriet Sir Gareth alles, was er zu wissen wünschte. Seine Lippen zuckten, als er sich nach Amanda umwandte und »Du kleine Teufelin!« sagte. Hierauf öffnete er die Tür und sprang behende aus der Chaise auf die Straße.

Das verwirrte Mr. Ross. Die Ereignisse spielten sich nicht ganz so ab, wie er erwartete. Er hatte ganz bestimmt einen hervorragenden Hinterhalt an der schmalen Kreuzung gefunden, und der Kutscher zögerte nicht, wenigstens dem ersten Teil seines Befehls: »Halt, Geld oder Leben!« zu gehorchen. Unglücklicherweise war Prinz, dem er mit rauhen Worten befahl, sich ruhig zu verhalten, nicht so gehorsam. Erstens war er nicht gewöhnt, daß man dicht über seinem Kopf wilde Schreie ausstieß, und zweitens fühlte er die ungewohnte Nervosität seines Herrn. Er wurde unruhig, trat hinter sich, tänzelte seitwärts und versuchte schließlich durchzugehen. Der jetzt völlig verstörte Mr. Ross war sich klar darüber, daß es Amanda sehr schwerfallen werde, das Tier zu besteigen, und wurde noch nervöser. Ein rascher Blick zeigte ihm, daß Amanda, anstatt unverzüglich durch die seitliche Tür der Chaise zu springen, Schwierigkeiten hatte, sie zu öffnen. Er hatte auch nicht damit gerechnet, daß Sir Gareth in so sorgloser Weise herausspringen würde. Es ging in der Tat einfach alles schief. Er stieg rasch ab und befahl Sir Gareth, stehenzubleiben, wo er war. Da er aber nicht wagte, die Zügel seines Pferdes loszulassen und nicht die Voraussicht gehabt hatte, nach links statt nach rechts abzusteigen, befand er sich dadurch in einer ungemein mißlichen Lage. Er versuchte, Sir Gareth mit der Pistole, die er in der Rechten hielt, in Schach zu halten, während ihm seine

Linke von Prinz, der sich durchzugehen bemühte, quer über die Brust gerissen wurde.

»Fuchteln Sie nicht so mit der Pistole herum, Sie junger Narr!« rief Sir Gareth.

»Hände hoch!« erwiderte Hildebrand. »Keinen Schritt weiter oder ich schieße!«

»Dummes Zeug! Jetzt ist es aber genug mit dem Unsinn! Vorwärts! Geben Sie mir augenblicklich Ihre Pistole!«

Als Hildebrand sah, daß Sir Gareth unbekümmert weiterging, trat er unwillkürlich einen Schritt zurück. Aus dem Augenwinkel bemerkte er, daß der Postillon aus dem Sattel geglitten und im Begriff war, ihn von rückwärts anzugreifen,; er versuchte, seine Stellung zu verbessern, um gleichzeitig auf beide Männer zu zielen; Prinz, nun völlig verschreckt, prallte mit ihm zusammen, und der unerwartete Stoß veranlaßte Mr. Ross, den Finger fester auf den Abzug der Pistole zu drücken. Es gab einen lauten Knall. Amanda schrie auf, der Postillon sprang zu seinen erschrockenen Pferden, Prinz bäumte sich auf und schnaubte vor Angst, Sir Gareth aber taumelte gegen das Rad der Chaise zurück und drückte eine Hand auf seine linke Schulter.

»Wie konnten Sie nur? Oh, wie konnten Sie das tun!« schrie Amanda, die fast aus der Chaise herausfiel. »Sie versprachen mir, es nicht zu tun! Nun sehen Sie, was Sie angerichtet haben! Sind Sie schwer verletzt, Sir? Oh, es tut mir so entsetzlich leid . . .!«

Sir Gareth vermochte sie nicht mehr völlig klar zu sehen. Die Welt wirbelte vor seinen Augen, seine Glieder gaben nach, und die Sinne begannen ihm zu schwinden; er begriff aber noch, was sich ereignet hatte, und es gelang ihm, ehe er das Bewußtsein verlor, noch ein Wort hervorzubringen: »Unfall . . .!«

Amanda warf sich neben ihm auf die Knie. Er war auf die linke Seite gefallen, und da sie bemerkt hatte, daß er seine Hand gegen diese Schulter preßte, bemühte sie sich, ihn unter Aufbietung ihrer ganzen Kraft auf den Rücken zu drehen. Sie sah sogleich das versengte Loch in seinem Rock, und was noch weit schrecklicher war, den ominösen dunklen Fleck, der sich rasch ausbreitete. Sie versuchte ihm den Rock von den Schultern zu zerren, aber Sir Gareths Röcke waren zu gut geschnitten. Sie rief: »Helft mir, einer von euch! Helft mir doch!« und begann mit fieberhafter Eile, Sir Gareths Halstuch aufzuknüpfen. Der Postillon zögerte. Seine Pferde, keineswegs feurige Tiere, hatten sich beruhigt, aber seine Augen richteten sich haßerfüllt auf den vermeintlichen Wegelagerer, und er schien eher geneigt, sich auf ihn zu stürzen, als Amanda zu Hilfe zu eilen. Sie drehte sich um, während ihre Hände Sir Gareths Halstuch zu einem Bausch falteten und wieder entfalten, und sagte wütend: »So helft mir doch!«

»Ja, Miss, aber ... soll man ihn denn laufen lassen?« sagte der Postillon, machte zögernd einen Schritt auf sie zu, wendete seinen glühenden Blick aber nicht von Hildebrand ab.

»Nein, nein«, stieß Hildebrand heiser hervor, »ich werde nicht – ich wollte nicht ...!«

»Ach, lassen Sie das! Kommen Sie hierher!« befahl Amanda und schob ihre Hand mit dem Bausch unter Sir Gareths Rock.

Der Postillon trat zu ihr, als er aber Sir Gareths Blässe und den blutgetränkten Rock sah, hielt er ihn für tot und murmelte unwillkürlich: »Gott, er ist verschieden!«

»Richten Sie ihn auf«, sagte Amanda und biß die Zähne zusammen, um sie am Klappern zu hindern. »Richten Sie ihn auf, und ziehen Sie ihm den Rock aus. Ich werde Ihnen dabei helfen, so gut ich kann, denn ich muß eine Hand auf seine Wunde gepreßt halten.«

»Ich bin für solche Sachen nicht zu gebrauchen, Miss!«

»Tun Sie, was ich Ihnen befehle!« sagte sie ärgerlich. »Er ist nicht tot, das weiß ich. Denn er blutet entsetzlich, und das wäre unmöglich, wenn er tot wäre. Beeilen Sie sich!«

Er warf ihr einen mitleidigen Blick zu, gehorchte aber. Er richtete Sir Gareth vorsichtig mit beiden Armen auf, und es gelang ihm mit Amandas Hilfe, ihm den Rock abzustreifen. Sie tat, was sie konnte, sie preßte ihre kleine Hand fest auf seine Wunde, aber sein Blut strömte dahin, färbte ihre Finger scharlachrot und tropfte auf ihr zartes Musselinkleid. Mr. Ross, der sein Pferd endlich unter Kontrolle hatte, wandte sich ihnen zu, um zu erfahren, in welcher Weise er behilflich sein könne, und gewahrte nun auch den furchtbaren Anblick. Mit zitternden Händen riß er seine improvisierte Maske herunter und warf sie zu Boden. Hätten Amanda oder der Postillon Zeit gehabt, ihn anzusehen, dann hätten sie bemerkt, daß sein Antlitz fast ebenso weiß war wie das seines Opfers. Seine ausgedörrten Lippen öffneten sich, er schluckte krampfhaft, taumelte einen Schritt vorwärts und sank lautlos auf die staubige Landstraße.

Der Postillon sah rasch auf, und der Mund blieb ihm vor Erstaunen offen. »Nun hol mich der Teufel!« stieß er hervor. »Du gütiger Gott, wenn der nicht ohnmächtig geworden ist! Das ist mir aber ein feiner Straßenräuber!«

»Knüpfen Sie ihm das Halstuch auf«, sagte Amanda, »rasch!«

Der Postillon meinte verächtlich: »Ach was, lassen Sie ihn liegen!«

»Ja, ja, aber bringen Sie mir sein Halstuch. Das hier genügt nicht. Oh – beeilen Sie sich doch! Beeilen Sie sich!«

Er dachte noch immer, die ganze Mühe wäre vergebens, aber er gehorche und verweilte nur so lange neben Hildebrands lebloser Gestalt, um die zweite Pistole aus dessen Satteltasche zu reißen und sie in seine eigene enganliegende Jacke zu stecken. Prinz bewegte sich unruhig, er warf den Kopf in die Höhe, aber die Ruhe der Postpferde schien sich auch auf ihn zu übertragen, und er blieb neben dem hingestreckten Körper seines Herrn stehen.

Amanda war es gelungen, das Dahinströmen des Blutes etwas einzudämmen, es quoll aber noch immer aus dem vollgetränkten Bausch hervor. Panik erfaßte sie. Der Postillon war jetzt wohl gehorsam, er begriff ihre Befehle aber nur langsam und schien außerstande, etwas aus eigenem Antrieb zu tun; Hildebrand, der ihr hätte zu Hilfe eilen sollen, war statt dessen ohnmächtig geworden und begann eben erst, ein Lebenszeichen zu geben. Wütend auf beide und außer sich vor Angst, wünschte sie sich nichts sehnlicher, als nach Herzenslust schreien zu können. Stolz und Eigensinn kamen ihr zu Hilfe: sie war die Tochter eines Soldaten und wollte auch die Frau eines Soldaten werden; und sich geschlagen geben, nein, das würde sie nie! Nach hartem Kampf, der sie krank und schwach werden ließ, kam sie nicht nur über ihre beginnende Hysterie hinweg, sondern sie zwang sich auch, ihr Entsetzen zu überwinden und sich zu konzentrieren. Sir Gareth war in die Achselhöhle getroffen worden, und ein viel größerer Bausch als der, den sie aus einem gefalteten Halstuch machen konnte, mußte auf die Wunde gepreßt und dort befestigt werden, bevor sie es wagen durfte, den Druck ihrer kleinen Hände zu lokkern. Sie blickte hilflos um sich, und einen Moment lang fiel ihr nicht das geringste ein; dann erinnerte sie sich, daß Sir Gareths Portemanteau hinter der Chaise angebunden war, und sie befahl dem Postillon, es loszubinden. »Hemden! Ja, Hemden! In seinem Portemanteau muß er doch Hemden haben! Und auch Halstücher, um ihn zu verbinden – holen Sie es!«

Der Postillon band das Portemanteau los, zögerte aber und sagte: »Es wird bestimmt versperrt sein!«

»Dann brechen Sie die Schlösser einfach auf«, sagte sie ungeduldig. »Ach, wenn nur jemand da wäre, der mir helfen könnte!«

Jetzt war aber Hildebrand wieder zu sich gekommen. Ihm war schrecklich übel und schwindlig, und seine Beine zitterten, aber bei Amandas angstvollem Ausruf raffte er sich zusammen. Das Blut stieg ihm ins Gesicht, und er sagte mühsam und schamerfüllt: »Ich werde es tun!« und begab sich taumelnd zu der Stelle, wohin der Postillon das Portemanteau gestellt hatte. »He, Sie!« sagte das Individuum aufgebracht. »Was? Das möchte Ihnen so passen! Sich einfach mit dem Hab und Gut des Gentleman davonzumachen, was?«

»Idiot!« Das Wort brach von Amandas Lippen. »Können Sie denn nicht verstehen, daß er gar kein Wegelagerer ist? Lassen Sie ihn zu dem Portemanteau! Ich – ich befehle es Ihnen!«

Das klang so wütend, daß der Postillon instinktiv gehorchte. Das Portemanteau war nicht versperrt, und Hildebrand hob den Deckel mit zitternden Händen und begann, in Sir Gareths Effekten herumzuwühlen. Er fand Hemden und eine ganze Menge Halstücher und einen großen Schwamm, bei dessen Anblick Amanda ausrief: »Oh ja, ja! Knüpfen Sie ihn fest, ganz fest in ein Hemd, und bringen Sie ihn mir her. Oder nein, geben sie das Ganze dem Postillon, und was Sie auch tun, Hildebrand, schauen Sie nicht hierher, sonst werden Sie wieder ohnmächtig, und damit können wir keine Zeit vertrödeln.«

Er war zu überwältigt, um ihr zu antworten. Obwohl er nicht wagte, seine Augen zu ihr abirren zu lassen, konnte er, was sie von ihm verlangte, doch ausführen, ja, er knüpfte sogar einige Halstücher zusammen. Amanda und dem Postillon gelang es gemeinsam, den improvisierten Verband auf der Wunde festzubinden; während sie arbeiteten, verlangte Amanda, er solle ihr sagen, wo sich der nächste Gasthof oder das nächste Haus befinde. Dem Postillon fiel zunächst nichts ein, was sich näher als das etwa acht Meilen entfernte Bedford befand, nachdem sie ihn aber ziemlich scharf angefahren hatte, seinen Verstand gefälligst zusammenzunehmen, erklärte er, daß sich ein kleiner Gasthof in Little Staughton befinde, etwa eine Meile von der Straßenkreuzung entfernt. Er fügte hinzu, daß er aber für eine Persönlichkeit wie Sir Gareth nicht geeignet sei. Hierauf erreichte Amanda einen gefährlichen Gipfel der Verzweiflung und sagte ihm, daß er ein ausgemachter Trottel sei, eine wenig damenhafte Äußerung, die sie dem Wortschatz ihres Großvaters entnommen hatte und die den Postillon nicht wenig überraschte. Sie befahl ihm, das Portemanteau wieder festzuschnallen, und während er dies tat, wandte sie ihre Aufmerksamkeit Hildebrand zu, dem sie mitteilte, daß er helfen müsse, Sir Gareth in die Chaise zu heben. »Es hat keinen Zweck, mir zu sagen, daß Sie es nicht können – Sie müssen es einfach tun!« sagte sie streng. »Und ich verbiete Ihnen, ohnmächtig zu werden, bevor Sir Gareth sicher untergebracht ist. Dann können Sie es wieder tun, wenn es Ihnen Spaß macht. Ich kann aber Ihretwegen nicht hier bleiben. Sie müssen also selbst für sich sorgen. Ich habe nicht die geringsten Gewissensbisse, Sie allein zu lassen, denn Sie sind an dem ganzen Unglück schuld, und jetzt, da Sie sich in dieser Klemme befinden, kriegen Sie es mit der Angst zu tun! Das bringt mich restlos gegen Sie auf!«

Der unglückliche Hildebrand stotterte. »N-natürlich helfe ich, ihn hineinzuheben. Ich w-will doch nicht ohnmächtig werden, ich kann doch nichts dafür.«

»Sie könnten alles, wenn Sie nur etwas mehr Mut hätten!« sagte sie.

Diese erfrischend robuste Behandlung tat ihre Wirkung. Er schauderte zwar, als seine Blicke auf den blutgetränkten Rock fielen, er wandte sie aber eiligst ab, würgte das Gefühl aufsteigender Übelkeit tapfer hinunter und betete insgeheim, daß er sich nicht neuerlich blamiere. Sein Gebet wurde erhört. Als man Sir Gareth so behutsam wie möglich in die Chaise gehoben hatte, wo ihn Amanda empfing, befand sich Hildebrand noch immer auf den Beinen. Dieser unerwartete Triumph brachte es zuwege, daß er sich ein Herz faßte; plötzlich verschwand auch die Armesündermiene und er erklärte, daß er vorausreiten werde, um die Wirtsleute im Gasthof zu verständigen, daß sie das Haus für einen Schwerverwundeten herzurichten haben. Amanda stimmte diesem Vorschlag lebhaft zu, aber der Postillon, der Hildebrand noch immer für einen gefährlichen Räuber hielt, widersetzte sich und ging sogar so weit, die Pistole aus seiner Jacke zu ziehen. Er erklärte, Hildebrand müsse unmittelbar vor ihm reiten, damit er ihm eine Kugel nachschießen könne, falls er davonzugaloppieren versuche.

»Was sind Sie doch für ein entsetzlich dummes Geschöpf!« rief Amanda. »Das alles war doch nur ein Scherz – eine Wette! Ach, ich kann es Ihnen jetzt nicht erklären, aber Sir Gareth wußte, daß es ein Unfall war. Sie haben doch selbst gehört, wie er es sagte! Ja, und Sie glauben doch nicht im Ernst, daß er einen wirklichen Straßenräuber einen jungen Narren nennen würde, nicht wahr? Beweist Ihnen das nicht, daß er ihn kennt? Er will auch gar nicht entfliehen, denn er hat, wie ich Ihnen versichern kann, Sir Gareth außerordentlich gern. Reiten Sie sofort, Hildebrand! Und Sie, steigen Sie auf ihr Pferd und folgen Sie ihm – und, o bitte, bitte, fahren Sie behutsam!«

«Schießen Sie auf mich, wenn Sie wollen«, sagte Hildebrand und griff nach dem Zügel seines Pferdes. »Es ist mir egal! Jedenfalls ist es mir lieber, als gehenkt oder verbannt zu werden!«

Mit diesen sorglosen Worten bestieg er Prinz, setzte ihm die Fersen in die Flanken und raste die Straße entlang.

Die Chaise folgte in einem weit langsameren Tempo, die Straße war aber so schmal, daß es dem Postillon unmöglich war, die vielen Schlaglöcher zu vermeiden. Das einzige, was er tun konnte, wenn er ein besonders großes Loch sah, war, die Pferde zu ganz langsamer Gangart zu zügeln, um den Stoß so gut es ging zu mildern. Aber es nützte nichts, die kurze Fahrt war schrecklich holperig. Amanda hielt ihren besorgten Blick auf den Verband gerichtet, entsetzt bei dem Gedanken, daß der Schwamm sich verschieben und die Blutung von neuem beginnen könnte. Es war für einen so hochgewachsenen Mann unmöglich, in einer Chaise ausgestreckt zu liegen, aber Amanda hatte ihre Arme um Sir Gareth geschlungen, seinen Kopf auf ihre Schulter gestützt, und versuchte, ihn vor den zahlreichen Stößen so gut sie konnte zu schützen. Sie bildete sich ein, sein Herz ganz schwach unter ihrer Hand schlagen zu fühlen, was für ihre überreizten Nerven eine so große Erleichterung war, daß ihr die Dankestränen in die Augen traten, die unbeachtet ihre Wangen hinabrollten.

Als sie bemerkte, daß der Verband hielt, und ihre größte Angst sich gelegt hatte, war sie auch imstande, sich all den andern Sorgen zu widmen, die mit ihrer Lage verknüpft waren. Das wichtigste Erfordernis war es wohl, Hildebrand vor den Konsequenzen seiner Torheit zu retten. Sie neigte nicht sehr zu Selbstvorwürfen, aber darüber konnte kein Zweifel bestehen, daß sie bis zu einem gewissen Grade für den Unfall mitverantwortlich war. Es stimmte, daß sie Hildebrand das Versprechen abgenommen hatte, seine Pistole nicht abzufeuern, jetzt sah sie aber ein, wie dumm es gewesen war, sich darauf zu verlassen, daß er in einem kritischen Augenblick seine Kaltblütigkeit behielt. Wenn sie auch niemand – oder jedenfalls niemand mit dem geringsten Sinn für Gerechtigkeit – dafür verantwortlich machen konnte, seine ihr angebotenen Dienste akzeptiert zu haben, fühlte sie dennoch, wie sehr sie zu tadeln war, einem Plan zugestimmt zu haben, der den armen Sir Gareth möglicherweise in Lebensgefahr gebracht hatte. Wenn sie Sir Gareths Charakter nicht so verleumdet hätte, dann hätte sich's Hildebrand nie träumen lassen, die Chaise zu überfallen; und daß sie seinen Charakter verleumdet hatte, erfüllte sie jetzt mit einer ihr ganz ungewohnten Reue. Es erschien ihr tatsächlich viel schlimmer als alles übrige, denn sowie er bewußtlos zu Boden sank, war ihr Groll gegen ihn geschwunden, und sie sah in ihm nicht mehr den grausamen Störenfried, sondern ihren gütigen, grenzenlos langmütigen Beschützer. Aber nach alldem, was sie Hildebrand erzählt hatte, konnte er das – wie sie sich eingestand – nicht erraten. Wie töricht es auch sein mochte, daß er nicht auf den ersten Blick erriet, welch ein in jeder Hinsicht bewunderungswürdiges Wesen Sir Gareth war, wäre es ungerecht, wenn er für seine Torheit eine so schreckliche Strafe erleiden solle. Denn mit dem einzigen Wort, das leicht sein letztes auf Erden hätte sein können, hatte er Hildebrand entlastet. Der Gedanke an diese vornehme Großmut rührte sie derart, daß sie laut ausrief: »Oh, hätte ich nur keine so schrecklichen Lügen über ihn erzählt! Ich allein bin an all dem Unglück schuld!«

Sir Gareth jedoch vermochte sie nicht zu hören, und es war zwecklos, ihm einzugestehen, wie tief sie es bereute. Die praktische Seite ihrer Natur verschaffte sich Geltung, und sie dachte, selbst wenn er nicht bewußtlos wäre, würde ihre Reue die ganze Sache auch nicht verbessern. Da sie es nicht wagte, die Arme zu bewegen, die ihn umschlangen, konnte sie ihre Tränen nicht trocknen. Schließlich hörte sie auf zu weinen. Sie zwang sich, darüber nachzudenken, was zunächst zu geschehen hatte. Ihre Arme schmerzten unerträglich, aber das war unwichtig. Wichtig war, Hildebrand vor den Krallen des Gesetzes zu schützen. Er war zwar töricht und besaß keinen Mut – aber sie benötigte seine Dienste.

Als die Chaise in das Dörfchen einrollte, hatte sie sich wieder völlig in der Hand und wußte genau, was zu geschehen hatte. Ihr Gesicht war wohl noch tränenüberströmt, aber der Wirt des Gasthofs »Zum Bullen«, der, entsetzt über den unzusammenhängenden Bericht, den er einem todblassen Gentleman, der sich selbst am Rande eines Nervenzusammenbruchs fand, entrissen, hatte eine hysterische junge Dame zu empfangen erwartet. Er gewahrte alsbald, daß Amanda aus weit kräftigerem Stoff gemacht was als Hildebrand. Sie mochte wie ein Kind aussehen, aber in der Art, wie sie das Kommando über die Durchführung ihrer Befehle übernahm, war nichts Kindliches. Unter ihrer mißtrauischen Überwachung trugen der Wirt und der Postillon Sir Gareth in ein unter dem Dach gelegenes Schlafzimmer, über eine steile enge Treppe hinauf, und legten ihn auf ein Bett. Unterdessen befahl sie Hildebrand in erregtem Flüsterton, kein Wort zu sprechen und alles ihr zu überlassen. Sie verlangte von der Wirtin genaue Auskunft, wo der nächste Arzt sich befinde, und nachdem sie in Erfahrung gebracht hatte, daß die erschrockene Frau keinen andern Arzt kannte als Dr. Chantry, der auch den Squire behandelte und in Eaton Socon lebte, befahl sie Hildebrand, sich unverzüglich aufs Pferd zu schwingen und schnell wie der Wind zu reiten, um den Arzt an das Lager Sir Gareths zu holen.

»Ja, natürlich«, sagte Hildebrand eifrig, »aber ich weiß nicht, wie ich dorthin kommen oder – oder wo ich den Arzt suchen soll – oder was ich tun soll, wenn er nicht zu Hause ist.«

»Ach, bemühen Sie sich doch, etwas weniger hilflos zu sein«, rief Amanda. »Die Frau hier wird Ihnen genau sagen, wo er wohnt, und wenn er nicht zu Hause ist, dann werden Sie ihm eben nachreiten – aber wagen Sie es nicht, *ohne* ihn wiederzukommen!« Damit wandte sie sich an Mrs. Chicklade und sagte: »Erklären Sie ihm genau, in welche Richtung er reiten soll, denn Sie sehen ja selbst, wie dumm er ist.«

»Ich bin nicht dumm«, erwiderte Hildebrand wütend, »ich war eben noch nie im Leben in diesem Teil des Landes. Ich weiß nicht einmal, in welche Richtung ich reiten soll.«

»Nein!« erwiderte Amanda, schon halbwegs auf der steilen Stiege. »Ich weiß es auch nicht, aber ich würde nicht dastehen und dreinschauen wie ein Dummkopf und immer nur fragen – wie – wo – was?« Damit eilte sie davon und ließ ihn kochend vor Wut zurück. Jetzt war er aber unbeugsam in seiner Entschlossenheit, ihr seinen Wert zu beweisen.

Ins Krankenzimmer zurückgekehrt, fand Amanda, daß der Wirt eben den Verband Sir Gareths fester wickelte und den Postillon anwies, aus dem Schlafzimmer etwas Brandy zu holen. Sie stellte dankbar fest, daß sie in diesem großen schweigsamen Mann einen Helfer gefunden hatte, der offenbar aus eigener Initiative zu handeln verstand, und sie fragte ihn ängstlich besorgt, ob er glaube, daß Sir Gareth am Leben bleiben werde.

»Das kann man nicht sagen, Miss«, erwiderte er wenig ermutigend. »Bisher hat er nicht aufgehört zu atmen – aber er hat sehr viel Blut verloren. Wollen sehen, ob wir ihm einen Tropfen Brandy einflößen können.«

Doch als der Postillon, dicht gefolgt von Mrs. Chicklade, mit dem Stärkungsmittel zurückgekehrt war, halfen alle Bemühungen nichts, denn der Brandy floß Sir Gareth wieder bei dem Mundwinkel heraus. Der Wirt hielt die ganze Prozedur für eine empörende Verschwendung seines guten Schnapses, stellte das Glas nieder und erklärte, man könne jetzt nichts anderes tun, als um den Arzt schicken. Als Amanda ihm mitteilte, daß sie Hildebrand bereits eiligst auf den Weg geschickt hatte, gab der Postillon seiner Mißbilligung mit lauten Worten Ausdruck. Er sagte, daß man den jungen Taugenichts nie wieder sehen werde, und erging sich sogleich weitschweifig in einer detaillierten Darstellung des Überfalles. Bis zu diesem Augenblick hatten die Chicklades nicht mehr von der Sache gewußt als das, was sie von Hildebrand erfahren hatten, und das war sehr wenig. Die befremdliche Geschichte, die ihnen jetzt eröffnet wurde, überzeugte Mrs. Chicklade unverzüglich, daß sie nur zu recht gehabt hatte, als sie ihrem Gatten eifrig abriet, mit diesem schwerverwundeten Mann etwas zu tun zu haben. Vom ersten Augenblick an, als sie Hildebrand nur ansah, hatte sie gewußt, daß mit ihm etwas nicht stimmte. Und was Amanda betraf, so wüßte sie gerne, wieso sie ein Herz und eine Seele mit einem solchen Mordgesellen war?

»Ich wäre Ihnen dankbar, wenn Sie endlich aufhören würden, ihn für einen Straßenräuber zu halten«, sagte Amanda. »Es war doch alles nur Theater – nichts als ein Scherz!«

»Ein Scherz?!« fragte Mrs. Chicklade empört.

»Ja. Ich sagte es doch. Er hatte niemals die Absicht, die Pistole abzufeuern. Er hatte es mir sogar feierlich versprochen!«

»Wozu nahm er sie dann in die Hand und spannte den Hahn, wenn er sie nicht abzufeuern beabsichtigte, Miss?« fragte der Postillon scharfsinnig.

»Ach, das war nur für den Fall, daß Sie nicht stehengeblieben wären«, erklärte Amanda. »Er wollte über Ihren Kopf schießen, um Sie zu erschrecken. Obwohl ich zuerst nichts davon wissen wollte, muß ich gestehen, daß es mir jetzt außerordentlich leid tut. Denn wenn er es getan hätte, wäre das ganze Unglück nicht passiert.«

»Das ist aber die Höhe!« rief Mrs. Chicklade. »Was?! Sie sind ja ebenso schlecht wie er! Ich glaube überhaupt, ihr beide seid miteinander im Einverständnis gewesen, um den armen Gentleman auszurauben, und ich möchte nur wissen, wie es Ihnen gelungen ist, sich in seine Gesellschaft einzudrängen; denn daß Sie das getan haben, ist sonnenklar, das sieht Ihnen ganz ähnlich – ein frecheres Stück als Sie habe ich meinen Lebtag nicht gesehen!«

»Jetzt ist es aber genug«, ließ sich der Wirt mit seiner tiefen Stimme vernehmen. »Ich gebe zu, daß das Ganze äußerst befremdlich ist, aber, meine Liebe, du hast kein Recht, mit der jungen Dame in dieser beleidigenden Weise zu sprechen. Wer ist dieser Gentleman, Fräuleinchen?«

»Das kann ich Ihnen sagen«, rief der Postillon diensteifrig. »Es ist Sir Gareth Ludlow, ein sehr vornehmer Gentleman; die beiden haben die letzte Nacht in Kimbolton verbracht. Er engagierte mich, um sie nach Bedford zu fahren.«

Der Wirt sah Amanda nachdenklich an. »Nun, Miss, Sie sind nicht seine Frau, weil Sie keinen Ring am Finger tragen; er sieht mir aber nicht alt genug aus, um Ihr Vater, und wiederum nicht jung genug, um Ihr Bruder zu sein. Wie steht es also damit?«

»Ja, beantworten Sie das nur – wenn Sie können«, sagte Mrs. Chicklade.

»Er ist mein Onkel« erwiderte Amanda ruhig. »Und er ist auch der Onkel von Mr. Ross. Das ist nämlich der junge Mann, der auf ihn geschossen hat, aber es war nur ein unglücklicher Zufall. In Wirklichkeit sind Mr. Ross und ich Cousins, und es ist ganz richtig, daß wir ein Herz und eine Seele waren – aber nur, um Sir Gareth einen Streich zu spielen. Sir Gareth erkannte ihn auch sogleich, und da er, wie ich glaube, wußte, daß man meinen Cousin keine Pistole anvertrauen kann, sagte er ihm auch, er solle nicht damit herumfuchteln, und daß er ein dummer Junge sei. Stimmt das nicht?«

Ja – a«, erwiderte der Postillon widerwillig. »Aber . . .«

»Und als Sie von Ihrem Pferd abstiegen, glaubte mein Cousin

natürlich, daß Sie ihn angreifen wollten, und das war die Ursache des Unfalls. Denn das verwirrte ihn – und dann wurde sein Pferd so schrecklich unruhig – und mittendrin ging plötzlich die Pistole los. Er hatte nie und nimmer die Absicht, auf Sir Gareth zu schießen. Er sah nicht einmal in seine Richtung!«

»Er rief dem Gentleman zu: ›Keinen Schritt näher oder ich schieße‹, ja, das sagte er. Und was noch weit ärger ist: er drohte, er werde mir eine Kugel durch den Kopf jagen.«

»Langsam komme ich zu der Überzeugung, daß es jammerschade ist, daß er es nicht getan hat«, sagte Amanda. »Ich bin es müde, mit jemandem zu sprechen, der so dumm und verbohrt ist! Hätten Sie nur eine Spur gesunden Menschenverstand, dann wüßten Sie, daß er leicht hätte entkommen können, als Sie mir behilflich waren, Sir Gareth mit den Halstüchern zu verbinden. Und hätte er wirklich beabsichtigt, Sir Gareth zu erschießen, dann wäre er nicht in so lächerlicher Weise ohnmächtig hingefallen. Und daß er ohnmächtig wurde, wissen Sie ganz genau.«

»Er wurde ohnmächtig?« fragte der Wirt. »Nun, das überrascht mich nicht. Er sah todkrank aus, als er hier hereinstürzte. Es erscheint mir sehr glaubhaft, daß sich alles so zugetragen hat, wie Sie sagen, Miss, aber es hat keinen Sinn, darüber zu streiten, wie der wahre Sachverhalt ist. Martha, meine Liebe, du führst die junge Dame jetzt in das zweite Schlafzimmer, wo sie das Blut von ihren Händen waschen und ein sauberes Kleid anziehen kann. Nachdem du das getan hast, legst du einen Ziegelstein in den Ofen, weil sich der Gentleman sehr kalt anfühlt. Und was dich betrifft, junger Mann, so kannst du das Gepäck holen und mir dabei helfen, ihm die Kleider auszuziehen, damit er sich zwischen den Bettdecken erwärmen kann.«

Amanda warf einen besorgten Blick auf Sir Gareth, da ihr aber zu seiner Wiederbelebung nichts einfiel und der Wirt vertrauenswürdig schien, ließ sie sich von der mißmutigen Wirtin in das benachbarte Zimmer führen.

Als Hildebrand in den Gasthof zurückkehrte und ankündigte, daß ihm der Arzt so rasch nachfolgte, als er es mit seinem Gig bewerkstelligen konnte, hatte Amanda nicht nur ihr Kleid gewechselt, sondern sich in Mrs. Chicklade eine noch heftigere Feindin geschaffen, weil sie von ihr für Joseph Milch verlangte. Mrs. Chicklade erklärte, sie könne Katzen nicht ausstehen und wolle in ihrer Küche kein vertracktes

Kätzchen haben, das ihr beständig zwischen die Füße geriet. Dennoch bekam Joseph seine Milch, da ihr Mann, der wissen wollte, ob der Ziegelstein noch nicht heiß genug ist, sie streng ermahnte, nicht so ungefällig zu sein.

Chicklade berichtete, daß Sir Gareth, als man ihm die Stiefel auszog, kurze Zeit aus seiner Bewußtlosigkeit erwacht sei. Er hatte etwas Unverständliches gemurmelt und war wieder in Bewußtlosigkeit zurückgesunken, ehe man ihn dazu bringen konnte, etwas von dem Brandy zu schlucken. Chicklade bezeichnete es aber als vielversprechend, daß er überhaupt ein Lebenszeichen gegeben hatte, wenn es auch nicht länger als eine Minute gewesen war. Hildebrand kam noch zurecht, um die freudige Botschaft mitanzuhören. Seine Angst, er könnte den Gasthof erreichen, nur um zu erfahren, daß Sir Gareth gestorben sei, war so groß gewesen, daß er in Tränen ausbrach. Dieses übermaß an Feingefühl trug nicht dazu bei, ihn Amanda zu empfehlen – es erleichterte aber die unerträgliche Spannung seiner Nerven. Nach wenigen Minuten war er jedoch wieder imstande, sich in leidlicher Haltung über die Ereignisse berichten zu lassen, die sich in seiner Abwesenheit zugetragen, und daß er zwei neue Verwandte erworben hatte.

»Haben Sie das alles auch richtig verstanden?« fragte Amanda ängstlich. »Sir Gareth ist unser beider Onkel, und Sie überfielen ihn, weil wir zusammen den Plan ausheckten, ihm einen Streich zu spielen.«

Er war weit davon entfernt, zu verstehen, aber er nickte und fügte in hoffnungslosem Ton hinzu, Sir Gareth werde ihn, wenn er wieder zu Bewußtsein kam, prompt verleugnen.

»Er wird das selbstverständlich nicht tun«, sagte Amanda. »Er ließe sich's nie träumen, etwas so Unschönes zu tun.«

Diese Bemerkung war ihm völlig unverständlich, aber ehe er sie um eine Aufklärung bitten konnte, trat der Arzt ein, und er wurde sich selbst überlassen, um einsam darüber nachzugrübeln.

Der Arzt war überrascht, von einer so jugendlichen Dame empfangen zu werden. Wenn er es auch ohne weiter zu fragen zur Kenntnis nahm, daß sie die Nichte des Patienten war, so vermutete er doch, in Mrs. Chicklade eine weit tüchtigere Hilfe zu finden, falls er gezwungen wäre, einen chirurgischen Eingriff vorzunehmen. Als er aber sah, was sie für Sir Gareth bereits getan hatte, überlegte er sich's. Während er seine Tasche auspackte und Chicklade hinunterging, um eine Schüssel mit heißem Wasser zu holen, legte er ihr eine Menge Fragen über den Hergang des Unfalls vor, wobei er ihr hie und da einen neugierigen Blick unter den buschigen Augenbrauen zuwarf. Schließlich erklärte er sie für eine höchst bemerkenswerte junge Dame und bat sie um Vergebung, weil er ihren Mut und ihre Tapferkeit bezweifelt hatte.

Im weiteren Verlauf war das Suchen und Entfernen der Kugel ein Anblick, der ihre Tapferkeit auf eine starke Probe stellte, und es gelang ihr nur mit äußerster Willensanstrengung, an Sir Gareths Seite auszuharren und Dr. Chantry die verschiedenen Instrumente und Charpietupfer zu reichen, nach denen er von Zeit zu Zeit verlangte. Unter den Händen des Arztes erlangte Sir Gareth sein Bewußtsein wieder und ließ ein Stöhnen hören, das Amanda vor Mitleid erbeben ließ. Der Arzt sprach ihm aufmunternd zu, und er öffnete die Augen. Nach einem Augenblick völliger Verwirrung schien er zu begreifen, was ihm widerfahren war, denn er sagte leise, aber vollkommen klar und verständlich: »Ich erinnere mich! Der Junge kann nichts dafür!«

Der Arzt wies Chicklade an, Sir Gareth zu stützen, aber nach wenigen Minuten verlor er wieder das Bewußtsein.

»So ist's recht. Ganz gut so«, grunzte Dr. Chantry, als der ziemlich beunruhigte Chicklade seine Aufmerksamkeit auf diesen Umstand lenkte. »Sie sitzt verteufelt tief, das kann ich Ihnen sagen. Hat keinen Sinn, den armen Kerl zu sich zu bringen, ehe ich ihn nicht so verbunden habe, daß er sich halbwegs wohlfühlt.«

Es schien Amanda sehr lange zu dauern, ehe auch die letzten Handgriffe getan waren, und sie hielt es für ausgeschlossen, daß sich Sir Gareth halbwegs wohlfühlen könnte. Der Arzt teilte ihr mit, daß die Kugel durch Gottes Gnade keinen lebenswichtigen Teil getroffen habe, was sie sehr hoffnungsfroh stimmte, bis er hinzufügte, daß vorläufig niemand sagen könne, wie sich der Fall weiterentwickeln werde. Er hege aber die größte Hoffnung, daß bei völliger Ruhe und guter Pflege alles gut würde.

»Aber nicht wahr, er muß nicht sterben?« fragte Amanda beschwörend.

»Ich hoffe nicht, meine junge Dame, aber es ist eine sehr häßliche Wunde, und außerdem hat er sehr viel Blut verloren. Ich kann Ihnen das eine sagen: hätten Sie nicht so viel Geistesgegenwart besessen, so wäre er jetzt nicht mehr am Leben.«

Amanda, die sich immer danach gesehnt hatte, die Rolle einer Heldin zu spielen, hielt sich jetzt nur für wenig besser als eine Mörderin und sagte, während sie das Lob ungeduldig abwehrte: »Sagen Sie mir ganz genau, was ich zu tun habe, damit er wieder gesund wird. Sagen Sie mir *alles*, was ich tun muß.«

Er klopfte ihr auf die Schulter. »Nein, nein, meine Liebe, Sie sind viel zu jung! Na, na, kränken Sie sich nur nicht! Ich nehme ja nicht an, daß es Komplikationen geben wird, aber was wir jetzt brauchen, ist eine geschulte Pflegerin.«

»Ich werde um Mrs. Bardfield schicken, Sir«, sagte Chicklade.

»Ach ja, die Hebamme! Gut, eine ausgezeichnete Idee. Im Augenblick kann man wenig mehr tun, als dafür sorgen, daß er sich ruhig verhält. Ich werde meinen Jungen mit einem Herzmittel herüberschikken und mit etwas Laudanum, im Falle er unruhig werden sollte. Ich habe ihm etwas gegeben, damit er ruhig schläft, aber wenn sich die Wunde entzünden sollte, könnte er bald Fieber bekommen. Das soll jedoch kein Grund sein, sich übertrieben zu beunruhigen. Seien Sie also ganz unbesorgt, ich komme am Abend wieder, um nach ihm zu sehen.«

14

Amanda blieb noch lange, nachdem sich der Arzt entfernt hatte, neben Sir Gareths Krankenlager sitzen. Ihrer Ansicht nach konnte Dr. Chantry den Vergleich mit den Mitgliedern seiner Fakultät, die ihr vor ihm unter die Augen gekommen waren, nicht aushalten. Sie bemerkte aber doch, daß das Medikament – was es auch gewesen sein mochte –, das er seinem Patienten gegeben, ihm zweifellos guttat. Er war zwar noch immer erschreckend blaß, doch lag er nicht mehr in dieser totenähnlichen Bewußtlosigkeit. Jetzt schien er tief zu schlafen, nur von Zeit zu Zeit zuckte seine Hand, die auf der Bettdecke lag, oder er bewegte seinen Kopf auf dem Kissen unruhig hin und her.

Gegen Mittag kam Chicklade leise ins Zimmer und flüsterte ihr zu, daß Mrs. Bradfield unten sei. Sie war vom anderen Ende des Dorfes gekommen, um einen Blick auf den Patienten zu werfen.

»Sie wird die Nachtwache übernehmen, Miss. Der Arzt sagte, daß er jetzt eine Zeitlang nichts benötigen wird, und so zweifle ich nicht, daß wir bis zur Dinnerzeit recht gut zurechtkommen werden. Soll ich sie jetzt heraufbringen, damit sie selbst sieht, wie es dem Gentleman geht?«

Amanda gab bereitwillig die Erlaubnis. In einer Notlage handelte sie nicht nur mutig, sondern auch mit einem angeborenen Sinn für das, was unbedingt erforderlich war. Angesichts eines Krankenlagers gestand sie sich ihre Unwissenheit auf diesem Gebiet ein. Sie erhob sich mit dankbarer Miene, um eine in der Krankenpflege erfahrene Frau zu begrüßen.

Leider erlitt sie alsbald einen schweren Umschwung ihrer Gefühle. Die Frau, die jetzt die Treppen heraufkeuchte und das Zimmer mit schwerem Schritt betrat, war keineswegs danach angetan, durch ihre Erscheinung Vertrauen einzuflößen. Sie war ungeheuer beleibt, und wenn sie auch, nach ihrem einschmeichelnden Lächeln zu urteilen, gutmütig zu sein schien, hielt Amanda ihr Gesicht nicht für sehr einnehmend. Ihr gefiel weder der Ausdruck ihrer seltsam unruhigen Augen noch ihr Unvermögen, länger als einen Moment bei einer Sache zu bleiben. Das Tuch, das sie unter einer riesigen Haube trug, war keineswegs sauber, und ein unangenehmer Geruch strömte von ihrer Person aus, dessen vordringlichste Elemente Zwiebeln, kalter Schweiß und billiger Schnaps waren. Der Boden erzitterte unter ihren schweren Tritten, und als sie sich über Sir Gareth beugte, sagte sie mit so salbungsvoller Stimme, daß sie Amanda mit Ekel erfüllte: »Ach, der arme Liebling!« Hierauf legte sie ihre Hand auf seine Stirn und fuhr fort: »Nein, er hat kein Fieber, und das ist ein gutes Zeichen, aber er sieht todkrank aus.« Dann ordnete sie seine Kissen mit derber Gutmütigkeit, und ebenso rücksichtslos zog sie seine Decken zurecht. Er war durch das Schlafmittel zu schwer betäubt, um zu erwachen, aber Amanda ertrug es nicht länger, mitansehen zu müssen, wie Mrs. Bardfields rauhe und nicht zu sauberen Hände ihn berührten. Sie rief scharf: »Nicht! Lassen Sie ihn in Ruhe!«

Mrs. Bardfield war an nervöse Ausbrüche der Verwandten kranker Personen gewöhnt, sie lächelte nachsichtig und meinte: »Du gütiger Himmel, meine Liebe, Sie werden sich jetzt, wo ich hier bin, doch nicht mehr ängstigen! Habe bereits viele Gentlemen gepflegt, ja sogar aufgebahrt habe ich sie! Ich will jetzt ein wenig bei ihm bleiben, weil

Mr. Chicklade für Sie und den jungen Gentleman zum Gabelfrühstück ein schönes Stück kaltes Fleisch und Mixed Pickles hergerichtet hat und dazu eine Kanne heißen Tee. Das wird Ihnen guttun, und Sie können ganz unbesorgt sein, denn Sie wissen Ihren armen Onkel doch in guten Händen.«

Es gelang Amanda, ihr wenn auch mit erstickter Stimme zu danken, und sie floh die Treppen hinab, um Hildebrand zu suchen. Er erwartete sie im kleinen Salon; als er ihre verstörte Miene sah, stürzte er ihr entgegen und rief entsetzt: »Gütiger Gott, was ist geschehen? Geht es ihm schlechter?«

»Nein, nein! Ich hätte ihn nicht alleingelassen, wenn es ihm nicht besser ginge. Es ist nur wegen dieses ekelhaften alten Weibes! Hildebrand, hören Sie, sie soll ihn nicht anrühren! Ich werde das auf keinen Fall dulden! Sie ist so schmutzig und grob, und sie hat gesagt, daß sie die Leute aufbahrt!«

»Ja, ich weiß – ich habe sie gesehen und ich muß gestehen – aber was sollen wir tun, wenn Sie sie hinauswerfen? Sie können Sir Gareth ja doch nicht pflegen, und Mrs. Chicklade scheint sehr unliebenswürdig zu sein, so daß ich nicht glaube –«

»O nein! Ich weiß genau, was ich tun sollte, nur geht es leider nicht. Ich kenne nicht einmal ihren Namen. Ich meine – seine Schwester. Ich habe mich statt dessen für etwas anderes entschlossen. Lady Hester soll herkommen, und ich glaube, sie wäre dazu bereit, denn sie ist sehr gütig, und sie sagte mir, sie würde mir immer gerne helfen . . . Außerdem erzählte mir Mr. Theale, daß Sir Gareth ihr einen Heiratsantrag machen will, ich weiß allerdings nicht, ob es wahr ist. Aber vielleicht ist es doch wahr, und sie würde sich's sogar wünschen, daß ich um sie schicke. Also . . .«

»Er will ihr einen Heiratsantrag machen?« unterbrach Hildebrand. »Aber Sie sagten doch, daß er fest entschlossen ist, Sie zu heiraten!«

»Ja, ich weiß, daß ich das sagte – aber es ist nicht wahr. Ich kann gar nicht verstehen, daß Sie es auch nur einen Moment glauben konnten, denn es gibt nichts Lächerlicheres! – Vermutlich werde ich Ihnen das alles erklären, aber zuerst will ich wissen, ob der vertrottelte Postillon noch hier ist.«

»Wahrscheinlich ist er im Schankzimmer. Ich habe ihn schon ausbezahlt. Ich – ich dachte, es ist so am besten.«

»O ja, aber ich glaube, daß wir ihn und die Chaise brauchen werden.

Hildebrand, ich hoffe zu Gott, er hat nicht mehr die Absicht, gegen Sie auszusagen.«

»Nein«, erwiderte er errötend. »Ich – ich erzählte die ganze Sache Doktor Chantry, der brachte alles in Ordnung. Ich muß Ihnen sagen, Amanda, selbst wenn sich Sir Gareth gegen Sie nicht gut benommen hätte, so hat er sich mir gegenüber von einer Großmut gezeigt, die ich ihm nie vergelten kann. Als der Arzt mir erklärte, was er sagte, als er zu sich kam . . .« Er brach ab und seine Lippen bebten.

»Ja, er ist der allerbeste Mensch«, stimmte sie zu. »Wenn er mich auch sehr geärgert hat und ich immer noch der Meinung bin, daß er kein Recht hatte, sich einzumischen und meinen Kriegsplan zu vernichten – hat er doch nichts von den Dingen getan, die ich ihm nachsagte. Aber kümmern Sie sich jetzt nicht darum. Sie müssen jetzt hinübergehen und dem Postillon sagen, daß Sie ihn brauchen, um Sie nach Brancaster Park zu bringen und Lady Hester abzuholen. Ich weiß nicht genau, wie viele Meilen es nach Chatteris sind, ich glaube aber nicht, daß wir sehr weit davon entfernt sein können.«

»*Chatteris*?!« unterbrach er sie. »Daß muß mindestens fünfundzwanzig Meilen entfernt sein, wahrscheinlich sogar noch mehr.«

»Nun? Und wenn es so wäre? Sie werden doch nicht sagen wollen, daß Sie nicht hinfahren? Nein, das wäre zu erbärmlich . . .«

»Selbstverständlich will ich das nicht sagen«, erwiderte er und starrte sie an. »Aber ich werde für eine Fahrt von fünfzig Meilen und mehr keine Chaise mieten! Außerdem würde der Postillon, den Sir Gareth mietete, nicht einverstanden sein, weil er nach Bedford und sonst nirgends hinfahren darf. Und selbst wenn er einverstanden wäre, will ich ihn nicht.«

Aber . . .«

»Ich will Ihnen etwas sagen, Amanda«, sagte Mr. Ross durchaus nicht im Ton eines Anbeters. »Sie bilden sich ein, außer Ihnen könne niemand denken.«

»Nun, bisher hat's auch niemand anderer getan«, erwiderte sie kriegerisch, »und Sie ganz bestimmt nicht, denn Sie haben nur –«

»Wer dachte daran, vorauszureiten und die Chicklades vorzubereiten?«

»Ach, das«, sagte Amanda und zog eine Schulter in die Höhe.

»Ja, das«, rief er wütend. »Und außerdem war ich es, der sich den Überfall auf die Chaise ausdachte, nicht Sie!«

»Wenn Sie die Absicht haben, mit dieser Heldentat noch zu prahlen, dann werden Sie vermutlich gleich sagen, daß Sie sich's ausgedacht haben, auf Sir Gareth zu schießen!« schrie Amanda. Die Schlacht war jetzt im schönsten Gange, und während der nächsten paar Minuten suchten zwei übermäßig erregte junge Menschen für ihre überreizten Nerven Erleichterung in einem wahrhaft bemerkenswerten Streit. Sir Gareth auf seinem Krankenlager und das Gabelfrühstück auf dem Tisch waren während des keineswegs gewählten Austausches von Beschuldigungen gleichermaßen vergessen. Chicklade, der mit einer Obstschale ins Zimmer trat, blieb auf der Schwelle stehen und lauschte einige Minuten unbemerkt einem Streit, der rasch Kinderzimmer-Niveau erreichte. Als er gleich darauf zu seiner Frau zurückkehrte, sagte er ihr lachend, es könne keinem Zweifel unterliegen, daß die junge Dame und der junge Gentleman Verwandte seien: wenn man ihnen zuhörte, könnte man sogar glauben, sie wären Bruder und Schwester.

Als er das Zimmer wieder betrat und sie ihn bemerkten, brach ihr Streit jäh ab. Unter kaltem hochmütigen Schweigen nahmen sie ihre Plätze an der Tafel ein. Keiner der beiden hatte Appetit. Beide tranken schweigend eine Tasse Tee, was sie sehr erfrischte. Amanda warf einen verstohlenen Blick auf Hildebrand, bemerkte, daß er dasselbe tat, und begann zu lachen. Das brach das Eis – und beide brachen in Gelächter aus. Hildebrand entschuldigte sich, daß er unhöflich gewesen war, und Amanda erklärte, sie habe es nicht ernst gemeint, als sie sagte, er sei nicht imstande, ein Theaterstück zu schreiben.

Die freundschaftlichen Beziehungen waren wiederhergestellt, doch die kurze Zeitspanne von Hildebrands Verzauberung war vorbei. In Wirklichkeit hatte sie schon Amandas ungeduldige Äußerungen nicht überlebt, als er sich von seiner Ohnmacht erholen wollte. Sie erschien ihm noch immer als hübsches Mädchen, obwohl – wenn man sie leidenschaftslos studierte – nicht *so* schön, wie er zuerst geglaubt hatte; sie hatte gewiß viel Temperament, aber er zog Mädchen mit einer wesentlich sanfteren Gemütsart vor. Er fand auch, daß sie nicht nur herrschsüchtig, sondern übertrieben keck war. Als sie ihm unter dem Siegel der Verschwiegenheit die genauen Umstände anvertraute, die zu ihrer Begegnung mit Sir Gareth führten, war er dessen sicher. Sein empörtes Gesicht und die unverzügliche Verurteilung ihres Kriegsplans führten beinahe zur Wiederaufnahme der Feindseligkeiten. Zu der Verurteilung ihres schändlichen Planes gesellte sich noch seine Empörung, daß sie sich seine Unterstützung durch eine Verleumdung Sir Gareths gesichert hatte. Er rief, das sei die niederträchtigste Gemeinheit, und da sie ihm insgeheim recht geben mußte, fehlte ihrer Verteidigung die rechte Überzeugungskraft.

»Aber es ist wahr, daß er mich entführt hat«, wendete sie ein.

»In meinen Augen ist sein Betragen durchaus ritterlich und ehrenhaft«, erwiderte Hildebrand.

»Ich dachte mir gleich, als ich Sie sah, daß Sie ein Spießer sind«, sagte Amanda. »Deshalb erzählte ich Ihnen auch nicht, wie es in Wirklichkeit war. Und ich hatte ganz recht!«

»Es handelt sich nicht darum, ob ich ein Spießer bin«, sagte Hildebrand hochmütig, »sondern darum, Weltkenntnis und die richtigen Begriffe von kultiviertem Benehmen zu haben. Und jetzt, da ich die Wahrheit kenne, kann ich mir nicht vorstellen, daß Lady Hester auch nur im Traume daran denken könnte, hierherzukommen. Wie empört muß sie gewesen sein!«

»Nun, das war sie eben nicht«, sagte Amanda. »Sie war aufrichtig teilnahmsvoll. Sie sehen also, daß Sie von der Sache nichts verstehen. Und sie sagte mir auch, daß sie ein sehr langweiliges Leben führt, gar nicht von dem Zwang zu reden, mit dem unsympathischsten Ehepaar, das ich je kennenlernte, zusammenleben zu müssen. Sie wird also wahrscheinlich sehr froh sein, hierherkommen zu können.« Sie wartete und sah ihn an. Da er noch immer unentschlossen vor sich hinstarrte, sagte sie in einem veränderten, viel ernsteren Tonfall: »Bitte, Hildebrand, fahren Sie hin und holen Sie sie! Dieses fürchterliche Weib dort oben wird den armen Sir Gareth wahrscheinlich umbringen, denn sie ist grob und schmutzig, und ich habe recht gut gemerkt, daß sie darauf erpicht ist, ihn aufzubahren. Ich werde ihr nicht gestatten, ihn zu pflegen. Ich werde ihn selbst pflegen, nur – nur, da der Arzt sagte, er könne Fieber bekommen und ich vielleicht doch nicht das tun könnte, was für ihn getan werden müßte ... und wenn es ihm statt besser nur noch schlechter ginge ... und nur wir beide da wären, um ihn zu pflegen – Hildebrand – ich kann nicht weiter!« Sie endete mit einem Laut voll unterdrückter Angst; aber Hildebrand war bereits gewonnen. Das Bild, das ihre Worte heraufbeschworen, ließ ihn stutzen. In seiner unendlichen Erleichterung, Sir Gareth nicht auf der Stelle getötet zu haben, war er von einem Optimismus erfüllt gewesen, der, wie er jetzt einsah, völlig ungerechtfertigt war. Der Gedanke ließ ihn erschauern, daß Sir Gareth hier in diesem bescheidenen Gasthof noch immer sterben könnte, fern von Freunden und Verwandten, einzig und allein von einem Schulmädel und seinem Mörder betreut. Vor seinem geistigen Auge sah er sich selbst in einer entsetzenerregenden Vision, wie er Sir Gareths Schwester aufsuchte, um ihr die Nachricht zu überbringen, daß ihr Bruder tot sei, getötet von seiner Hand. Er stellte seine Teetasse klirrend nieder und rief: »Du gütiger Gott, nein! Ich hatte das nicht überlegt – selbstverständlich fahre ich nach Chatteris. Ich dachte nie daran, mich zu weigern – und selbst wenn diese Lady Hester es ablehnen sollte, mit mir zurückzufahren, wird sie wenigstens imstande sein, mir zu sagen, wo ich Sir Gareths Schwester finde.«

»Sie *wird* kommen!« behauptete Amanda. »Wollen Sie also sogleich zu dem Postillon gehen und ihm sagen, er soll Sie nach Brancaster Park fahren?«

»Nein«, erwiderte Hildebrand und schob sein Kinn kriegerisch vor. »Ich will mit diesem Burschen nichts zu tun haben! Außerdem wäre es eine schreckliche Geldverschwendung, die Chaise zu mieten, um mich nach Brancaster Park zu bringen. Ich erreiche mein Ziel viel rascher, wenn ich hinreite – jedenfalls bis Huntingdon, wo ich zur Bequemlichkeit von Lady Hester eine Chaise mieten kann – das heißt, wenn sie es nicht vorziehen wird, im eigenen Wagen zu reisen.«

Amanda, beglückt, ihn plötzlich so zugänglich zu finden, sagte beifällig: »Das ist eine ausgezeichnete Idee, viel besser als meine. Ich sehe, Sie haben Sparsamkeit gelernt, etwas, das auch ich noch lernen muß, denn eine verschwenderische Frau würde Neil ganz bestimmt nicht passen. Leider habe ich aber das Gefühl, die widerliche Lady Widmore wird Lady Hester, wenn es ihr möglich ist, Hindernisse in den Weg legen, damit sie mir nicht zu Hilfe kommt; sie würde sofort daraufkommen, was Lady Hester plant, wenn sie einen Wagen befiehlt. Je mehr ich darüber nachdenke, desto mehr komme ich zu der Überzeugung, daß Lady Hester sich heimlich fortstehlen muß. Wenn Sie also nach Brancaster Park kommen, müssen Sie darauf bestehen, sie allein zu sprechen, und unter keiner Bedingung jemand anderem Ihren Auftrag verraten.«

In diesem Punkt stimmte Hildebrand mit ihr völlig überein, da er den stärksten Widerwillen hatte, die Geschichte der schrecklichen

Ereignisse dieses Tages weiter zu verbreiten, als unbedingt nötig war. Eine höchst unwillkommene Überlegung war ihm durch den Kopf gegangen, und er sagte etwas unsicher: »Wird Mrs. Chicklade nicht noch unfreundlicher werden, wenn wir mit Lady Hester einen weiteren Gast hierherbringen? Ich erwähne es Ihnen gegenüber nicht gerne, aber sie hat so abscheuliche Dinge über uns gesagt! Ich glaube nicht, daß Chicklade auf sie hören wird, denn er scheint mir ein gutartiger Bursche zu sein. Sie will von ihm, er solle Doktor Chantry erklären, daß er weder Sir Gareth noch jemanden von uns hier haben will, denn nichts kann sie davon überzeugen, daß wir anständige Leute sind – und das sind wir, wenn man es genau bedenkt, auch wirklich nicht«, fügte er düster hinzu. »Verlassen Sie sich darauf, sie glaubt Ihnen die Geschichte nicht, die Sie ihr erzählt haben, und auch nicht, daß Sir Gareth Ihr Onkel ist.«

»Wir müssen immer daran denken, ›mein Onkel‹ zu sagen, wenn sich die Gelegenheit ergibt, ihn zu erwähnen«, sagte Amanda kopfnikkend. »Überhaupt wäre es am besten, wir würden ihn auch untereinander Onkel Gareth nennen, damit wir uns daran gewöhnen.«

»Ja, aber sie ist so schrecklich argwöhnisch, daß ich annehmen muß, auch das wird nichts nützen. Jedenfalls wäre das keine Erklärung für Lady Hester. Vielleicht sollten wir lieber nicht sagen, daß sie mit Sir – mit Onkel Gareth verlobt ist, wenn Sie es nicht ganz bestimmt wissen. Ich wette zehn zu eins, daß es ihr äußerst peinlich wäre, sollte es sich als Irrtum herausstellen.«

»Ja, sehr wahr«, erwiderte sie stirnrunzelnd, als sie auf diese neue Schwierigkeit stieß, »ich möchte sie um keinen Preis in eine peinliche Lage bringen. Wir müssen uns also eine Geschichte ausdenken, die dieses widerliche Weib uns glaubt.«

Er sah sie bedenklich an, aber nach einem Moment glättete sich ihre Stirn, und sie sagte: »Natürlich! Mir ist das Richtige eingefallen, damit alles in Ordnung kommt. Lady Hester muß hier als meine Tante auftreten. Denn Mistress Chicklade ist nur deshalb so unfreundlich, weil ich keine Anstandsdame habe. Während ich mein schmutziges Kleid auszog, stellte sie mir andauernd die unverschämtesten Fragen und sagte, sie wundere sich, daß mich meine Mama in dieser Weise reisen lasse, genauso, als wüßte sie, daß ich gar keine Mama habe. Ich habe keine Mama, was ich ihr auch sagte. Und ich sagte ihr ebenfalls, daß ich statt dessen eine Tante habe; ich bemerkte aber gleich, daß sie mir das nicht glaubte, obwohl auch das der Wahrheit entspricht. Hildebrand, ich meine also, es wäre am besten, wenn Sie Chicklade mitteilen, daß Sie es für Ihre Pflicht halten, meine Tante zu holen. Das wird auch Mistress Chicklade davon überzeugen, daß ich die Wahrheit gesagt habe.«

Die Angelegenheit wurde also auf diese Art geordnet, und Chicklade billigte diese Ankündigung sogleich mit großer Erleichterung. Hildebrand sattelte Prinz, ritt ab und ließ Amanda zurück, die sich anschickte, Mrs. Bardfiel unverzüglich aus dem Krankenzimmer zu verbannen. Es war anzunehmen, daß sie an dieser Aufgabe mehr Vergnügen finden werde, als er sich von der seinen versprach.

Es gelang ihm, Huntingdon dadurch schnell zu erreichen, daß er, wenn es irgend möglich war, querfeldein ritt. In Huntingdon erfuhr er, daß sich sein Ziel in der Nähe von St. Ives befand, und er ritt weiter. Es gelang ihm, in der »Krone« eine zweispännige Postchaise zu mieten, Prinz im Stall unterzubringen, und am späten Nachmittag in Brancaster Park einzutreffen.

Amanda, die ihm strikt eingeschärft hatte, seinen Auftrag niemand anderem als Lady Hester persönlich zu verraten, hatte gemeint, dabei könne es keinerlei Schwierigkeiten geben. Als er aber von dem Butler in das Haus eingelassen wurde, der sich höflich nach seinem Namen erkundigte, fiel ihm ein, daß es nur zu wahrscheinlich sei, daß Lady Hester es ablehnen werde, einen ihr völlig unbekannten Gentleman zu empfangen. Er sagte ein wenig stotternd, daß sein Name der Lady Hester unbekannt sein dürfte; da er sich einbildete, daß ihn der Butler argwöhnisch ansehe, fügte er hastig hinzu, er sei der Überbringer einer dringlichen Botschaft. Der Butler verbeugte sich und ließ ihn in einen großen Salon eintreten, in welchem er unverzüglich die Beute aller nur möglichen bösen Vorahnungen wurde. Vielleicht würde der Earl eintreten und ihn fragen, was er hier wolle; oder Lady Widmore würde die Botschaft abfangen; oder aber, und das wäre das allerärgste, Lady Hester war gar nicht zu Hause.

Die Minuten tickten dahin, und er wurde immer besorgter. Er hoffte, daß sein Halstuch gerade saß, daß sein Haar wohlgeordnet war, und da er bemerkte, daß sich am anderen Ende des Zimmers ein Spiegel befand, schritt er hinüber, um sich über diese Punkte zu beruhigen. Er war soeben damit beschäftigt, seinen ziemlich zerknitterten Rock glattzuziehen, als er hörte, daß sich die hinter ihm befindliche Tür öffnete; er drehte sich rasch um und sah, daß er von einer Dame in einem erbsengrünen Kleid beobachtet wurde, die auf dem leicht gewellten Haar ein Spitzenhäubchen trug. Sehr verlegen, weil er dabei überrascht worden war, wie er sich vor dem Spiegel herausputzte, errötete er über und über, und seine Zunge war wie gelähmt. Als die Dame diese Anzeichen größter Verlegenheit bemerkte, lächelte sie, trat auf ihn zu und sagte taktvoll: »Bitte, machen Sie sich nichts draus! Ich weiß, wie das ist. Man glaubt immer, daß einem der Hut schief sitzt oder daß man einen Schmutzfleck mitten im Gesicht hat. Guten Tag. Ich bin Hester Theale.«

»Guten Tag«, erwiderte er, noch stärker errötend. »Mein Name ist Ross – Hildebrand Ross, aber – aber, Madam – Sie kennen mich nicht.«

»Nein«, bestätigte sie und nahm auf dem Sofa Platz. »Aber Cliffe sagte, daß Sie mir eine Botschaft überbringen. Wollen Sie nicht Platz nehmen?«

Er dankte ihr, ließ sich am Rand eines Sessels nieder, schluckte ein oder zweimal und versuchte, sich darüber klar zu werden, wie er ihr seine Anwesenheit am besten erklären könne. Die Hände im Schoß gefaltet, wartete sie geduldig und lächelte ihm aufmunternd zu.

»Es ist wegen Amanda«, platzte er schließlich heraus. »Ich meine – sie war es, die mich herschickte, weil sie sagte, sie sei überzeugt, daß Sie ihr helfen werden – aber ich war nicht begeistert davon, Madam, nur – nur der Fall ist so verzweifelt!«

Sie sah ihn erschrocken an und rief: »O Gott! Also hat Sir Gareth sie nicht gefunden? Natürlich werde ich alles tun, was in meiner Macht steht, um ihr zu helfen. Und wenn mein Onkel der Grund ist, weshalb sie Sie zu mir schickte, so wäre das wirklich zu empörend, obwohl – ich schäme mich, es einzugestehen – so etwas zu erwarten war.«

»Nein, nein. Ich meine, Sir Gareth hat sie gefunden, aber – nun, es handelt sich eigentlich gar nicht um Amanda – sie wünscht nicht ihretwegen, daß Sie kommen sollen – sondern seinetwegen.«

Sie sah ihn flüchtig an. »Wie, bitte?« sagte sie erstaunt.

Er erhob sich ruckartig und drückte die Schultern zurück. »Die Sache ist die – ich weiß nicht, wie ich es Ihnen sagen soll – aber ich, aber er – er ist sehr krank, Madam!«

»Sir Gareth sehr krank?« wiederholte sie und sah noch erstaunter aus. »Da müssen Sie sich bestimmt irren. Als ich ihn gestern sah, war er vollkommen gesund!«

»Ja – aber – aber die Sache verhält sich so: ich habe auf ihn geschossen«, sagte Hildebrand und nahm verzweifelt das letzte Hindernis. Er hoffte inständig, daß sie nicht in Ohnmacht fallen oder hysterische Krämpfe bekommen werde, und war zunächst erleichtert, daß sie sich weder bewegte noch etwas sagte. Dann aber gewahrte er, daß sie nicht nur erschreckend blaß geworden war, sondern ihn verständnislos anstarrte, und er fürchtete aufs neue, daß sie vielleicht doch noch Krämpfe bekommen könnte. Als sie aber das Wort ergriff, sprach sie mit einer seltsam ruhigen Stimme, die von weither zu kommen schien. »Sie sagten – sehr krank? Meinen Sie – tot?«

»Nein, bei meiner Ehre«, antwortete er eifrig. »Und der Arzt versicherte uns, daß die Kugel keinen lebenswichtigen Teil getroffen hat. Er verlor aber ungeheuer viel Blut, obwohl Amanda tat, was sie konnte, um es zu stillen – und es gelang ihr schließlich auch –, und die Kugel saß so tief, daß er vielleicht Fieber bekommt – und nur Amanda ist da, um ihn zu pflegen – obwohl ich bereit bin, alles zu tun, was in meiner Macht steht – und sie erlaubt nicht, daß die Hebamme ihn anrührt. Sie sagt, sie ist schmutzig und grob, und ich für meinen Teil glaube, daß sie auch noch eine Säuferin ist, weil sie nach Alkohol riecht.«

Lady Hester lauschte dieser keineswegs klaren Rede gespannt. Sie ging aber offenbar über ihr Verständnis, denn als er schwieg, stand sie auf, legte ihre Hand auf seinen Ärmel und sagte: »Verzeihen Sie, aber ich verstehe nicht, was Sie mir zu erzählen versuchen. Ich glaube, es handelt sich um einen Unfall, nicht wahr? Und Sir Gareth wurde dabei verletzt – aber nicht tödlich?«

»Ja – das heißt, ich schwöre –, ich wollte nicht auf ihn schießen!«

»O nein. Ich bin überzeugt, daß Sie das nicht wollten.«

Die beruhigenden Worte und das Lächeln, das sie begleitete, veranlaßten ihn, impulsiv zu sagen: »Ich hatte Angst, daß Sie sehr böse sein werden. Aber Amanda sagte, Sie würden bestimmt nicht böse sein, Madam – obwohl – wenn Sie die ganze Geschichte erfahren . . .«

»Ich glaube nicht, daß ich böse sein werde. Aber ich wäre Ihnen sehr dankbar, wenn Sie sich hier neben mich auf das Sofa setzen und mir genau erzählen würden, wie sich das alles zutrug, denn bis jetzt scheint es mir noch immer sehr seltsam zu sein, daß auf Sir Gareth geschossen wurde. Außer natürlich, Sie hielten Ihre Pistole nach dem Taubenschießen noch in der Hand und haben ihn dabei zufällig angeschossen.«

»Schlimmer«, sagte Hildebrand stöhnend. »Ich habe die Chaise überfallen.«

»Aber er reist doch niemals in einer Chaise«, sagte Lady Hester.

»Doch, Madam. In einer gemieteten Chaise, die ihn und Amanda nach Bedford bringen sollte.«

»Wohnt sie dort?« fragte Lady Hester hoffnungsvoll.

»O nein! Wenigstens weiß ich nichts davon, ich glaube aber nicht. Er hatte die Absicht, dort eine bessere Chaise zu mieten, denn in Kimbolton gab es nur eine, und die war alt und schäbig. Dort habe ich sie auch kennengelernt. Ich befand mich auf dem Weg nach Wales.«

»Jetzt beginne ich zu verstehen«, sagte sie, erfreut, feststellen zu können, daß er nicht, wie sie gefürchtet hatte, am Sonnenstich litt. »Wahrscheinlich begannen Sie mit Amanda zu plaudern, und dadurch ist alles passiert. Dieses Mädchen ist wahrhaftig nie um einen Ausweg verlegen!«

»Ja, das ist auch meine Ansicht«, sagte er widerwillig. »Obwohl es nicht *ihr* eingefallen ist, die Chaise zu überfallen. *Ich* hatte diese Idee!«

»Vermutlich sind auch Sie nie um Mittel und Wege verlegen«, sagte sie freundlich.

»Na ja – ich hab mir's ausgedacht – nicht, daß ich damit prahlen möchte, und jetzt sehe ich natürlich ein, daß es unrecht war – aber wenn man sich anhört, wie Amanda spricht, würde man glauben ... Sehen Sie, Madam, so ist es gewesen.«

Und hierauf ergoß sich der Bericht der ganzen Angelegenheit über Hester. Er entdeckte, daß sie gut zuhörte, und da sie ihn weder durch Ausrufe des Entsetzens noch der Mißbilligung aus der Fassung brachte, fand er den Mut, ihr alles anzuvertrauen, selbst seinen unseligen Schwächeanfall, den er nicht ohne heftige Demütigung erwähnen konnte. Es fiel ihm in der Tat schwer, die Szene auf der Straße ohne aufsteigende Übelkeit zu schildern, und er war keineswegs überrascht, daß seine Worte neuerlich die Farbe aus Lady Hesters Wangen schwinden ließ.

»Es war entsetzlich«, murmelte er und bedeckte schaudernd sein Antlitz mit beiden Händen. »Entsetzlich!«

»Ja«, bestätigte sie mit versagender Stimme. »Aber Sie sagten – das sagten Sie doch ganz bestimmt?! – es ist nicht tödlich?«

»Doktor Chantry versicherte uns, daß er diese Möglichkeit nicht in Betracht ziehe, er sagte aber, daß Sir Gareth besonders sorgfältig gepflegt werden müsse, und das ist auch der Grund, weshalb Amanda mich veranlaßte, Sie zu holen, denn sie kennt weder den Namen noch die Adresse seiner Schwester.«

»Mich zu – holen?« sagte sie überrascht. »Aber ...« Sie schwieg und sah ihn verständnislos an.

»Oh, bitte, bitte, werden Sie kommen?« bat Hildebrand. »Ich sagte Amanda, ich könne mir nicht denken, daß Sie es tun werden – aber bedenken Sie, wie verzweifelt der Fall liegt. Denn selbst wenn Sie mir sagen können, wo Sir Gareths Schwester wohnt, würde es mindestens zwei Tage dauern, bis sie bei ihm wäre, und dann könnte es – zu spät sein. Und außerdem«, fügte er hinzu, da ihm eine neue Schwierigkeit einfiel, »habe ich wahrscheinlich nicht mehr genug Geld bei mir, um eine so kostspielige Reise zu bestreiten.«

»Ach, wenn ich nur kommen könnte«, sagte sie in gequältem Ton. Sie erhob sich rasch und begann, im Zimmer auf und ab zu gehen. »Sehen Sie, es ist ganz unmöglich! Mein Vater ist wohl nach Brighton gefahren, aber mein Bruder, meine Schwägerin und die Dienstleute sind hier ...« Sie schwieg neuerlich, aber diesmal schien es, als hätte sie einen Einfall. Hildebrand sah sie in ängstlicher Erwartung an. Plötzlich heftete sie ihre kurzsichtigen Augen auf sein Antlitz und lächelte. »Du lieber Gott, welch ein armseliges Geschöpf muß ich in Ihren Augen sein! Wissen Sie, ich bin eben nicht gewohnt, irgend etwas Außergewöhnliches zu tun, Sie müssen mir also verzeihen, wenn mir nicht sogleich einfiel, daß es dennoch möglich sein wird. Nichts leichter als das! Schließlich gelang es Amanda, ihrem Vaterhaus ohne die geringsten Schwierigkeiten zu entfliehen, und wahrscheinlich wurde sie weit strenger bewacht als ich. Lassen Sie mich ein wenig nachdenken.«

Er wartete in gespanntem Schweigen, und nach einigen Augenblikken wagte er zu sagen: »Draußen wartet eine Chaise, Madam, wenn – wenn Sie glauben, daß Sie mit mir kommen können.«

»Tatsächlich? Oh, das ist gut. Dadurch wird alles ganz einfach«, sagte sie, und ihr bekümmertes Gesicht erhellte sich. »Ich werde der Dienerschaft sagen, meine Schwester, Lady Ennerdale, habe Sie geschickt. Ich frage mich nur, was in Ancaster passiert sein könnte? Natürlich! Die Kinder – Die Kinder müssen erkrankt sein. Ach, wie war das nur, waren es die Ennerdale-Kinder, die vor zwei Jahren Masern hatten, oder waren es die Kinder meiner Schwester Milford? Nein, die Ennerdale-Kinder hatten bisher keine Masern – sie hatten Keuchhusten – alle fünf gleichzeitig, jetzt erinnere ich mich. Also gut, sie haben die Masern – und das rechtfertigt auch den Wunsch meiner Schwester, daß ich zu ihr kommen soll.« Sie lächelte etwas vage und sagte, während sie ihre kurze Schleppe zusammenraffte: »Wollen Sie hier auf mich warten, während ich meiner Zofe Befehl gebe, meine Sachen einzupacken? Meine Schwägerin ist nach Ely gefahren, und ich erwarte ihre Rückkehr nicht vor dem Dinner. Mein Bruder befindet sich irgendwo auf dem Gut, aber selbst wenn er heimkäme, könnten Sie ihm wahrscheinlich leicht etwas vortäuschen. Wie aber, wenn er Ihnen eine unangenehme Frage stellen würde? Glauben Sie, daß Sie eine Erklärung dafür geben könnten, warum meine Schwester Sie an Stelle eines ihrer Diener geschickt hat? Das ist nämlich etwas ungewöhnlich, aber ich bin überzeugt, daß Ihnen ein plausibler Grund einfallen wird. Sir Matthew Ennerdale-Ancaster – drei Jungen und zwei Mädchen – der arme kleine Giles ist sehr kränklich – und meine Schwester sehr nervös ...« Mit diesen etwas rätselhaften Worten verschwand sie und ließ Hildebrand ebenso nervös zurück, wie es Lady Ennerdale war. Er hoffte aus tiefstem Herzensgrunde, daß Lord Widmore nicht hereinkommen möge; denn der Aufschluß, den ihm Lady Hester gegeben, schien ihm denn doch etwas zu dürftig.

Im oberen Stockwerk meisterte Lady Hester das Problem, Poveys überraschte Fragen zu beantworten, dadurch, daß sie sie völlig ignorierte. Das versetzte Povey durchaus nicht in Erstaunen, da sie ja wußte, daß sie sich in Ungnade befand. Als sie jedoch erfuhr, daß sie ihre Herrin nicht begleiten solle, war sie bis ins Herz getroffen und brach in Tränen aus. Lady Hester tat es leid, daß sie sich so kränkte. Da sie aber für ihr beispielloses Betragen, zu verreisen, ohne ihre Zofe mitzunehmen, eine Erklärung hätte geben müssen, dachte sie, es sei am besten, so zu tun, als wäre sie mit Povey noch immer viel zu böse, um ihre Begleitung zu wünschen. So sagte sie in kühlem Ton: »Nein, Povey, ich werde Sie nicht mitnehmen. Die Kammerfrau von Lady

Ennerdale wird alles für mich tun, was ich benötige. Bitte, packen Sie keine Abendkleider ein, ich werde sie nicht brauchen.«

Zu jeder andern Zeit hätte Povey Einwendungen erhoben. Denn wenn die Kinder Lady Ennerdales noch so krank waren, so war es doch im höchsten Grade unwahrscheinlich, daß sich diese Dame in einem Zustand befand, den sie, ebenso wie Povey selbst, ganz bestimmt als ungepflegt bezeichnen würde. Aber die schreckliche Strafe, die ihr zudiktiert worden war, beherrschte ihre Gedanken so sehr, daß ihr die seltsamen Gegenstände, die sie einpacken mußte – eine Arbeit, die sie ganz mechanisch durchführte–, erst sehr viel später einfielen. Es wäre denkbar, daß Lady Hester entdecken könnte, daß sie ihr Riechsalz benötige, was sie aber mit einer Rolle Flanell wollte oder weshalb sie darauf bestand, ihre eigenen Kissen in das verschwenderisch ausgestattete Haus ihrer Schwester mitzunehmen, waren Dinge, die Povey in Kürze sehr beschäftigen sollten.

Als Hester die Treppen hinuntereilte, einen einfachen Überwurf über dem dunklen Vormittagskleid, das sie gewöhnlich trug, wenn sie sich mit ihrer Gartenarbeit oder mit ihren Hunden beschäftigte, bemerkte sie den Butler, der sie in der Halle erwartete; sie entnahm seinem Gesichtsausdruck, daß er nicht so leicht zu täuschen sein werde wie die tränenreiche Povey. Sie blieb am Fuß der Treppe stehen, streifte ihre Handschuhe über und sah Cliffe ein wenig herausfordernd an.

»Wohin begeben sich Mylady?« fragte er ohne Umschweife. »Die Chaise kam nicht aus Ancaster! Sie kam, ebenso wie der Postillon, aus der ›Krone‹ in St. Ives.«

»Ach Gott, wie peinlich«, seufzte Hester, »daß Sie das bemerkten. Und jetzt haben Sie das vermutlich allen andern Bediensteten erzählt.«

»Nein, Mylady, das habe ich nicht, das wissen Sie doch!«

Sie lächelte ihm zu, und ein Schimmer von Mutwillen lag auf ihrem Gesicht. »Bitte tun Sie es auch weiterhin nicht. Ich verlasse mich ganz auf Sie, daß Sie meinem Bruder und Lady Widmore ausrichten, ich sei zu Lady Ennerdale gefahren – weil alle Kinder Masern haben.«

»Wohin begeben sich Mylady aber in Wirklichkeit?« fragte Cliffe beunruhigt.

»Nun, so genau weiß ich es selbst nicht, aber das hat wahrhaftig nichts zu bedeuten. Es ist völlig ungefährlich. Es ist auch nicht sehr weit weg von hier. Ich werde zurückkommen – und leider sehr bald! Bitte versuchen Sie nicht, mich zurückzuhalten! Ich habe Lady Widmore einen sehr unaufrichtigen Brief geschrieben; werden Sie ihr diesen Brief übergeben?«

Er nahm ihn in Empfang, und nachdem er sie einen Moment prüfend angeblickt hatte, verbeugte er sich und sagte: »Sehr wohl, Mylady.«

»Sie waren mir immer ein guter Freund – ich danke Ihnen!«

»Mylady, es gibt in diesem Haus niemanden – abgesehen von jenen, deren Namen zu nennen mir nicht geziemen würde –, der nicht glücklich wäre, Ihnen dienen zu dürfen. Aber ich wollte, ich könnte sicher sein, wirklich richtig zu handeln.«

»O ja! Denn man kann sagen, daß ich ein Werk der Barmherzigkeit verrichte. Jetzt darf ich aber keine Zeit mehr verschwenden. Wollen Sie Mr. Ross sagen, daß ich zur Abfahrt bereit bin?«

»Sehr wohl, Mylady. Vielleicht sollte ich noch erwähnen, daß Mr. Whyteleafe seit zwanzig Minuten mit ihm beisammen ist.«

»Du gütiger Himmel! Wie unglückselig sich das trifft! Wenn ich nur wüßte, was Mr. Ross ihm gesagt hat«, murmelte sie. »Vielleicht ist's am besten, wenn ich selbst in den Roten Salon gehe.«

Sie betrat den Raum gerade rechtzeitig genug, um Mr. Ross' standhafte Erklärung zu hören, daß alle fünf Kinder die Masern hatten, wenn auch keines von ihnen in so beunruhigendem Maße wie der kleine Giles. Lady Ennerdale, fügte er hinzu, sei vor Angst und Sorge völlig zusammengebrochen.

»Sie setzen mich in Erstaunen«, rief der Kaplan, der ihn ziemlich genau betrachtete. »Ich hätte nie gedacht, daß Lady . . .«

»Weil«, unterbrach ihn Mr. Ross eiligst, »die Nurse das Unglück hatte, auf der Stiege zu stürzen und sich den Fuß zu brechen, und somit alles auf ihren Schultern ruht.«

»Ja, ist das nicht schrecklich«, warf Lady Hester ein. »Die arme Susan! Kein Wunder, daß sie außer sich ist. Mr. Ross, ich bin bereit zu fahren, und glaube, daß wir in der Tat keine Zeit mehr verlieren dürfen.«

»Die ganze weite Reise bis Ancaster?« rief Mr. Whyteleafe wie vom Donner gerührt. »Sie können es niemals vor Einbruch der Nacht erreichen, Lady Hester! Es wäre bestimmt klüger, bis morgen zu warten.«

»Nein, nein, denn das würde bedeuten, daß ich dort viel zu spät und, wie ich annehmen muß, ganz erschöpft von der Reise eintreffen würde. Wir werden die Nacht irgendwie auf der Fahrt verbringen. Dadurch werde ich nicht sonderlich müde und imstande sein, meiner Schwester jede nur mögliche Hilfe zu leisten.«

»Wenn Sie schon fahren müssen, Lady Hester, dann wundere ich mich, daß Sir Matthew nicht soviel Ritterlichkeit besaß, Sie persönlich abzuholen. Es bedarf durchaus keiner Entschuldigung, daß ich so offen über ihn spreche! Dieses Benehmen spricht von so viel Rücksichtslosigkeit, von so viel...«

»Sir Matthew«, sagte Mr. Ross, »ist nicht zu Hause, Sir. Deshalb erbot ich mich, seine Stelle zu vertreten.«

»Ja, und ich bin Ihnen dafür außerordentlich dankbar«, sagte Hester. »Aber wir wollen die Zeit nicht länger vertrödeln.«

Mr. Whyteleafe sagte nichts mehr, aber er war offenbar aufs höchste empört über dieses neue Beispiel der Schamlosigkeit, mit der Lady Hester von ihren Schwestern ausgenützt wurde. Er begleitete sie mit fest zusammengepreßten Lippen zu der wartenden Chaise. Lady Hester fürchtete, daß er den Postillon ebenfalls erkennen könnte, aber er warf ihm nicht mehr als einen flüchtigen Blick zu, denn der Umstand, daß Lady Ennerdale schäbig genug gewesen war, ein Mietfahrzeug mit nur zwei Pferden für die Beförderung ihrer Schwester zu schicken, verdrängte alles übrige aus seinem Kopf. Lady Hester wurde in die Chaise gehoben, Mr. Ross sprang hinter ihr hinein, die Stufen wurden aufgeklappt, und in einer weiteren Minute setzte sie sich in Bewegung.

»Puh!« machte Hildebrand unwillkürlich, zog sein Taschentuch hervor und trocknete sich die Stirn. »Ich kann gar nicht schildern, wie dankbar ich Ihnen war, Madam, daß Sie gerade in diesem kritischen Augenblick eintraten, denn er stellte mir alle möglichen unangenehmen Fragen. Er wollte auch wissen, wer ich bin. Ich sah mich daher gezwungen, ihm zu sagen, ich sei Sir Matthews Sekretär.«

»Wie geistesgegenwärtig von Ihnen! Vermutlich war er aber sehr überrascht, denn Sir Matthew hat für nichts anderes als seinen Sport Interesse.«

»Ja, das war er auch – er sagte in der Tat, er könne sich nicht vorstellen, was ich für Sir Matthew zu tun haben könnte. Ich erklärte also, daß Sir Matthew entschlossen sei, sich der Politik zu widmen.«

Darüber mußte sie derart lachen, daß er jede noch vorhandene Schüchternheit verlor und es wagte, ihr die Neuigkeit zu gestehen, daß sie ohne ihr Wissen und ihre Einwilligung Amandas Tante geworden war. Er fürchtete, sie könnte beleidigt sein, denn sie war bedeutend jünger, als Amanda ihn hatte vermuten lassen; aber sie nahm diese neue Verwandtschaft beifällig auf, und meinte, daß es am besten wäre, gleichzeitig auch seine Tante zu sein.

Als die Chaise in Little Staughton eintraf, waren sie bereits dicke Freunde. Die Dämmerung war hereingebrochen, als sie vor dem Gasthof »Zum Bullen« vorfuhren, in dem verschiedene Fenster bereits beleuchtet waren. Als Hildebrand heraussprang, um Lady Hester herauszuhelfen, beugte sich Amanda aus einem der Fenster unter dem Dach und rief mit ängstlich erregter Stimme: »Hildebrand? Hildebrand, haben Sie sie mitgebracht?«

Er sah hinauf. »Ja, hier ist sie! Passen Sie auf, Amanda, damit Sie nicht aus dem Fenster fallen!«

Sie verschwand ganz plötzlich. Die Hand, die Hildebrand hielt, zitterte krampfhaft, aber die Stimme Lady Hesters war ganz ruhig, als sie das Wort ergriff: »Ich muß es Ihnen überlassen, Hildebrand, den Postillon abzulohnen. Ich fürchte . . .«

Sie sagte nicht, was sie befürchtete, sondern begab sich eiligst in den Gasthof. Als Hester die Schwelle überschritt, erreichte Amanda eben den Fuß der steilen Treppe, und stürzte, in einer Mischung aus Angst und Erleichterung trocken aufschluchzend, auf sie zu. »Gott sei Dank, daß Sie endlich gekommen sind! Er ist sehr, sehr krank, und ich weiß nicht, was ich tun soll, damit er ruhig liegen bleibt. Er versteht mich auch nicht. Oh! La – Tante Hester, kommen Sie!«

»Ach, ich dachte mir schon, die Miss wird es noch bereuen, daß sie Mrs. Bardfield so voreilig entlassen hat«, bemerkte Mrs. Chicklade im Hintergrund mit morbider Genugtuung. Das veranlaßte Amanda, sie wie eine junge Tigerin anzufallen. »Gehen Sie weg, Sie ekelhaftes, impertinentes Geschöpf! Sie sagten, Sie werden sich um nichts mehr kümmern. Das können Sie auch tun, denn ich will keine Hilfe von so einer Heidin, wie Sie es sind!«

Mrs. Chicklades Gesichtsfarbe steigerte sich in beunruhigendem Maße. »So! Ich bin also eine Heidin, was? Ich, die das ganze Leben lang immer in die Kirche gegangen ist und die ihr Haus anständig hielt – bis zu diesem Tag, da –«

»Guten Abend.«

Die sanfte kultivierte Stimme wirkte wie ein Zauber auf die erregte Frau. Sie brach mitten im Wort ab und starrte Lady Hester an, während ihre Purpurfarbe langsam verblaßte.

»Es tut mir leid«, sagte Hester mit kühler Höflichkeit, »daß Sie soviel Unannehmlichkeiten hatten. Es ist vielleicht doch schade, daß ich meine Kammerfrau nicht mitgebracht habe, da mein Neffe meinte, in einem so kleinen Haus wäre für sie kein Zimmer zu finden gewesen.«

Mrs. Chicklade fühlte sich veranlaßt, ihre kriegerische Haltung aufzugeben, ja sie knickste sogar unwillkürlich. »Madam, ich gehöre bestimmt nicht zu denen, die einige Unannehmlichkeiten übelnehmen. Ich sagte nur –«

»Danke«, sagte Hester und wandte sich ab. »Führe mich ins Zimmer deines Onkels, Amanda!«

Amanda war nur zu froh, das tun zu dürfen. Chicklade beugte sich mit dem Ausdruck größter Besorgnis über das Bett, auf dem sich Sir Gareth phantasierend umherwarf. Als die Damen das Zimmer betraten, drehte er sich um und sagte: »Es gefällt mir gar nicht – nein, durchaus nicht! Es ist ein Kampf auf Leben und Tod, Madam, aber ich zweifle nicht, daß es ihm jetzt bald besser gehen wird, da seine liebe Frau bei ihm ist, um ihn zu pflegen.«

Hester, die Hut und Mantel abwarf, hörte kaum auf diese Rede, denn ihre volle Aufmerksamkeit galt Sir Gareth. Sie trat an sein Bett und legte ihm die Hand flüchtig auf die Stirn. Sie war glühend heiß, und seine fieberglänzenden Augen starrten sie an, ohne sie zu erkennen. Sie sagte: »War der Arzt seit heute früh nochmals hier?«

»Nein«, antwortete Amanda mit erstickter Stimme. »Ich habe auf ihn gewartet und gewartet, denn er versprach, nochmals zu kommen.«

»Dann wird es am besten sein, wenn jemand zu ihm reitet, damit er so schnell wie möglich hierherkommt. Wenn Hildebrand inzwischen den kleineren meiner beiden Koffer heraufbringen will, und Sie, Wirt, Ihrer Frau sagen, daß sie einen Topf kochendes Wasser bereithält, hoffe ich, ihm eine gewisse Erleichterung verschaffen zu können.«

»Muß er denn sterben?« flüsterte Amanda mit vor Entsetzen fast schwarzen Augen.

»Nein«, erwiderte Hester ruhig. »Er wird nicht sterben, aber er hat heftiges Fieber, und ich glaube, seine Wunde ist stark entzündet. Der

Arm ist geschwollen, und der feste Verband macht alles noch schlimmer. Bitte geh hinunter, meine Liebe, und schick mir Hildebrand herauf.«

Amanda führte ihren Auftrag eiligst aus und kehrte unverzüglich zurück, gefolgt von Hildebrand, der den Koffer heraufbrachte. Er sah verängstigt aus, warf einen schaudernden Blick auf Sir Gareth und wendete die Augen sogleich wieder ab. Lady Hester hatte die Decken vom Bett entfernt, so daß Sir Gareth jetzt nur noch mit einem Leintuch bedeckt war. Anscheinend ohne Hildebrands krankhafte Blässe zu bemerken, wies sie ihn in ihrer ruhigen Art an, den Koffer zu öffnen. »Du wirst eine Flanellrolle darin finden und einige Scheren. Ich werde einen verschwommenen Dunstumschlag auf die Wunde legen. Willst du mir, bitte, helfen?«

»*Ich* werde Ihnen helfen«, sagte Amanda. »Hildebrand fällt ja in Ohnmacht, wenn er Blut sieht.«

»Er wird kein Blut sehen, und ich bin ganz überzeugt, daß er nicht ohnmächtig wird.«

»Nein, ich – ich schwöre, ich werde nicht ohnmächtig!« sagte Hildebrand mit zusammengebissenen Zähnen.

»Selbstverständlich nicht. Das kannst du doch auch nicht, da wir so völlig auf dich angewiesen sind, nicht wahr? Denn, weißt du, ich bin nicht kräftig genug, um Sir Gareth aufzurichten. Es ist mir eine große Erleichterung, dich hier zu haben, damit du dich mit mir in seine Pflege teilst. Amanda, geh hinunter, während wir hier mit dem Verband beschäftigt sind, und trachte, etwas Wein zu bekommen. Ein wenig Glühwein setzt das Fieber oft herab.«

Einen Augenblick schien es, als wollte sich Amanda dagegen auflehnen, weil sie den Auftrag als Versuch betrachtete, sie aus dem Krankenzimmer zu entfernen. Nachdem sie einen recht eifersüchtigen Blick auf Hildebrand geworfen hatte, machte sie sich dennoch auf den Weg.

Als sie zurückkehrte, brachte sie ein Glas mit heißem Rotwein, das sie sorgsam in ein Tuch eingehüllt trug. Inzwischen hatte Lady Hester die letzten Binden geknüpft und vertauschte soeben einen sehr klumpigen Polster mit ihrem eigenen Daunenkissen. Hildebrand, der Sir Gareth mit seinen Armen stützte, hatte nicht nur seine Farbe wiedergewonnen, sondern sah auch bedeutend hoffnungsvoller drein. Er war imstande gewesen mitzuhelfen, ohne ohnmächtig zu werden; und

Lady Hester, weit davon entfernt, ihn zu schmähen oder zu verachten, hatte sogar gesagt, sie wisse nicht, wie sie ohne ihn zurechtkommen könnte.

Amanda berichtete, Chicklade habe den Burschen, der ihm im Schankzimmer und in der kleinen Stallung behilflich war, weggeschickt, um den Arzt zur Eile anzutreiben. Da es dem Patienten ein wenig besser zu gehen schien, meinte Lady Hester, sollten sie jetzt davon absehen, ihm noch etwas von dem Glühwein einzuflößen. Hildebrand ließ Sir Gareth sanft in die Kissen zurückgleiten. Obwohl er noch immer ziemlich unruhig war, konnte man doch deutlich erkennen, daß ihm der Dunstumschlag eine gewisse Erleichterung gebracht hatte. Lady Hester ließ sich zu Häupten des Bettes nieder, begann sein Gesicht mit Lavendelwasser zu benetzen und wies ihre jugendlichen Helfer an, hinunterzugehen, um die Ankunft des Arztes zu erwarten. Sie schlichen sogleich auf den Zehenspitzen hinunter.

Mit Sir Gareth allein geblieben, strich ihm Lady Hester die zerwühlten Locken mit liebevollen Händen aus der Stirn. Er starrte sie an und sagte schnell und gequält: »Ich muß sie finden! Ich muß sie finden!«

»Ja, Gareth, das wirst du auch«, antwortete sie beruhigend. »Jetzt mußt du aber still liegen, mein Liebster.«

Einen Moment lang glaubte sie in seinen Augen einen Schimmer des Erkennens wahrzunehmen dann wandte er seinen Kopf ab und begann wieder unzusammenhängend zu murmeln. Seine Hand, die sich auf der Bettdecke ziellos bewegte, fand ihr Handgelenk, das er eisenfest umklammerte. Dabei sagte er ganz deutlich: »Du wirst mir nicht nochmals entkommen!«

Als der Arzt kurz darauf in das Zimmer geführt wurde, dachte er, die Dame, die sich zu seiner Begrüßung erhob, müsse geweint haben. Das überraschte ihn nicht, und er sagte mit rauher Herzlichkeit: »Na, na, was muß ich denn da über meinen Patienten hören? Etwas Fieber war ja zu erwarten, aber Sie können sich darauf verlassen, daß sich ein Mann mit seiner guten Konstitution von einer weit ärgeren Verwundung erholen würde, als es dieses kleine Loch in der Schulter ist. Sie brauchen mir nicht erst zu versichern, Madam, daß er darüber verfügt. Ich habe selten ein so hervorragendes Prachtexemplar behandelt, wie es Ihr Gatte ist, und ich zweifle nicht einen Augenblick, daß wir beide ihn in kürzester Zeit wieder glücklich auf die Beine bringen.«

»Aber er ist doch nicht mein Gatte«, sagte Hester unwillkürlich.

»Nicht Ihr Gatte?« sagte er und sah sie scharf an. »Ich bitte um Vergebung, aber ich habe Chicklade so verstanden, daß Mr. Ross weggefahren ist, um Sir Gareths Frau zu holen.«

»Nein«, sagte Hester hilflos. »O nein!«

»Wer können Sie dann sein, Madam?« fragte er ohne Umschweife.

»Selbstverständlich seine Schwester«, sagte Amanda mit großer Eilfertigkeit. »Vermutlich glaubte Chicklade, als er meinen Cousin sagen hörte, er wolle unsere Tante holen, sie müsse Onkel Gareths Frau sein. Aber das ist sie nicht.«

»Oh!« sagte der Arzt. »So ist das also.«

»Ja, so ist es«, bestätigte Hester und fügte sich in die neue Situation.

15

Als Sir Gareth die Augen öffnete und sich von unbekannten Dingen umgeben sah, überlegte er, wo er sich befinden könne. Er schien in einer Dachstube zu liegen, was ihm sehr sonderbar vorkam, wenn es auch nicht wichtig war. Er dachte träge darüber nach und bemerkte als nächstes, daß mit seiner linken Schulter etwas nicht in Ordnung war. Er versuchte, mit der rechten Hand danach zu greifen, mußte aber feststellen, daß es eine Anstrengung war, die über seine Kräfte ging. Er war auch sehr müde, und auch das kam ihm merkwürdig vor. Entschieden ist etwas mit mir nicht in Ordnung, dachte er, keineswegs beunruhigt, sondern viel eher erstaunt. Er drehte den Kopf auf dem Kissen. Sein Blick fiel auf einen schlanken Jüngling, der ihn, auf einem Sessel sitzend, gespannt ansah. Die tiefe Betäubung, die sein Gehirn noch immer umnebelte, begann sich zu lichten. Er runzelte die Stirn. Ein junger Mann in einem Gastzimmer . . . der irgendwelchen Unsinn über ein schwarzgewordenes Herz erzählte . . . und Amanda . . . *Amanda!!!* »Du gütiger Gott!« sagte Sir Gareth mit schwacher Stimme, als die Erinnerung auf ihn einstürzte.

Hildebrand, der nicht genau wußte, ob er wieder zu sich gekommen war oder noch immer phantasierte, sagte vorsichtig: »Geht es Ihnen besser, Sir?«

»Hildebrand Ross«, stellte Sir Gareth fest. »Wo zum Teufel bin ich?«

»Ich glaube nicht, Sir, daß Sie diesen Ort kennen werden, aber bitte beunruhigen Sie sich nicht. Sie befinden sich in völliger Sicherheit.«

»Haben Sie nicht auf mich geschossen?« erkundigte sich Sir Gareth, nicht sonderlich interessiert.

»Ja, Sir – aber ich habe es wirklich nicht gewollt! Bitte, seien Sie mir nicht böse. Ich meine, nicht jetzt, solange sie noch zu schwach sind.«

»Ich erinnere mich, Ihnen gesagt zu haben, nicht mit der Pistole herumzufuchteln«, bemerkte Sir Gareth nachdenklich. »Was geschah aber nachher?«

»Ja – nun – ich – ich schoß auf sie, Sir, aber bitte sprechen Sie jetzt nicht darüber. Der Arzt sagte, Sie sollen sich ganz ruhig verhalten.«

»Wie lange bin ich schon hier?«

»Vier Tage, Sir – aber ich glaube, es wird am besten sein, wenn ich Tante Hester hole«, sagte Hildebrand nervös.

Sir Gareth, dem es überlassen blieb, sich darauf einen Reim zu machen, fand, daß es über sein Verständnis ging, und schloß wieder die Augen. Als er zum zweitenmal erwachte, erinnerte er sich, mit Hildebrand gesprochen zu haben, und sah zum Fenster. Aber Hildebrand war nicht mehr dort. Lady Hester saß in einem Windsorstuhl und las in einem Buch. Sir Gareth, der angenommen hatte, daß es ihm besser gehe, glaubte jetzt zu phantasieren. Außerdem lag auf ihrem Schoß zusammengerollt ein rötliches Kätzchen – und dieses Kätzchen kannte er. Da aber Hester mit Joseph nichts zu tun hatte, trieb er wahrscheinlich noch immer in einem verworrenen Traum dahin. »Außerdem«, sagte er laut, »trägt sie kein Häubchen. Wie lächerlich!«

Sie blickte rasch auf, erhob sich und stellte Joseph auf den Boden. »Hildebrand kam zu mir gelaufen, um mir zu erzählen, daß Sie aufgewacht und wieder ganz bei Bewußtsein sind; als ich aber hier hereinkam, waren Sie so fest eingeschlafen, daß ich beinahe an seinen Worten zweifelte«, sagte sie, griff nach seiner Hand und fühlte seinen Puls. »Oh, er ist bedeutend besser! Fühlen Sie sich wieder wohler?«

Seine Finger schlossen sich kraftlos um ihre Hand. »Das ist doch phantastisch«, sagte er. »Wissen Sie bestimmt, daß ich nicht träume?«

»Ganz bestimmt«, erwiderte sie und lächelte rätselhaft. »Wahrscheinlich wundern Sie sich, wieso ich hier bin, aber das ist jetzt nicht wichtig, und Sie dürfen sich jetzt keineswegs damit abquälen.«

Er betrachtete stirnrunzelnd das Häubchen, das sein Mißfallen erregte. »Warum tragen Sie dieses Zeug?«

»Nun ja, ich dachte, ich habe das Alter erreicht, in dem ich es tragen sollte.«

»Unsinn! Bitte nehmen Sie es wieder ab.«

»Wären Sie sehr ungehalten, wenn ich es jetzt nicht täte?« fragte sie und fügte entschuldigend hinzu: »Wissen Sie, man erweckt mit einem Häubchen nämlich einen so soliden Eindruck.«

Darüber mußte er herzlich lachen. »Müssen Sie denn einen soliden Eindruck machen?«

»Ja, das muß ich wirklich. Und jetzt, mein lieber Freund, werde ich Chicklade rufen und ihm sagen, daß er die Fleischbrühe heraufbringen kann, die seine Frau für den Moment Ihres Erwachens warmgestellt hat.«

»Wer ist Chicklade?«

»Wie dumm von mir! Es ist der Wirt, ein vortrefflicher Mann, ganz im Gegensatz zu seiner Frau, die in der Tat ein ärgerliches Geschöpf ist. Ich werde ihn jetzt hereinrufen. Er war immer außerordentlich gefällig, denn ich brauche ihn, um Sie etwas aufzurichten, während ich Ihnen ein anderes Kissen unterschiebe. Ich werde ihm einschärfen, Sie nicht zum Sprechen zu ermuntern. Im Falle Sie aber doch etwas sagen, das uns alle zugrunde richten könnte, wollen Sie sich, bitte, erinnern, daß Hildebrand Ihr Neffe ist?«

»Entweder ich träume, oder Sie müssen urplötzlich wahnsinnig geworden sein«, sagte Sir Gareth. »Hildebrand war doch der Name des jungen Idioten, der auf mich geschossen hat. Soweit erinnere ich mich.«

»Ja, wie unvorsichtig von ihm! Wahrscheinlich werden Sie das Bedürfnis haben, ihn tüchtig auszuzanken. Vielleicht hätte ich das schon besorgen sollen, als er mir die ganze Sache erzählte. Aber da er so verzweifelt war und so aufrichtig bereute, fand ich, daß es durchaus nicht nötig ist. Ich will Ihnen selbstverständlich nichts vorschreiben, aber falls Sie die Absicht haben, ihn den Behörden zu übergeben – was der arme Junge allerdings erwartet –, dann möchte ich Sie bitten, es nicht zu tun. Er hat mir geholfen, Sie zu pflegen, hat alle Aufträge mit so großer Pünktlichkeit ausgeführt, daß es furchtbar undankbar wäre, ihn einsperren zu lassen. Außerdem wäre es sehr befremdend, da alle Leute glauben, daß er Ihr Neffe ist.«

»Wurde er aus diesem Grund mein Neffe?« fragte er mit belustigtem Blick.

»Ja. Und ich brauche Ihnen kaum zu sagen, daß es Amandas Idee war. Sie sagte, daß Hildebrand Sie aus Spaß überfiel und nie die Absicht hatte, auf Sie zu schießen, was völlig der Wahrheit entspricht. Ich gebe zu, daß Amanda ein ungezogener Fratz ist, aber man muß sie dennoch bewundern. Sie ist nie in Verlegenheit!«

»Wo ist Amanda?« unterbrach er sie.

»Sie ist mit Hildebrand nach Great Staughton gegangen, um dort verschiedene Dinge für mich einzukaufen.«

»Wollen Sie damit sagen, daß sie nicht davongelaufen ist?« sagte er ungläubig.

»Nein, o nein!«

»Wie in aller Welt gelang es Ihnen, sie hier zurückzuhalten?«

»Ach, das habe ich gar nicht getan. Ich bin überzeugt, daß ich es niemals fertiggebracht hätte. Sie würde *jetzt* nicht daran denken, davonzulaufen. Außerdem ist sie sehr gerne hier, denn es ist ein winziges Dörfchen, in dem sie ihr Großpapa niemals suchen würde. Sie werden sie selbst sehen, sowie Sie etwas kräftiger sind. Ach ja, ich vergaß zu erwähnen, daß sie Ihre Nichte ist. Sie und Hildebrand sind Cousin und Cousine.«

»Ich habe, wie es scheint, eine beängstigend große Zahl neuer Verwandter bekommen«, bemerkte er.

»Ja«, bestätigte sie. Dann zögerte sie und errötete. »Dabei fällt mir ein, ich muß Sie auch noch darauf vorbereiten, daß ich, solange wir uns in diesem Gasthof aufhalten, gezwungen bin, Sie zu duzen und Gareth zu rufen. Ich fürchte, es wird Ihnen vielleicht nicht ganz recht sein, aber ...«

»Im Gegenteil«, sagte er lächelnd. »Sind Sie ebenfalls mit mir verwandt?«

»Nun ja«, gestand sie. »Wir – wir fanden es am besten, daß ich Ihre Schwester vorstelle, denn ich war nicht überzeugt, daß ich die Rolle Ihrer Gattin spielen könnte.«

»Auch dessen entsinne ich mich«, sagte er.

Sie errötete noch stärker, wandte den Blick ab und sagte verlegen: »Die Sache war nämlich so: Als Hildebrand zu mir kam, um mich abzuholen, erzählte Amanda den Chicklades, ich sei ihre Tante, was, wie ich gestehen muß, sehr vernünftig von ihr war. Die Wirtsleute schlossen aber daraus, daß ich Ihre Frau bin, und sagten das auch dem Arzt. Und das führte fast zu unserem Verderben, denn Sie wissen ja, wie töricht ich bin! Ich platzte damit heraus, daß ich das keineswegs sei, worauf mich der Arzt so komisch anstarrte. Doch Amanda sagte unverzüglich, daß ich nicht Ihre Frau, sondern Ihre Schwester bin; damit war er zufriedengestellt. Ich hoffe, daß Sie nicht böse sind. So, und jetzt muß ich gehen und Chicklade rufen.«

Sie eilte hinaus, und als sie nach einigen Minuten wiederkehrte, wurde sie von Chicklade begleitet, der ein kleines Tablett trug, das er auf einem Tischchen neben dem Bett niederstellte. Dann erklärte er mit sorgsam unterdrückter Stimme, sehr glücklich zu sein, daß Sir Gareth um soviel kräftiger aussehe. Sir Gareth spielte bereitwillig die Rolle, die man von ihm erwartete. Er sagte: »Ich danke Ihnen, ich bin noch so schwach wie ein Kätzchen, aber Sie werden sehen, wie rasch ich wieder auf den Beinen bin. Meine Schwester erzählte mir, wie sehr Sie bei meiner Pflege mitgeholfen haben.« Er streckte ihm seine Hand entgegen. »Ich danke Ihnen, ich bin ihnen unendlich verpflichtet! Sie müssen es herzlich müde sein, einen so lästigen Gast zu beherbergen, aber ich bin wirklich nicht schuldig daran. Mein junger Neffe, dieser Narr, ist der Schuldige!«

»Ja, Sir, das ist er wohl«, sagte Chicklade und ergriff behutsam seine Hand. »Offen gestanden, sollte er eine tüchtige Tracht Prügel bekommen, ich zweifle aber nicht, daß ihn die Miss dazu verleitet hat, und bin felsenfest davon überzeugt, daß er Todesängste ausstand. Nein, ich beklage mich nicht über die Unruhe. Wenn ich irgend etwas tun kann, müssen es Euer Gnaden nur sagen.«

»Dann möchte ich sie bitten, mich zu rasieren«, sagte Sir Gareth, kläglich mit der Hand über sein stoppeliges Kinn streichend.

»Vielleicht morgen«, entschied Hester, die darauf wartete, ein anderes Kissen unter seinen Kopf schieben zu können. »Wollen Sie ihn, bitte, jetzt etwas aufrichten? Versuch nicht, ihm zu helfen, Gareth, du wirst gleich sehen, daß Chicklade sehr kräftig ist.«

»Was hatten Sie für ein Boxgewicht?« fragte Sir Gareth, während der Wirt ihn behutsam in die Kissen zurücksinken ließ.

Langsam breitete sich ein Lächeln über dessen großflächiges Gesicht. »Oh, ich hatte nie weniger als sechsundneunzig Kilo, Sir, aber natürlich heutzutage – na ja! Wenn ich mir die Freiheit nehmen darf, würde ich sagen, daß sich euer Gnaden auch sehr vorteilhaft ausnehmen.«

»Sie werden noch genug Gelegenheit haben, mit Sir Gareth viele amüsante Gespräche über Preisboxen zu führen, aber erst, wenn er ein wenig kräftiger ist«, sagte Lady Hester sanft. Der Wirt, auf diese Weise an Sir Gareths Schwäche erinnert, warf ihr einen entschuldigenden Blick zu und entschloß sich zum Rückzug. Hester setzte sich wieder neben das Bett und bot dem Patienten einen Löffel Hühnerbouillon an. »Ich hoffe, daß sie gut ist«, sagte sie lächelnd. »Sowie ihr Fieber gesunken war, stach Chicklade eines seiner Hühnchen ab, damit wir eine kräftigende Suppe für Sie bereithalten können. Dabei erregte Amanda Hildebrands Abscheu, weil sie zusah, wie man einem Hühnchen den Hals umdreht, aber ich glaube, sie hat ganz recht gehabt. Sie scheint nämlich anzunehmen, daß sie, wenn sie nach Spanien kommt, gezwungen sein wird, die Hühner selbst zu schlachten. Ich glaube allerdings, daß es der Offiziersdiener machen wird. Da der arme Hildebrand sehr zimperlich ist, war er über Amanda natürlich restlos empört, daß sie lernen will, wie man einem Hühnchen den Hals umdreht. Glauben sie, daß Sie ein kleines Stückchen Toast essen könnten, wenn ich es in die Bouillon tauche?«

»Danke, ich esse ihn lieber uneingetaucht. Ich verabscheue eingetunkten Toast. Hester, bitte, erklären Sie mir, wie Sie herkamen. Amanda hatte kein Recht, das von Ihnen zu verlangen. Ich kann mir auch nicht vorstellen, wie es Ihnen gelungen ist, die Zustimmung Ihrer Familie zu erhalten.«

»Ach, die habe ich ja nicht! Sie glauben, daß ich zu meiner Schwester Susan gefahren bin, weil ihre Kinder Masern haben. Bitte, schauen Sie nicht so unglücklich drein. Ich versichere Ihnen, es hat mir noch nie etwas annähernd so viel Freude bereitet. Sie können sich gar nicht vorstellen, welche Erlösung es für mich ist, meine Verwandten abschütteln zu können. Ich fühle mich wie neugeboren, und das ist ebenfalls eine Erlösung.«

»Aber, meine Liebe, das ist das Verrückteste, was Sie tun konnten«, wandte er halb lachend ein.

»Ja, nicht wahr?« stimmte sie herzlich zu. »Das ist es ja, was die ganze Sache so erfreulich macht, denn bisher habe ich nie etwas Verrücktes getan. So, und jetzt noch ein bißchen von der Bouillon! Wie werden sich Amanda und Hildebrand freuen, wenn sie erfahren, daß Sie sie ganz ausgetrunken haben! Ich bin neugierig, ob es den beiden gelungen ist, in Great Staughton Spielkarten aufzutreiben.«

Ihre Inkonsequenz brachte ihn zum Lachen. »Wollten Sie denn welche haben?«

»O nein! Aber für diese Kinder ist es hier sehr langweilig, und da dachte ich, wenn sie Spielkarten hätten, könnten sie am Abend, statt zu streiten, miteinander spielen. Hildebrand nahm allerdings an, daß es sehr unrecht ist, Karten zu kaufen, ich versicherte ihm aber, daß Sie nicht das geringste dagegen hätten.«

»Ich?« sagte er. »Was veranlaßt den Jungen, mich für so philiströs zu halten?«

»Nein, nein, das tut er auch nicht. Die Sache ist nämlich so: Er findet, daß wir das, was *Sie* benötigen, mit gutem Gewissen einkaufen dürfen, daß es aber nicht nur höchst ungehörig, sondern direkt unanständig ist, irgend etwas anderes einzukaufen. Sie müssen nämlich wissen, daß wir uns gezwungen sahen, Ihnen Ihr Geld zu stehlen.«

»Wie schrecklich!« murmelte er. »Bin ich dem Elend also völlig preisgegeben?«

»Nein, natürlich nicht! Denn Hildebrand führt peinlich genau Rechnung über jeden Penny, den wir ausgeben. Was für eine Riesensumme Sie bei sich tragen, Gareth! Als wir die Banknotenrolle in Ihrer Tasche fanden, dachte ich, daß wir keine Skrupel haben müssen. Wir befanden uns nämlich in der größten Verlegenheit, denn wir mußten die Postkutsche bezahlen und den Stall für Hildebrands Pferd, und dann mußten wir Medizin einkaufen, die wir für Sie benötigten, und dadurch war Hildebrand sehr bald bankrott. Amanda hatte ein wenig Geld, aber nicht annähernd genug, um hier unser Logis und den Arzt zu bezahlen, und ich hatte nichts als das wenige, was sich in meinem Portemonnaie befand. Ach Gott, wenn ich nur nicht so zerstreut wäre! Ich hätte selbstverständlich Widmores Safe aufbrechen müssen, aber in der Aufregung dachte ich nicht daran.«

Der Ton, in dem sie diese Selbstkritik übte, war zuviel für Sir Gareth. Er begann zu lachen, aber ein heftiger Schmerz in der Schulter ließ ihn zusammenzucken. Lady Hester entschuldigte sich, daß sie der Anlaß gewesen, sagte aber gleich darauf, daß Lachen einem Menschen noch nie geschadet habe, selbst wenn es ihm ein wenig Schmerz bereitet.

Auch Sir Gareth schien es nicht zu schaden. Der Arzt, der ihn am Abend besuchte, wandte sich mit der Frage an Lady Hester, ob sie bemerkt habe, wie blendend der Patient auf seine Behandlungsmethode reagiere, und erklärte hierauf, daß er in kürzester Zeit wieder ganz wohlauf sein werde. Wenn auch klar ersichtlich war, daß es in Wirklichkeit noch eine beträchtliche Zeit dauern werde, bis er wieder ganz zu Kräften kam, begann sich sein Befinden so rasch zu bessern, daß Lady Hester am folgenden Tag Amanda die Erlaubnis gab, ihn zu besuchen. Sie hoffte allerdings, daß er den Wildfang in seinem derzeitigen Zustand nicht zu überwältigend, ja vielleicht sogar ein wenig aufregend finden würde. Wie groß sein Interesse an dieser turbulenten Schönheit war, vermochte sie nicht zu entscheiden. Die deutlich verständlichen Worte, die er in seinen Fieberphantasien gesprochen hatte, befaßten sich alle mit Amanda. Hester war einigermaßen überrascht gewesen, Clarissas Namen nie aus seinen unzusammenhängenden Reden herauszuhören. Das schien zu beweisen, daß sein Geist, wenn nicht sein Herz, von Amanda besessen war. Nach dem Abklingen des Fiebers konnte als einziges Anzeichen eines außergewöhnlichen Interesses lediglich seine unverzügliche Sorge gedeutet werden, ihren Aufenthalt zu erfahren. Aber Lady Hester wußte, daß er nicht der Mann war, sich selbst zu verraten, und sie fürchtete, daß er durch Amanda verletzt werden könnte. Denn wie erstaunlich es auch war – und Hester erschien dies völlig unverständlich –, auf Amandas Herz hatte er nicht den geringsten Eindruck gemacht. Sie hatte ihn sehr gern, sie erklärte auch, er gleiche allen ihren romantischen Lieblingshelden, dennoch blieb sie unerschütterlich in ihrer Liebe zu dem Brigademajor. Wenn Sir Gareth die Hoffnung nährte, sie zu erobern, so mußte er eine Enttäuschung erleben. Und wenn das auch keine Tragödie war wie Clarissas Tod, so wäre es doch ein Schmerz, und Hester hätte sich freudig geopfert, um das zu verhüten. Sie konnte aber nichts tun. Sie hatte Amanda gestattet, zwanzig Minuten bei Sir Gareth zu bleiben, da sie nach Ablauf dieser Zeit nicht wieder erschien, begab sich Hester in das Krankenzimmer, um den Besuch zu beenden.

Der Anblick, der sich ihr bot, ließ sie auf der Schwelle erstarren, und der Gedanke fuhr ihr durch den Kopf, daß sie nun wisse, was ein Sterbender fühlt. Wäre es in ihrer Macht gelegen, Sir Gareths Herzenswunsch zu erfüllen, sie hätte es getan. Sie hatte aber nicht gewußt, welch heftigen Schmerz sie erleiden würde, wenn sie mit ansehen mußte, wie Amanda ihr Gesicht an seiner gesunden Schulter barg und er seinen Arm um sie geschlungen hielt.

Doch da sah er auf – und die kurze scharfe Pein fand ein Ende. Niemals noch hatte ein Mann deutlichere Zeichen um Hilfe zu erkennen gegeben als in diesem Moment Sir Gareth. Er sah durchaus nicht wie ein Verliebter aus, sondern vielmehr außerordentlich unangenehm berührt. Jetzt erst gewahrte Hester, daß sich Amanda einem herzhaften Tränenstrom hingab, und das Lächeln, das so überraschend viel Mutwillen erkennen ließ, blitzte plötzlich in ihren Augen auf. »Du lieber Himmel, was ist denn los?« sagte sie, trat ins Zimmer und löste Amandas Arme behutsam von Sir Gareths Hals. »Mein liebes Kind, das ist durchaus kein richtiges Betragen. Bitte, hör auf zu weinen!«

Sie hob ihre Brauen in stummer Frage, und Sir Gareth antwortete kläglich: »Sie gibt sich dem Genuß zügelloser Reue hin. Ich hätte mir nie träumen lassen, daß es etwas gibt, das einen noch mehr erschöpft als Amanda in animierter Stimmung; jetzt habe ich meinen Irrtum gründlich eingesehen. Nun also, nur Mut, kleines Gänschen! Mir geschah ganz recht, weil ich nicht auf Ihre Warnung achtete, Sie würden schon dafür sorgen, daß ich es bereue.«

»Nebenbei rettete sie Ihnen aber das Leben«, sagte Hester. »Wir haben absichtlich nicht viel über den Unfall gesprochen. Ich glaube aber, Gareth, Sie sollten doch erfahren, daß Sie verblutet wären, hätte Amanda nicht mit der größten Geistesgegenwart gehandelt. Und sie hatte niemanden, an die sie sich wenden konnte, weil der arme Hildebrand vor Schrecken und durch den Anblick Ihres Blutes ohnmächtig wurde. Sie sind ihr in der Tat sehr viel Dank schuldig.«

Er war überrascht und sehr gerührt, aber Amanda wollte von Dankbarkeit nichts wissen. Sie hörte allerdings auf zu weinen und hob den Kopf von seiner Schulter. »Na ja, ich mußte doch etwas tun, und außerdem war es eine gute Übung, im Falle Neil wieder verwundet wird. Ich wollte nicht weinen. Hätten Sie mich nur ärgerlich angesehen, als ich das Zimmer betrat, anstatt mir zuzulächeln und die Hand entgegenzustrecken, dann hätte ich es auch nicht getan.«

»Das war sehr unbedacht von mir, und ich kann Sie nur um Verzeihung bitten«, erwiderte er feierlich. Er sah ihr zu, wie sie die Tränen trocknete, dann sagte er: »Wollen Sie mir etwas zu Gefallen tun?«

»Ja, natürlich, ich – das heißt –, ich *könnte* es«, sagte sie argwöhnisch. »Um was handelt es sich?«

»Schreiben Sie Ihrem Großpapa unverzüglich und teilen Sie ihm mit, daß Sie hier und unter der Obhut von Lady Hester sind.«

»Ich dachte mir gleich, daß Sie mir einen Streich spielen wollen«, rief sie.

»Mein Kind, es muß eine Woche verstrichen sein, seitdem Sie durchbrannten, und er war ganz bestimmt die ganze Zeit über in größter Sorge um Sie! Bedenken Sie das! Sie können doch nicht wünschen, daß er ...«

»Sie haben ganz recht«, unterbrach sie ihn. »Welches Glück, daß Sie mich erinnern! Es sind so viele Dinge passiert, daß ich gar nicht mehr daran dachte. Du lieber Gott, er könnte schon vor Tagen eine Annonce in die Morning Post gesetzt haben! Ich muß sofort Hildebrand suchen!«

»Sie richtete sich von den Knien auf, stürzte davon und ließ die Tür hinter sich offen. Lady Hester schloß sie und sagte: »Ich möchte doch wissen, was Hildebrand für sie tun soll!«

»Sie ist wahrhaftig das herzloseste kleine Frauenzimmer!« sagte Sir Gareth.

Hester sah ihn ziemlich überrascht an. »O nein, herzlos ist sie nicht! Sie ist ihrem Neil nur so leidenschaftlich ergeben, daß sie sich nicht das geringste aus jemand anderem macht.«

»Dann also rücksichtslos. Hester, können Sie Ihren Einfluß nicht geltend machen, damit sie den unglücklichen alten Mann von seiner Sorge befreit?«

»Ich fürchte nein«, sagte sie. »Selbstverständlich tut er einem schrecklich leid – aber ich glaube, man sollte ihr gestatten, Neil zu heiraten. Täuschen Sie sich nicht über sie, Gareth! Schließlich ist sie ja bei uns in völliger Sicherheit.«

»Sie sind ebenso abscheulich wie Amanda«, sagte Sir Gareth streng.

»Möglich, aber nicht so einfallsreich«, stimmte sie zu. »Und Sie sind sehr müde. Jetzt wird geschlafen. Und Schluß mit den Besuchen.«

Weiter war nichts zu sagen. Sir Gareth wußte, daß er, bevor er wieder auf den eigenen Beinen stand, machtlos war und nichts tun konnte, um Amanda ihrer Familie wiederzugeben. Da er zu schwach war, sich auf einen Streit einzulassen, fügte er sich in sein Schicksal, gab sich einer langsamen Rekonvaleszenz hin, ließ die phantastische Situation gelten, in der er sich befand, und hatte sogar noch ziemlich viel Spaß daran. Seine Adoptivfamilie verhätschelte ihn, stets wachsam und besorgt. Alle wendeten sich an ihn, um Streitigkeiten zu schlichten oder verwickelte Probleme zu lösen, und als er kräftiger wurde, erhoben sie sein Zimmer zu ihrem Hauptquartier. Amanda hatte von allem Anfang an nichts als eine Art Onkel in ihm gesehen. Hildebrand, weit entfernt davon, hatte geglaubt, ihm nie wieder gegenübertreten zu können, ohne von seinem Schuldbewußtsein überwältigt zu werden. Als Sir Gareth sich schon recht wohl fühlte, hatte es großen Mutes bedurft, sein Zimmer zu betreten. Da Hildebrand aber den größten Teil seiner Betreuung übernommen hatte, mußte der schreckliche Moment mutig durchgestanden werden. Er trat ein, auf alles gefaßt, was ihn erwarten mochte. »Nun, Neffe?« fragte Sir Gareth. »Was hast du zu deinen Gunsten anzuführen?« Hildebrand hatte eine demütige Entschuldigung vorbereitet, sie wurde ihm aber kurzerhand abgeschnitten. »Warte nur, bis ich wieder auf den Beinen bin«, sagte Sir Gareth. »Ich will dich lehren, mit einer geladenen Pistole herumzufuchteln!«

Danach fiel es ihm nicht mehr schwer, Sir Gareth als Onkel zu betrachten. Es kam diesem sogar vor, als ob weder Amanda noch Hildebrand sich erinnerten, daß er nicht wirklich ihr Onkel war.

Hildebrands Gedanken beschäftigten sich hauptsächlich damit, wie er sich wieder in den Besitz seines Pferdes setzen könne; da er es aber nicht über sich brachte, einen ungehobelten Postillon oder Stallknecht auf Prinz reiten zu lassen, und den Vorschlag, eine Chaise zu mieten, um nach St. Ives zu fahren und Prinz selber nach Little Staughton zu bringen, unmutig von sich wies, schien es für dieses Problem keine Lösung zu geben. »Als ob ich auch nur daran denken könnte, Sie so viele Stunden allein zu lassen«, sagte er. »Nebenbei, Sir, überlegen Sie nur, was das kosten würde.«

»Was? Ist bei uns völlige Ebbe?«

»Du lieber Himmel, nein! Aber, Onkel Gary, Sie werden doch nicht glauben, daß ich zuerst auf Sie schieße und nachher Geld von Ihnen nehme, um mein Pferd zurückzubekommen. Jedenfalls glaube ich nicht, daß ich von hier weggehen kann, denn wenn ich Amanda nicht im Auge behalte, weiß Gott allein, was sie nächstens anstellen wird.«

»Dann behalte sie, um Himmels willen, im Auge«, sagte Sir Gareth. »Welchen teuflischen Plan heckt sie jetzt wieder aus?«

»Nun, Sie wissen ja, daß sie gestern verschwand und stundenlang ausblieb? – Ach nein, Tante Hester meinte, wir sollten es Ihnen nicht erzählen. Bitte um Verzeihung, Tante Hester, aber das spielt ja jetzt keine Rolle, weil sie schließlich doch nicht durchgebrannt ist. Also wissen Sie, was sie tat? Sie fuhr im Gig des Farmers Upwood nach Eaton Socon, nur um festzustellen, wo sie einer Ausgabe der Morning Post habhaft werden könnte.«

»Ich finde, das war doch sehr vernünftig von ihr«, sagte Lady Hester. »Und sie stellte es fest, was mir nie gelungen wäre.«

»Doch, Madam! Sie fand es auf dem Postamt heraus. Jeder hätte gewußt, daß das die Stelle ist, an die man sich wenden muß.«

»Aber nicht Tante Hester«, sagte Sir Gareth mit spöttisch zwinkernden Augen. »Wer hält sich in dieser bäuerlichen Gegend die Morning Post?«

»Ach, irgendein alter Knabe, der in der Nähe von Colmworth lebt, etwa vier Meilen von hier entfernt. Er ist leidend und verläßt, wie Chicklade sagt, nie mehr sein Haus. Die Sache ist die: Amanda hat geschworen, die Zeitungen selbst zu holen, wenn ich es nicht tue. Sie will den alten Mann bitten, sie alle Nummern der Morning Post durchsehen zu lassen, die er in dieser Woche erhielt.«

»Wißt ihr, daß mir plötzlich etwas recht Unangenehmes eingefallen ist«, sagte Hester, »ich würde mich nicht wundern, wenn man die Zeitungen in der Küche zum Feuermachen verwendet hätte. Das wäre wirklich zu arg, aber wahrscheinlich ist genau das geschehen?«

»Wenn Sie annehmen, es bestünde eine Aussicht, daß Amandas Großvater nachgegeben hat, wäre es vielleicht am besten, sofort an die Redaktion der Morning Post zu schreiben«, sagte Sir Gareth. »Ich an seiner Stelle wäre ja eher in die Bow Street gegangen – aber man kann nie wissen.«

»Glauben Sie, Sir, daß ich mein Glück zuerst im Haus dieses alten Knaben versuchen soll?« fragte Hildebrand.

»Unbedingt! – Das heißt, falls du dir einen genügend überzeugenden Grund ausdenken kannst, um so viele Exemplare seiner Zeitung durchzusehen. Er wird dich wahrscheinlich für geistesschwach halten, aber wenn es dich nicht stört, warum sollte es mich stören?«

»Gewiß, warum auch? Ich werde sagen, daß ich sie für Sie haben möchte, weil Sie ans Bett gefesselt sind und nichts zu lesen haben.«

»Ich frage mich, warum ich nicht gleich vermutete, daß du mich in diese Sache hineinziehen wirst?« bemerkte Sir Gareth in nachdenklichem Ton.

Hildebrand grinste und versicherte ihm, daß er nichts zu befürchten brauche.

Nachdem Hildebrand gegangen war, sagte Hester gedankenvoll: »Gareth, ich muß gestehen, daß ich hoffe, Sie irren sich bezüglich der Bow Street. Was sollten wir tun, wenn sie Detektive hinter uns herschicken?«

»Auswandern«, erwiderte er unverzüglich.

Sie lächelte. Dann sagte sie: »Das wäre gewiß sehr aufregend, aber wahrscheinlich nicht sehr bequem, denn die Detektive würden – wenn wir auch nichts Unrechtes getan haben – nicht ganz verstehen, wie alles zugegangen ist. Außer natürlich – Amanda wäre imstande, sich noch eine ihrer blendenden Geschichten auszudenken.«

»Jede von Amandas Geschichten würde nur dazu führen, uns unfehlbar im Gefängnis von Newgate landen zu lassen. Ich sehe keinen andern Ausweg – wir müssen auswandern.«

»Aber nicht alle, Gareth – doch nur Sie«, sagte sie mit einem Anflug von Humor. »Denn Amanda würde ihnen bestimmt erzählen, daß Sie sie entführt haben. Nichts vermag sie zu überzeugen, daß eine Entführung etwas ganz anderes ist. Na ja. Wir können nur hoffen, daß sich in einer der Zeitungen eine Annonce befindet. Ich glaube bestimmt, daß eine erschienen ist, denn ihr Großpapa muß sich doch wünschen, Amanda so rasch wie möglich zurückzubekommen.«

Als Hildebrand später von seiner Mission zurückkehrte, mußte sie aber feststellen, daß sie sich getäuscht hatte. Hildebrand kam beladen mit Zeitschriften in Sir Gareths Zimmer, warf sie auf den Boden und sagte atemlos: »Alles für Sie, Onkel Gary! Er wollte, daß ich Ihnen das alles bringe, denn er behauptet, Sie zu kennen. Mein Gott, ich fürchtete zuerst, daß wir dadurch in einer Klemme sind, aber ich glaube nicht, daß er uns irgendwie schaden wird.«

»Oh, mein Gott«, rief Sir Gareth. »Vermutlich mußtest du ihm meinen Namen nennen? Wie heißt er?«

»Nun ja, denn ich dachte nicht, daß es etwas auf sich hätte. Und außerdem weiß hier doch jeder, wer Sie sind. Der Postillon verriet Chicklade, damals als man Sie hierher brachte, Ihren Namen.«

Amanda, die auf dem Boden saß und eine Ausgabe der Morning Post nach der anderen durchsah und dann beiseitelegte, blickte jetzt auf und rief: »Ich habe Ihnen doch gesagt, daß Sie alles verpatzen werden! Wäre ich hingegangen, dann hätte ich mir einen schönen Namen für Onkel Gary ausgedacht! Sie haben eben keine Phantasie, und es fällt Ihnen nichts ein!«

»Ja, natürlich«, erwiderte Hildebrand. »Sie hätten gesagt, er sei Lanzelot vom See oder sonst etwas Blödes, das kein Mensch geglaubt hätte!«

»Denkt ja nur nicht, daß ihr hier über mich hinweg Krach machen könnt«, mischte sich Sir Gareth ein. »Was ich wissen möchte, ist nicht, welchen Namen mir die unvergleichliche Amanda verliehen hätte, sondern den Namen dieses Einsiedlers, der behauptet, mich zu kennen.«

Amanda verlor das Interesse und zog sich wieder auf die Annoncenspalten der Morning Post zurück. Hildebrand sagte: »Vinehall, Sir: Barnabas Vinehall.«

»Na, einen so dummen Namen hätte ich mir nie ausgedacht«, warf Amanda zornig ein.

»Du lieber Gott«, stieß Sir Gareth hervor. »Ich dachte, der ist längst tot! Und du sagst, daß er hier lebt?«

»Ja. Aber deswegen braucht keiner von uns zu zittern, denn er verläßt jetzt nie mehr sein Haus: Er sagte es mir selbst«, versicherte Hildebrand. »Er ist der dickste Mann, den ich je gesehen habe.«

»Ich verstehe nur nicht...«

»Nein, hören Sie nur zu, Onkel Gary! Er hat nämlich Wassersucht!«

»Armer Mann«, sagte Hester mitfühlend. »Wer ist es denn, Gareth?«

»Er war ein intimer Freund meines Vaters. Ich habe ihn jahrelang nicht gesehen. Wassersucht hat er, was? Armer alter Vinehall. Was hast du ihm erzählt, Hildebrand?«

»Nur, daß Sie einen Unfall hatten und hier liegen müssen. Das Pech wollte es aber, daß ich vorher sagte, ich sei Ihr Neffe, denn als er Ihren Namen erfuhr, sagte er sogleich, ich müsse Trixies ältester Sohn sein. Und ich wußte nicht, wer Trixie ist...«

»– so sagten Sie natürlich, daß Sie es nicht sind!« warf Amanda ein.

»Nein, das habe ich eben nicht getan! Sie sind nicht die einzige Person, die Lügen erzählen kann«, erwiderte Hildebrand. »Ich sagte: Ja, das bin ich.«

»Und was sagten Sie über mich? Wer ich bin?« fragte Amanda.

»Niemand! Sie wurden überhaupt nicht erwähnt«, erwiderte Hildebrand rachsüchtig. »Sir, mich ängstigt nur eines: Mr. Vinehall nimmt nämlich an, daß Tante Hester diese Trixie sein müsse. Da ich sagte, Ihre Schwester pflege Sie, schloß ich daraus, daß Trixie ihre Schwester ist.«

»Meine einzige Schwester«, sagte Sir Gareth und bedeckte seine Augen mit einer Hand. »Was habe ich je verbrochen, um mit einem Neffen geschlagen zu sein, wie du es bist–! Aber erzähl weiter. Laß mich auch noch das Ärgste hören!«

»Es gibt nichts Ärgeres. Er sagte, er hoffe, daß Trixie – ich meine Ihre Schwester, Sir – ihn besuchen werde, aber ich brachte das sogleich in Ordnung, indem ich sagte, sie könne Sie, solange Sie krank sind, nicht verlassen und sei gezwungen, sowie es Ihnen besser geht, unverzüglich nach Hause zurückzukehren. Ich sagte noch, ich sei überzeugt, daß Sie ihn besuchen werden, sobald sie dazu imstande sind, was ihn sehr zu freuen schien. Dann spach er über Ihren Vater, und zum Schluß befahl er seinem Butler, eine Unmenge Zeitungen und Zeitschriften als Lektüre für Sie zusammenzupacken; hierauf machte ich mich aus dem Staub. Und jetzt sagen Sie mir, Sir, ob ich falsch gehandelt habe?«

»Nein, so etwas!« stieß Amanda jetzt hervor, und richtete sich inmitten des Wirrwarrs von Zeitungen mit blitzenden Augen auf. »Sollte man das für möglich halten? Er hat nicht geantwortet! Was? – Wie? – Man würde fast glauben, er will mich nicht zurückhaben!«

»Unmöglich!« murmelte Sir Gareth.

»Selbstverständlich ist das unmöglich«, sagte Hester und warf ihm einen vorwurfsvollen Blick zu. »Wahrscheinlich hat er noch keine Zeit gefunden, die Annonce einschalten zu lassen. Warte nur noch ein paar Tage.«

»Wird Hildebrand jetzt täglich zu Vinehall gehen?« erkundigte sich Sir Gareth. »Das hieße nämlich, Unglück heraufbeschwören – aber fern sei es von mir, mich zu beklagen!«

»Nein, denn er sagte, daß er die Zeitungen mit seinem Groom herüberschicken wird«, sagte Hildebrand. »Das kann bestimmt nicht schaden, Sir.«

»Durchaus nicht – vorausgesetzt, daß er sich's nicht in den Kopf setzt, selbst herzukommen.«

»Das ist nicht zu befürchten«, sagte Hildebrand fröhlich. »Er erzählte mir, ihm fiele jede Bewegung schwer, und wie leid es ihm tue, nicht imstande zu sein, herüberzufahren, um sie zu besuchen.«

Er hatte jedoch Mr. Vinehalls Unternehmungsgeist unterschätzt.

Am folgenden Nachmittag, als sich beide Damen im Salon befanden, Amanda in der Mitte des Zimmers stand und Lady Hester eben vor ihr kniete, um ihr eine abgerissene Rüsche wieder ans Kleid zu nähen, hörte man einen Wagen vorfahren. Niemand beachtete das sonderlich, da es kein ungewöhnliches Ereignis war. Nach einer Minute etwa gelang es Amanda, mit vorgestrecktem Hals etwas von den Vorgängen zu sehen. Sie rief: »Du meine Güte, es ist eine Equipage! Was für ein altmodisches Fuhrwerk. Wer kann das nur sein?«

Man ließ sie nicht länger als zwei Minuten in Ungewißheit. Der Ankömmling, wer es auch war, hatte den Gasthof bereits betreten, und seine Ankunft schien die Chicklades in ungewöhnliche Aufregung zu versetzen. Stimmengewirr war zu vernehmen, und Chicklades tiefe Stimme nahm vor Überraschung einen durchdringenden Ton an, der eine noch tiefere Baßstimme schnaufend und atemlos antwortete.

»Du lieber Gott!« stieß Hester in panischem Schrecken hervor. »Sollte das Mr. Vinehall sein? Amanda, was sollen wir tun? Wenn er mich sieht . . .«

Die Worte erstarben ihr auf den Lippen, denn die Tür wurde aufgestoßen, und sie hörte Chicklade sagen: »Wenn es Euer Gnaden beliebt, in den Salon einzutreten. Dort werden sie die Schwester und die Nichte von Sir Gareth vorfinden, die, wie ich überzeugt bin, erfreut sein werden, Sie begrüßen zu können, Sir.«

Freude war wohl kaum aus den Mienen der beiden Damen zu lesen. Hester, die eiligst einen Faden abriß und sich erhob, sah völlig verwirrt aus, und Amandas Augen, die sich auf die Tür gerichtet hatten, wurden vor Erstaunen immer größer und runder.

Hildebrand hatte in der Tat mit der Beschreibung Mr. Vinehalls nicht übertrieben. Seine Gestalt füllte die Türöffnung völlig aus. Er war ein Mann Ende der Sechzig, und seine Kleidung sah beinahe ebenso altmodisch aus wie seine Equipage. Ein muskulöser Lakai stand wachsam hinter ihm; sowie sich sein Herr von der Türschwelle löste, beeilte er sich, ihm seinen Arm als Stütze zu bieten. Hierauf ließ er ihn vorsichtig in einen Stuhl sinken, aus dem er nun, mühsam atmend, Amanda anstarrte. Ein beifälliges Lächeln breitete sich nach und nach über sein stark gerötetes Gesicht, und er sagte: »Sie sind also die Tochter der kleinen Trixie, meine Liebe? So, so, Sie sehen ihr zwar nicht ähnlich, ich kann es aber nicht beklagen. Ich möchte wetten, Sie werden ebenso viele Herzen brechen wie sie.«

Seine mächtige Gestalt schüttelte sich besorgniserregend, und er erstickte fast an seinem dröhnenden Lachen. Der Lakai klopfte ihm auf den Rücken. Nach heftigem Keuchen sagte er atemlos: »Natürlich wissen Sie nicht, wer zum Teufel ich bin, eh? Nun, mein Name ist Vinehall, und ich kannte ihre Mama, als sie noch in der Wiege lag. Gary auch. Zu denken, daß er nur fünf Meilen von meinem Besitz ist und ich nicht die geringste Ahnung davon hatte! Hätte Ihr Bruder nicht gestern bei mir Besuch gemacht, wäre ich wahrscheinlich nicht um einen Penny klüger gewesen, denn ich erfahre alle Neuigkeiten nur vom Arzt, und der kam mir seit zehn Tagen nicht mehr in die Nähe. Verwünscht, dachte ich, als der Junge weggegangen war, warum soll ich mich nicht selbst in meine Equipage heben lassen, um Gary zu besuchen, da er nicht zu mir kommen kann? Und hier bin ich, und es hat mir nicht geschadet. Nun also, wo ist Ihre Mama, meine Liebe? Ich könnte wetten, sie wird sich freuen, wenn sie hört, wer sie besuchen kam.«

»Sie – sie ist nicht hier, Sir«, sagte Amanda.

»Nicht hier? Wohin ist sie denn gegangen? Der Junge sagte mir, sie könne Gary nicht verlassen.«

»Ich weiß es nicht. Ich meine, sie war nie hier. Denn es ist doch Tante Hester, die Onkel Gary pflegt.«

»Aber Ihr Bruder sagte mir doch . . .«

»Ach, wahrscheinlich hat er nicht verstanden, was Sie ihn fragten«, sagte Amanda schlagfertig. »Er ist nämlich sehr schwerhörig.«

»Du gütiger Gott! Mir machte er durchaus keinen schwerhörigen Eindruck.«

»Nein, weil es ihm sehr unangenehm ist, wenn man es bemerkt; so gibt er sich den Anschein, sehr gut zu verstehen.«

»Was Sie nicht sagen! Mir wäre es nie aufgefallen. Also ist Trixie nicht hier? Wer ist diese Tante Hester, von der Sie sprachen? Eine Schwester Ihres Vaters?«

Jetzt erst schien er Hester zu bemerken, die wie erstarrt hinter Amanda stand und sich jetzt verbeugte. »Guten Tag, Madam. Sie werden verzeihen, wenn ich mich nicht erhebe.«

»Ja, selbstverständlich«, sagte Hester leise. »Guten Tag.«

Er runzelte plötzlich die Stirne. »Ja, aber sie können doch nicht Garys Schwester sein, wenn Sie eine Wetherby sind.«

»Nein, nein – ich meine, ich bin keine Wetherby. Das heißt . . .«

Amanda, die bemerkte, wie sie sich festgefahren hatte, beeilte sich, ihr in großmütiger, wenn auch verheerender Weise zu Hilfe zu eilen. »Sie ist Onkel Garys andere Schwester«, erklärte sie.

»Andere Schwester? Er hat keine andere«, sagte Mister Vinehall. »Es gab nie mehr als drei Kinder: Gary, den armen Arthur und Trixie! Was wird denn hier gespielt, sie kleines Kätzchen? Versuchen Sie, einen alten Mann ins Bockshorn zu jagen? Nein, nein, dabei holen Sie sich bloß kalte Füße!«

»Verzeihen Sie, Sir«, sagte Hester, außerstande, eine Situation auch nur einen Moment länger zu ertragen, die sich schnell zu einer Art Inquisition entwickelte. »Ich werde nachsehen, ob Sir Gareth Sie empfangen kann.«

Mit diesen hastig hervorgestoßenen Worten schlüpfte sie aus dem Zimmer und floh die Treppe hinauf, stolperte über ihren Kleidersaum und erreichte atemlos und mit schiefsitzendem Häubchen Sir Gareths Zimmer. »Gareth!« sagte sie keuchend. »Etwas Schreckliches ist passiert! Wir sind völlig erledigt!«

Er ließ die Zeitschrift sinken, in der er gelesen hatte: »Du lieber Gott, was ist geschehen?«

»Mr. Vinehall«, sagte sie und sank schlaff auf einen Stuhl.

»Was? Hier?« fragte er.

»Im Salon, er unterhält sich mit Amanda. Er kam, um Sie zu besuchen.«

»Jetzt sind wir aber in einer schönen Verlegenheit!« sagte Sir Gareth, der diese Situation mit einer Ruhe aufnahm, die einen zum Wahnsinn treiben konnte. »Hat er Sie gesehen?«

»Ja, natürlich, und er wußte selbstverständlich auch, daß ich nicht Mrs. Wetherby bin. Ich war einer Ohnmacht nahe, denn mir fiel nichts ein, was ich hätte sagen können, und Amanda beging einen schrecklichen Fehler. Gareth, wie können Sie da nur lachen!«

»Meine Liebe, ich kann mir nicht helfen, ich muß lachen, wenn Sie wie von Sinnen hier hereinstürzen und Ihnen dieses lächerliche Häubchen schief am Kopf sitzt. Ich wäre wirklich froh, wenn Sie es wegwerfen wollten.«

»Das ist nicht der Moment, sich über mein Häubchen zu unterhalten«, schalt sie ihn. »Amanda sagte ihm, ich wäre Ihre *andere* Schwester.«

»Nein, das ist Amandas unwürdig!« sagte er kopfschüttelnd. »Das wird er nicht schlucken. Sie muß sich etwas Besseres ausdenken.«

»Ich weiß nur nicht, wie sie das bewerkstelligen könnte. Und verlassen Sie sich darauf, nur um die Sache noch ärger zu machen, wird Hildebrand hereinkommen – er hat doch keine Ahnung, daß er schrecklich schwerhörig ist.«

»Ach was! Hildebrand ist schwerhörig?« fragte er interessiert.

»Ja – das heißt, nein – Sie wissen ganz genau, daß er es nicht ist. Ach Gott, ich hätte sagen sollen, daß ich eine Wetherby bin. Was sollen wir jetzt tun? Zu *einem* bin ich aber entschlossen. Ich werde ihm nie wieder unter die Augen treten! Was werden Sie ihm sagen?«

»Ich weiß es nicht«, sagte er aufrichtig. »Es wird davon abhängen, was Amanda ihm erzählt hat.«

»Sie werden vielleicht gezwungen sein, die Wahrheit zu sagen.«

»Vielleicht. Aber ich werde es möglichst vermeiden.«

»Ja. Bitte tun Sie das. Es ist eine zu verwickelte Geschichte, und wahrscheinlich wären Sie völlig erschöpft, wenn Sie ihm das alles erklären würden.«

Seine Lippen zuckten, aber er entgegnete ernst: »Und dann könnten wir plötzlich entdecken, daß er nicht ein Wort davon glaubt.«

»Ja, sehr wahr. Du lieber Gott, er kommt!« schrie sie aufspringend. »Ich kann und will ihn nicht sehen! Ich würde alles verpatzen – ich würde etwas völlig Schwachsinniges sagen – Sie wissen doch, daß es so kommen würde.«

»Ja, ich muß aber gestehen, daß ich es allzu gerne hören würde«, sagte Sir Gareth mit belustigt blitzenden Augen.

»Wie können Sie nur so gefühllos sein? Wo kann ich mich verstekken?« sagte sie, und blickte wild um sich.

»Schleichen Sie sich in Ihr eigenes Zimmer, bis er wieder gegangen ist«, riet er.

»Das geht nicht. Die Treppe ist genau vis-à-vis von dieser Tür. O Himmel, Gareth, hören Sie sich das nur an! Wie schauderhaft, wenn er auf der Treppe stürbe! Obwohl es für uns natürlich ein enormer Glücksfall wäre. Aber man darf sich das nicht wünschen – außer vielleicht, wenn es für den armen Mann eine barmherzige Erlösung wäre. Ich werde mich hinter diesem Vorhang verstecken müssen. Um Himmels willen, Gareth, denken Sie sich irgend etwas aus, das ihn überzeugt.«

Das kleine Schlafzimmer konnte sich keines Kleiderschranks rühmen, dafür war quer über eine Ecke des Raums ein Chintzvorhang gespannt. Zu Sir Gareths größter Belustigung stürzte sich Lady Hester im selben Moment mitten zwischen seine Röcke, als Chicklade, der dem Lakai geholfen hatte, Mr. Vinehall über die schmale Treppe teils hinaufzuziehen und teils hinaufzuschieben, die Tür öffnete und den Besucher anmeldete.

Sir Gareth beherrschte seine Gesichtszüge in bewunderungswürdiger Weise und begrüßte den alten Freund seines Vaters mit genau der richtigen Mischung von Dankbarkeit und Freude. Es dauerte einige Zeit, bis Mr. Vinehall, den man in einen Stuhl neben dem Bett placierte, wieder zu Atem kam. Die Anstrengung hatte seine roten Wangen in tiefes Violett verwandelt, was sich aber nach und nach milderte. Er winkte seinen besorgten Helfern, das Zimmer zu verlassen, und sagte: »Gary! Nun, bei Jupiter! Es muß ein Dutzend Jahre her sein, daß ich dich zuletzt sah! Wie geht es dir, mein lieber Junge? Wie ich höre, bist du nicht ganz auf der Höhe. Wie kam es, daß du dir den Arm gebrochen hast? Du lieber Gott, ich hätte dich überall wiedererkannt.« Er ließ Sir Gareth kaum Zeit, eine passende Antwort zu geben, bevor er wieder das Wort ergriff und mit vertraulich gesenkter Stimme sagte: »Ich freue mich, diese junge Dame nicht bei dir zu finden, denn ich wüßte nicht, was ich ihr sagen sollte, bei Gott, ich wüßte es nicht! Ich wollte sie nicht um alles in der Welt in Verlegenheit bringen, wie du hoffentlich weißt!«

»Davon bin ich restlos überzeugt, Sir«, sagte Sir Gareth behutsam vorfühlend.

»Ja, es war durchaus kein ritterliches Betragen, und ich bemerkte, daß sie außer sich geriet. Nun ja, es ist ja auch kein Wunder, denn ich trat immer tiefer ins Fettnäpfchen, und Trixies Tochter erzählte mir, daß sie verteufelt empfindlich ist.«

»Sie ist in der Tat sehr empfindlich«, gab Sir Gareth zu.

»Ja, das glaube ich. Und da kam ich und rieb ihr die Nachteile ihrer Situation noch unter die Nase wie ein richtiges altes Waschweib! Ich hätte sofort ahnen müssen, wie es stand, als das hübsche Ding sagte, sie sei deine andere Schwester. Aber ich dachte nicht einen Augenblick daran. Sobald sie gegangen war, klärte mich Trixies Töchterchen auf, und ich gebe dir mein Wort, Gary, ich war nie im Leben so vom Donner gerührt. O Himmel, ich dachte, dein lieber Vater wäre der letzte Mann auf der Welt gewesen, der – nun, selbst wenn er als unreifer Junge den Flotten spielte, habe ich von Weibergeschichten nie etwas geahnt. Ja, und dabei war ich doch so eng mit ihm befreundet. Ich muß sagen, ich kann nicht darüber hinwegkommen. Du hast sie anerkannt, wie ich sehe?«

»Nur ganz – ganz privat«, sagte Sir Gareth, und nur ein leises Beben war in seiner Stimme.

»So?« sagte Mr. Vinehall kopfnickend, »sehr anständig von dir. Wußte deine Mutter etwas von ihrer Existenz?«

»Glücklicherweise nicht.«

»Um so besser. Sie wäre bestimmt sehr unglücklich gewesen. Hätte ihr einen scheußlichen Schreck eingejagt, denn sie war wie vernarrt in deinen Vater. Na ja, armer George, aber er verstand es, die Sache zu verheimlichen! Und du brauchst auch nicht zu befürchten, daß ich es ausplaudern werde. Könnte es gar nicht, selbst wen ich wollte, denn jetzt komme ich sehr selten mit jemandem zusammen. Du wirst am besten wissen, wie du es dem armen Mädel beibringst, daß sie von mir nichts zu befürchten braucht. Ist eine traurige Sache. Reizendes kleines Geschöpf, hat ein süßes Gesichtchen. Gary, du solltest ihr einen anständigen Gatten suchen.«

»Ich werde mein möglichstes tun, Sir.«

»Das ist recht. Du bist deinem Vater zu ähnlich, um nicht korrekt und richtig zu handeln. Aber sag mir, mein Junge, wie geht es dir? Und was macht Trixie? Das ist eine tragische Sache, daß Arthur im Krieg gefallen ist.«

Er blieb ungefähr zwanzig Minuten, plauderte weitschweifig über alte Zeiten und alte Bekannte; er war aber von Amanda offenbar aufmerksam gemacht worden, nicht zu lange bei dem Kranken zu bleiben, denn er zog bald darauf seine Uhr hervor und erklärte, jetzt gehen zu müssen. Er vermochte sich nicht allein aus seinem Stuhl zu erheben, aber sein Lakai wartete vor der Tür und erschien sofort, als er das heisere Gebrüll seines Herrn vernahm. Nachdem er Sir Gareths Hand geschüttelt und ihn beschworen hatte, die Gegend nicht zu verlassen, ohne ihn besucht zu haben, begab er sich nachdenklich hinaus. Gleich darauf konnte man hören, wie er Chicklade wegen einer Ungeschicklichkeit laut verwünschte.

Lady Hester trat aus ihrem Versteck hervor, und ihr Häubchen saß ihr jetzt abenteuerlich schief auf dem Kopf. Sir Gareth lehnte sich in die Kissen zurück und sah sie an.

Hinter seinem aufsteigenden Gelächter stand eine Frage.

»Gareth«, sagte Hester in fast ehrfürchtigem Ton. »Sie *müssen* zugeben, daß Amanda wunderbar ist. Mir wäre es nie eingefallen, zu sagen, daß ich Ihre natürliche Schwester bin.«

Er schüttelte sich vor Lachen, wobei er seine Hand instinktiv gegen seine verletzte Schulter drückte. «Nicht? Mir auch nicht, meine Liebe.«

Plötzlich begann sie gleichfalls zu lachen. »O Himmel, das ist doch die lächerlichste Situation – ich hatte mir gerade gedacht, wie W – Widmore aussehen w – würde – w – wenn er das wüßte!«

Der Gedanke war zuviel für sie. Sie ließ sich in den Windsorstuhl fallen und lachte, bis ihr die Tränen kamen. Schließlich sagte sie, während sie ihre Tränen trocknete: »Ich glaube nicht, daß ich je im Leben so viel gelacht habe. Aber eines muß ich sagen, Gareth, an der neuen Geschichte von Amanda ist etwas, das mir gar nicht gefällt.«

»Ach nein. Tatsächlich?« fragte er, sich noch immer vor Lachen schüttelnd.

»Ja«, sagte sie, nun wieder ernsthaft. »Es ist nicht korrekt von Amanda, eine derartige Geschichte über Ihren Vater zu verbreiten. Denn er war ein außergewöhnlich vornehmer Mensch, und mir scheint es schrecklich, ihn so zu verleumden. Wahrhaftig, Gareth, Sie hätten es dementieren müssen!«

»Ich versichere Ihnen, daß ihm diese Geschichte enorm viel Spaß gemacht hätte, denn er war mit starkem Sinn für Humor gesegnet«, erwiderte Sir Gareth. Er sah sie mit leuchtenden Augen an und mit einem Lächeln, das auf seinen Lippen schwebte. »Hester, ich habe Sie all die Jahre bewundert und geachtet. Ich habe Sie aber nie wirklich kennengelernt, bevor wir in diese phantastisch verwickelte Situation gerieten. Amanda ist ganz bestimmt wunderbar! Ich bin ihr zu ewigem Dank verpflichtet!«

16

Sir Gareth, der langsam wieder zu Kräften kam, wußte sehr wohl, es hätte sich gehört, seinen Haushalt zu benachrichtigen, daß er weder entführt worden noch in die Wolken entschwebt war. Er zog es aber vor, die Dinge noch ein wenig länger auf sich beruhen zu lassen. Er sagte sich, daß es unmöglich sei, seine Dienerschaft etwas von seinem Aufenthaltsort wissen zu lassen, denn man konnte zehn zu eins wetten, daß sie ihre Zungen wetzen würden. Und was noch schlimmer wäre, Trotton, der ihn bereits schwer verdächtigte, seinen Verstand verloren zu haben, würde in seinem Übereifer und in der unerschütterlichen Überzeugung, daß seine Dienste unentbehrlich seien, im Gasthof »Zum Bullen« auftauchen. Es war tatsächlich unmöglich, den Leuten zu erklären, was sich ereignet hatte. Und ihnen aufzutragen, seinen Aufenthaltsort niemandem zu verraten, hieße eine höchst unwillkommene Neugierde heraufbeschwören. Schließlich war bekannt, daß er beabsichtigt hatte, einige Tage aufs Land zu fahren. Aller Wahrscheinlichkeit nach würde man glauben, er habe entweder seinen Besuch verlängert oder sich entschlossen, von Brancaster aus noch einen seiner zahlreichen Freunde zu besuchen. Trotton würde bei seiner Ankunft in London allerdings erwarten, seinen Herrn am Berkeley Square vorzufinden, und zweifellos vermuten, daß ihm Amanda neuerlich entwischt war. Nun, dagegen konnte man nichts tun, und Trotton wenigstens wäre nicht in Sorge. Er spielte mit dem Gedanken, sich der Hilfe seines Schwagers zu versichern, um einen bisher unbekannten Brigademajor ausfindig zu machen, und ging sogar so weit, einen Brief an ihn zu beginnen. Das erwies sich aber doch als eine zu ermüdende Aufgabe. Eine Seite dieser hochliterarischen Komposition genügte, um seinen Kopf schwindeln zu machen. Als er sein Elaborat nochmals überlas, zerriß er es wieder. Warren hätte zweifellos geglaubt, er sei verrückt geworden. So sagte er sich, aller Wahrscheinlichkeit nach würde sich kein Mensch seinethalben Sorgen machen, und gab sich einem trägen Wohlbehagen hin.

Hester war in ähnlicher Weise unbekümmert. Die Widmores mußten glauben, sie befinde sich bei ihrer Schwester Susan; und sollte ihnen ein Zufall verraten, daß sie sich nicht in Ancaster befand, so schmeichelte sie sich doch nicht, daß man um sie besonders besorgt wäre. Sie würden erstaunt sein oder sie kritisieren, bestimmt aber würden sie es eigenartig finden. Nur Almeria würde aller Wahrscheinlichkeit nach annehmen, sie habe Brancaster verlassen, um sich den Vorwürfen ihrer Familie, weil sie Sir Gareth einen Korb gegeben, zu entziehen.

Aber sowohl Sir Gareth wie Lady Hester unterschätzten ihre Verwandten. Durch einen unglücklichen Zufall sah sich Lady Ennerdale veranlaßt, ihrem Bruder zu schreiben, und der Inhalt des Briefes ließ keinen Zweifel darüber, daß alle Kinder gesund und munter waren und daß sie Hester, weit entfernt, sich ihrer Gesellschaft zu erfreuen, in Brancaster vermutete. Ebenso wie es Hester vorausgesehen hatte, teilte Lady Widmore ihrem Gatten sogleich mit, Hester habe sich bestimmt die verrückte Idee in den Kopf gesetzt, einen eigenen Hausstand zu gründen. Es gebe keinen Zweifel, daß sie das zu tun beabsichtige! Natürlich sei das völlig idiotisch – aber es sehe ihr ähnlich! Die Aufregungen über Ludlows Antrag habe ihre Nerven zerrüttet. Lady Widmore habe ihr Benehmen sogleich sehr seltsam gefunden. Aber schließlich sei sie doch schon immer verrückt gewesen!

Auch damit hatte Lady Hester recht gehabt, als sie annahm, ihr Bruder werde sich keinen Besorgnissen hingeben; dennoch hatte sie seine Abneigung jeglichem Klatsch gegenüber unterschätzt. Lord Widmore hätte nicht die geringsten Einwendungen erhoben, wenn sie sich entschlossen hätte, bei einer ihrer Schwestern zu leben, denn darüber würde sich niemand wundern. Die Leute würden sich aber sehr darüber wundern, wenn eine unverheiratete Dame das schützende Dach ihres Vaterhauses verließ, um allein zu leben. Um das Unglück vollzumachen, war sie noch nicht einmal dreißig Jahre. Was, fragte er seine Frau, werden die Leute denken, wenn allmählich bekannt wird, daß Hetty versucht hat, ihrer Familie zu entfliehen? Sie muß gefunden werden! Man muß ihr den Kopf zurechtsetzen – außer sie war die ganze Zeit bei Constance oder Gertrude gewesen. Es sähe ihr ganz ähnlich, Susan zu sagen, wenn sie Gertrude meinte. Er werde unverzüglich seinen beiden anderen Schwestern schreiben.

In London befand man sich in weit größerer Besorgnis, als Sir Gareth angenommen hatte. Trotton nahm in der Tat an, daß er noch immer Amanda nachjage; er war aber weit entfernt davon, diese Lösung des Rätsels gleichmütig hinzunehmen. Die Ergebenheit für seinen Herrn, dem er schon diente, als dieser noch ein Knabe war, vereint mit der Eifersucht auf Sir Gareths Butler und Kammerdiener, hinderten ihn, sie auch nur einen Zoll breit ins Vertrauen zu ziehen. Er teilte ihnen lediglich mit, Sir Gareth habe gesagt, er werde seine Reise möglicherweise bei einem seiner Freunde unterbrechen. Er selbst war zutiefst verstört. Sir Gareth benahm sich so völlig entgegen seiner gewohnten Ruhe, Wohlerzogenheit und Selbstbeherrschung, daß Trotton ernstlich annahm, er sei entweder nicht recht bei Trost, oder in dieses junge Ding, das für ihn die allerschlechteste Frau der Welt wäre, bis über beide Ohren verliebt. Trotton hatte keine hohe Meinung von Amanda. Ein kleines Frauenzimmerchen, dachte er, als er sie zum erstenmal sah. Dann schien es allerdings, als hätte er sich geirrt; wenn er auch nicht mehr als die Hälfte der Dinge glaubte, die er mit anhörte, als sie sie Sir Gareth erzählte, ließ sich's nicht leugnen, daß sie keineswegs aus freien Stücken mit ihm gefahren war. Sir Gareth muß den Verstand verloren haben, um mit einem Mädel durchzubrennen, das ihm die ganze Zeit zu entwischen versucht! Und noch dazu war er plötzlich hochfahrend geworden – nie zuvor hatte er sich derart betragen! Einen schönen Staub wird das aufwirbeln, wenn ihr Vater oder vielleicht auch ihr Bruder von diesem ganzen Radau erfährt. Es gehört sich einfach, daß jeder, der Sir Gareth liebt und verehrt, den Versuch unternimmt, ihn vor den Konsequenzen seiner Narrheit zu schützen – und Trotton war ihm treu ergeben.

Das galt auch für seine Schwester. Mrs. Wetherby mußte mitansehen, daß ihr angebeteter Bruder nach Brancaster fuhr, und sie hatte wenig Hoffnung, daß er dort einen Korb bekam. Als er nach Ablauf einer Woche noch immer nicht in sein Haus auf dem Berkeley Square zurückgekehrt war, erstarb auch diese geringe Hoffnung. Denn er wäre kaum so lange in Brancaster geblieben, wenn er einen Korb bekommen hätte. Sie erwartete täglich einen Brief von ihm, der ihr seine Verlobung ankündigte, es kam aber keine Post. Sie konnte kaum glauben, daß er ihr dieses Ereignis nicht mitgeteilt hätte, bevor er alle Welt davon in Kenntnis setzte, und ähnlich wie Amanda begann sie, die Spalten der Morning Post und der Gazette zu studieren. Sie fand aber Sir Gareths Namen nicht erwähnt, und aus diesem Grund setzte sich in ihr die Überzeugung fest, daß ein Unglück geschehen sein müsse. Mr. Wetherby, wie stets gütig und geduldig, bewies ihr, wie unwahrscheinlich es war, daß Gary ein Unglück zugestoßen sei, von dem sie nicht längst verständigt worden wäre, aber ebensogut hätte er in den Wind sprechen können. Nein, sagte sie, sie habe keine blasse Ahnung über die Natur des Unfalls, der sich, wie sie vermutete, ereignet hatte, sie habe bloß ein *Gefühl*, daß mit Gary etwas nicht stimme. Mr. Wetherby, wohlvertraut mit ihren Gefühlen, empfahl ihr, sich nicht zu beunruhigen, und schlug sich die ganze Sache aus dem Sinn.

Aber nicht lange. Sie wurde ihm in seinem Club, bei einer zufälligen

Begegnung mit einem Bekannten, wieder ins Gedächtnis gerufen, der gesprächsweise eine Bemerkung fallen ließ, die ihm, je mehr er darüber nachdachte, hinreichend interessant erschien, um sie seiner Frau zu berichten. Sie war seltsam; nicht erschreckend – nein, denn die Schlußfolgerung, die man daraus ziehen konnte, würde in Wirklichkeit viel dazu beitragen, Trixies Trübsal zu bannen–, aber man mußte ein wenig darüber nachdenken. Es war nicht wichtig genug, um einen hervorragenden Platz in seinem Gedächtnis einzunehmen. Er erinnerte sich dessen erst wieder, als er Trixie von dem jungen Kendal erzählte, dem er im selben Moment begegnete, als er White verlassen wollte.

»Nicht als ob ich sofort gewußt hätte, wer er ist. Wenn ich auch glaube, ihn als Kind gesehen zu haben, konnte ich mich seiner nicht erinnern«, sagte er nachdenklich. »Wie dem auch sei, ich war mit Willingdon, und der stellte ihn mir vor. Trixie, du erinnerst dich doch an Jack Kendal? Ein Student, der gleichzeitig mit mir in Cambridge war – er erbte dann einen hübschen Besitz in Northamptonshire und heiratete irgendeine junge Schottin. Ich war vor etwa fünf Jahren bei seiner Beerdigung«, fügte er hinzu, als er der Miene seiner Frau ziemliche Interessenlosigkeit entnahm. »Armer Teufel! Ich sah ihn nicht oft nach seiner Heirat, er war aber einmal ein intimer Freund von mir. Nun also, der Junge, von dem ich dir erzählte, ist sein zweiter Sohn. Gutgewachsener junger Bursche, obwohl er Jack nicht sehr ähnlich sieht, denn er hat rötliches Haar wie seine Mutter. Komischer Zufall, auf die Art mit ihm zusammenzutreffen. Ach, dabei fällt mir ein«, sagte er plötzlich abschweifend, »ich wußte, daß ich dir noch etwas erzählen wollte. Cleeve war heute im Club und erwähnte zufällig den alten Brancaster.«

»Brancaster?« rief Beatrix rasch, deren Interesse unverzüglich wach wurde. »Wußte Lord Cleeve – hat er etwas Neues über Gareth erzählt?«

»Nein, nein, nichts dergleichen. Aber nach dem, was er sagte, scheint Brancaster in Brighton zu sein. Cleeve sprach davon, daß er am Tag seiner Abreise von Brancaster Park in London mit ihm diniert hat. Er soll am folgenden Tag weitergereist sein, um sich der Gesellschaft des Prinzregenten anzuschließen. Was man daraus schließen kann, kommt mir seltsam vor. Wie könnte er Brancaster am Tage nach Gareths Ankunft verlassen haben? Das heißt, falls Gary an seiner Absicht festhielt, zuerst zu den Rydes zu fahren. Er sagte doch, er wolle zwei Tage bei ihnen verbringen, nicht wahr?«

»Ja, ganz bestimmt, und Gary würde eine Verabredung dieser Art nie rückgängig machen. Daher kann Gary gar nicht in Brancaster sein. Warren, das bedeutet bestimmt – obwohl ich es schwer fassen kann –, daß ihm Lady Hester einen Korb gegeben hat.«

»Sieht in der Tat so aus«, gab Warren zu. »Brancaster ist wohl ein etwas verworrener Mensch, er würde aber niemals nach Brighton fahren, während Gareth bei ihm in Cambridgeshire zu Besuch ist. Ich dachte, es würde dich interessieren.«

»Ich bin dir sehr dankbar«, erkärte sie. »Ja, aber – Warren, wenn Gary Brancaster vor vierzehn Tagen verlassen hat – was ist mit ihm geschehen?«

»Du lieber Gott, das weiß ich nicht. Vermutlich wird er einen seiner Freunde besucht haben. Um auf das zurückzukommen, was ich dir über den jungen Kendal sagte –«

»Das hätte er nie getan, ohne mir zu schreiben. Er muß doch wissen, wie besorgt ich bin.«

»Besorgt? Warum solltest du besorgt sein? Gary ist kein Schuljunge mehr, meine Liebe. Ich gebe zu, es sieht ihm nicht ähnlich, wegzufahren, ohne jemandem zu sagen, wohin er fährt oder wie lange er auszubleiben beabsichtigt – aber was wissen wir –, vielleicht hat er das Personal am Berkeley Square verständigt.«

»Ich werde morgen früh dort vorfahren und Sheen fragen, ob er von seinem Herrn Nachricht hat«, sagte Beatrix entschlossen.

»Kann keineswegs schaden. Aber höre, Trixie – falls er Sheen nicht verständigt hat, wird dir Gareth keineswegs dafür dankbar sein, wenn du Staub aufwirbelst. Also sei vorsichtig mit dem, was du Sheen sagst. Ach ja, was nun den jungen Kendal betrifft, ich lud ihn für morgen ein und bat ihn, mit dem vorliebzunehmen, was gerade da ist. Du weißt ja, Jacks Sohn.«

Beatrix grübelte über die andauernde rätselhafte Abwesenheit ihres Bruders nach,aber diese Worte lenkten ihre Gedanken erfolgreich ab. »Du hast ihn eingeladen, morgen mit uns zu dinieren?« rief sie. »Gütiger Himmel, Warren, hättest du ihn nicht zu White einladen können? Ich bitte dich, wie kann ich in so kurzer Zeit eine passende Gesellschaft zu seiner Unterhaltung zusammentrommeln, wo jetzt so wenige Leute in London sind. Und auch Leigh ist weggefahren, um die Maresfields zu besuchen.«

»Leigh? Gott, Trix, Kendal ist doch kein ruppiger Schuljunge. Er ist vier- oder fünfundzwanzig Jahre und dient außerdem schon seit acht Jahren in der Armee. Was hätte er mit einem Grünschnabel wie Leigh zu reden? Und was die Gesellschaft betrifft, so brauchst du dich nicht aufzuregen, denn ich sagte ihm schon, er werde außer uns niemanden treffen.«

»Ach, das ist gut«, sagte sie. »Dennoch muß ich sagen, ich fürchte, daß er sich herzlich langweilen wird!«

»Unsinn! Er wird ungemein dankbar sein, sich zu einem deiner berühmten Dinners setzen zu dürfen, meine Liebe! Er wohnte in den letzten Wochen in einem Hotel, und ich bin überzeugt, er wird froh sein, zur Abwechslung etwas anderes vorgesetzt zu bekommen als die ewigen Koteletts und Steaks. Er erzählte mir, er sei hier in London bei der Horse Guard und warte schon recht ungeduldig, bis sich die Militärärzte endlich darüber schlüssig werden, ob er wieder kriegsdiensttauglich ist oder nicht. Hat eine Kugel in die Schulter bekommen und wurde vor einigen Monaten auf Krankenurlaub geschickt. Er ist Offizier im 43. Infanterieregiment.«

Die ärgerliche Miene war von ihrem Gesicht verschwunden. Es war sicher lästig, jetzt einen Fremden einladen zu müssen, wenn man im Begriff war, das Haus für einige Monate abzuschließen, aber kein Offizier, der von der Iberischen Halbinsel kam, konnte zweifeln, in der Mount Street willkommen zu sein. »Oh, er war in Spanien? Ich frage mich, ob er vielleicht Arthur begegnet ist? Selbstverständlich muß er bei uns dinieren«, sagte sie herzlich.

Als Captain Kendal am folgenden Abend in ihrem Salon angemeldet wurde, hätte ihre Begrüßung nicht herzlicher sein können, obwohl das, was sie am Morgen in Sir Gareths Haus erfahren hatte, in ihr jeglichen Wunsch ertötete, selbst einen Veteranen der Iberischen Halbinsel – der möglicherweise mit ihrem Bruder Arthur bekannt gewesen war – gastlich zu bewirten.

Sheen hatte keinerlei Befehle empfangen, seit Trotton vor mehr als vierzehn Tagen die Nachricht überbrachte, daß Sir Gareth am folgenden Abend zu Hause eintreffen wolle. Er war aber nicht eingetroffen, worauf Trotton ihm mitteilte, Sir Gareth habe erwähnt, daß er vielleicht Lord und Lady Stowmarket besuchen werde.

Mrs. Wetherby erfuhr aus seinen Worten zweierlei. Erstens, daß Sir Gareth Trotton mit seinen Pferden nach Hause geschickt hatte, und zweitens, daß er die Absicht hatte, die Stowmarkets zu besuchen. Es sah ihm durchaus nicht ähnlich, lieber in einer Postkutsche zu fahren, als die eigenen Pferde zu benützen; und keiner wußte so genau wie er, daß die Stowmarkets verreist waren. Es war etwas Rätselhaftes um seine Handlungen, und je mehr Beatrix darüber nachdachte, desto unsicherer wurde sie. Dennoch verriet sie Sheen gegenüber nichts davon und verlangte lediglich, er solle Trotton ausrichten, daß sie ihn in der Mount Street erwarte.

Niemand, der sie beobachtet hätte, wie sie am Abend mit Captain Kendal plauderte, hätte auch nur vermutet, daß zumindest die Hälfte ihrer Gedanken damit beschäftigt waren, das Problem von Sir Gareths Verschwinden hin und her zu überlegen.

Capain Kendal war ein etwas untersetzter junger Mann mit rötlichem Haar und ebensolchen Augenbrauen, einem breitflächigen entschlossenen Gesicht und einem Paar sehr offener blauer Augen. Durch eine abwechslungsreiche Karriere – denn er hatte in Südamerika gedient, bevor er sich der spanischen Expedition von Sir John Moore anschloß – hatte er eine Selbstsicherheit bekommen, die ihn älter erscheinen ließ als seine vierundzwanzig Jahre. Sein Benehmen, wenn auch durchaus bescheiden, war sehr entschieden und ließ erkennen, daß er zu befehlen gewohnt war. Sein Privatvermögen war unbedeutend, aber es konnte kaum ein Zweifel darüber bestehen, daß er es in seinem Beruf weit bringen werde. So jung er auch zur Zeit seiner Verwundung gewesen war, hatte man ihn doch schon als stellvertretenden Brigademajor verwendet. Er war nicht sehr gesprächig, aber das rührte eher von einer angeborenen Schweigsamkeit her als von Schüchternheit. Und da er, seit er die Schule verlassen, ständig mit der Armee im Ausland gelebt hatte, besaß er nichts von dem gesellschaftlichen Schliff, der die jungen Salonlöwen auszeichnete. Wenn er Major Ludlow auch nicht gekannt hatte, gefiel er Beatrix dennoch ausgezeichnet. Sie fand nur einen einzigen Fehler an ihm: Seine Ansichten waren für ihren Geschmack doch ein wenig zu seriös. Es war nicht leicht, ihn auf seine persönlichen Angelegenheiten hinzulenken, wenn er auch gerne bereit war, über militärische Angelegenheiten zu sprechen oder über andere interessante Dinge, die er auf seinen Reisen erlebt hatte. Beatrix, die sich erkundigte, wie die Einquartierungsverhältnisse in Spanien seien, erfuhr weit mehr von ihm als Warren, der Fragen über seine Familie und seine weiteren Pläne an ihn richtete.

»Es ist mehrere Jahre her, seit ich das Vergnügen hatte, Ihre Mutter zu sehen«, sagte Warren. »Ich hoffe, sie ist wohlauf?«

»Es geht ihr sehr gut, danke, Sir«, erwiderte Captain Kendal.

»Lebt sie noch immer in Northamptonshire?«

»Ja, Sir.«

»Und – lassen Sie mich sehen. Wie viele Brüder haben sie?«

»Nur einen, Sir.«

»Nur einen, eh? Aber ich bilde mir ein, daß sie mehrere Schwestern haben.«

»Ich habe drei Schwestern.«

»Tatsächlich drei?« sagte Warren beharrlich. »Und Ihr Bruder – hat er nicht vor ziemlich kurzer Zeit geheiratet?«

»Vor zwei Jahren«, sagte Captain Kendal.

»Ist es schon so lange her? Ich erinnere mich, die Anzeige gelesen zu haben. Ja, ja! Ich glaube, er muß noch ein Schuljunge gewesen sein, als ich ihn zum letztenmal sah. Sie müssen wissen, daß ich Ihren Vater häufig besuchte und in Ihrer Gegend ziemlich gut bekannt war. In letzter Zeit, ich weiß eigentlich nicht warum, bin ich selten in Northamptonshire gewesen. Ich glaube aber, daß wir gemeinsame Bekannte haben. Zum Beispiel die Birchingtons und Sir Harry Bramber?« Captain Kendal verneigte sich. »Natürlich! Ich war überzeugt, daß Sie sie kennen müssen. Ja, und wissen Sie, wer noch in London ist? Und noch dazu einer Ihrer allernächster Nachbarn. Der alte Summercourt. Aber wahrscheinlich werden Sie das ohnedies wissen.«

»Ich wußte es nicht, Sir. Selbstverständlich bin ich mit dem General Summercourt bekannt.«

»Freund meines Vaters«, sagte Warren. »Ich traf ihn heute bei White. Dachte mir, er ist etwas zusammengebrochen. Ist gar nicht der alte. Habe nur ein paar Worte mit ihm gewechselt. Er hatte es verteufelt eilig – kam nur in den Club, um nachzusehen, ob Briefe für ihn da sind. Sagte, er könne nicht bleiben, weil er in die Bow Street müsse. Schien mir doch etwas seltsam zu sein. Wird er nicht ein wenig sonderbar im Oberstübchen?«

»Meines Wissens nicht«, sagte Captain Kendal, der ihn unbeweglich anstarrte. »Sagten Sie Bow Street?«

»Ja. Ich überlegte mir, was ihn dorthin führen könnte. Er sah auch ziemlich abgehärmt aus. Wird doch nichts passiert sein?«

»Meines Wissens nicht das geringste«, erwiderte Captain Kendal.

Warren begann über etwas anderes zu plaudern, aber nach einigen Minuten sagte der Captain abrupt: »Entschuldigen Sie, Sir, können Sie mir die Adresse General Summercourts geben?«

»Ich fragte nicht, wo er abgestiegen ist, aber soviel ich weiß, wohnt er, wenn er in London ist, gewöhnlich im Grillon«, erwiderte Warren und sah ihn fragend an.

Der Captain errötete leicht. »Danke. Wenn er sich in irgendeiner Verlegenheit befindet – ich bin mit ihm ziemlich gut bekannt –, dann ist es nur Höflichkeit, ihm einen Besuch zu machen.«

Über diesen Gegenstand wurde weiter kein Wort verloren, aber Beatrix gewann den Eindruck, daß die beiläufig gemachte Bemerkung ihres Gatten die Aufmerksamkeit Captain Kendals stärker erregt hatte als irgend etwas anderes am Gespräch dieses Abends.

Nicht lange nach dem Dinner, als sich die Herren wieder in den Salon zu Beatrix begeben hatten, trat der Butler ein. Nachdem er einen Moment gezögert hatte, schritt er auf seinen Herrn zu und sagte mit gesenkter Stimme in entschuldigendem Ton: »Ich bitte um Verzeihung, Sir, aber Sir Gareths erster Stallbursche ist unten. Ich sagte ihm, sie seien nicht zu sprechen, aber es scheint ihm sehr viel dran zu liegen, Ihnen etwas mitzuteilen.«

Diese Worte waren nur für Mr. Wetherbys Ohren bestimmt, aber Beatrix hatte ein scharfes Gehör. Sie unterbrach sich mitten in ihrem Gespräch mit ihrem Gast und fragte: »Sagten Sie Sir Gareths erster Stallbursche? Ach ja, ich komme sofort.« Sie nickte ihrem Gatten zu und erhob sich. »Ich hinterließ am Berkeley Square die Nachricht, daß ich Trotton sprechen möchte. Captain Kendal wird mich wohl für einige Minuten entschuldigen.«

»Verzeihung, Madam, aber Trotton bat darum, den Herrn sprechen zu dürfen«, warf der Butler ein, der die Augen Mr. Wetherbys auf sich gerichtet sah und mit ihm einen sprechenden Blick wechselte.

»Unsinn! Ich wünschte Trotton zu sprechen und nicht Ihr, Herr!« sagte Beatrix keineswegs blind für dieses stumme Augenspiel.

»Bleib, wo du bist, meine Liebe«, sagte Warren und schritt auf die Tür zu. »Ich werde schon herausbekommen, was Trotton will. Kein Grund, dich aufzuregen.«

Mrs. Wetherby war sehr verärgert. Sich aber mit ihrem Gatten in Gegenwart eines Gastes auf einen Streit einzulassen, paßte durchaus nicht zu ihren Begriffen von Schicklichkeit. Sie ließ sich wieder nieder und sagte mit einem etwas gequälten Lächeln: »Bitte, verzeihen Sie uns! Die Sache ist die: Der Groom meines Bruders, um den ich ein wenig besorgt bin, traf eben hier ein.«

»Das tut mir außerordentlich leid«, erwiderte er. »Ich entnehme Ihren Worten, daß er krank ist? Wäre es Ihnen lieber, wenn ich mich entferne? Sie müssen mich doch zum Teufel wünschen!«

»Nein, wirklich nicht. Sie dürfen keineswegs davonlaufen! Mein Bruder ist nicht krank – wenigstens glaube ich es nicht.« Sie schwieg, dann sagte sie mit einem kleinen Lachen: »Wahrscheinlich ist es überhaupt nichts, und ich grüble zuviel über diese Sache nach. Tatsache ist, daß mein Bruder vor mehr als vierzehn Tagen zu Besuch aufs Land fuhr. Von dort kehrte er weder zurück noch schickte er eine Nachricht, obwohl ihn seine Dienerschaft nach Ablauf von vier Tagen zurückerwartete. So kam es, daß ich mir eine Menge törichter Gedanken in den Kopf setzte. Aber Sie sprachen über eine Fiesta in Madrid. Bitte, erzählen Sie doch weiter! Wie schön müssen die vielen Kerzen auf den Fensterbrettern ausgesehen haben! Waren Sie in der Stadt selbst einquartiert, Captain Kendal?«

Er antwortete ihr, und sie animierte ihn, ihr die charakteristischen Merkmale der spanischen Landschaft zu beschreiben, die er für denkwürdig hielt. Mit der Miene völlig gefesselten Interesses traten ihr die passenden Bemerkungen mechanisch auf die Lippen, während ihre Gedanken sich mit etwas ganz anderem beschäftigten.

Der Umstand, daß Trotton speziell darum gebeten hatte, mit Warren und nicht mit ihr zu sprechen, war keineswegs beruhigend; eisiges Entsetzen packte sie bei dem Gedanken, daß ihr Gatte ihr sogleich eine schreckliche Nachricht auf behutsame Art beibringen werde. Nur ihre gute Erziehung hielt sie davor zurück, aufzuspringen und Warren nachzueilen. Er blieb, wie ihr schien, bedenklich lange weg.

Als er schließlich doch wieder in den Salon zurückkehrte, trug er die Miene eines Mannes zur Schau, der verhindern will, daß seine Frau argwöhnt, es sei etwas nicht in Ordnung. Das war zuviel; sie rief heftig: »Was ist geschehen? Hatte Gary einen Unfall?«

»Nein, nein, nichts dergleichen. Ich werde dir gleich alles erzählen. Es besteht durchaus kein Grund, sich Sorgen zu machen.«

»Wo ist Gary?«

»Das kann ich dir allerdings nicht sagen, du kannst dich aber darauf verlassen, daß er dort, wo er sich befindet, frisch und munter ist. Trotton verließ ihn in Kimbolton, er dürfte also zu Besuch bei den Staplehursts sein.«

»Kimbolton?« wiederholte sie erstaunt. »Ich bitte dich, was in der Welt veranlaßte ihn, dorthin zu fahren?«

»Na ja, meine Liebe, das ist eine lange Geschichte und wird Kendal kaum interessieren.«

»Wenn Sie gestatten, Sir, so werde ich mich jetzt verabschieden«, sagte der Captain. »Mrs. Wetherby muß sehr begierig sein, Näheres zu erfahren. Ich wäre schon früher gegangen, doch sie wollte nichts davon hören.«

»Das möchte ich mir auch ausgebeten haben. Und auch ich werde es nicht zugeben. Setzen Sie sich, mein Junge.«

»O ja, bitte, bleiben Sie«, sagte Beatrix. »Ist Trotton noch im Haus, Warren?«

»Er wird vermutlich in der Küche etwas zu trinken bekommen.«

»Dann werde ich, wenn Captain Kendal mich entschuldigt, hinuntergehen und selbst mit ihm sprechen. Wie Sie sehen, Captain, mache ich mit Ihnen keine Umstände, denn ich bin überzeugt, daß Sie keinen Wert darauf legen.«

»Das will ich meinen, Madam.«

Sie lächelte und eilte aus dem Zimmer.

Der Captain sah seinen Gastgeber an und fragte ohne Umschweife: »Schlechte Nachrichten, Sir?«

»Du lieber Gott, nein«, sagte Warren lachend. »Aber es gehört nicht zu der Sorte Nachrichten, die man seiner Schwester anvertrauen möchte. Der Groom ist wohl ein Trottel, aber soviel Verstand hat er doch. Nach dem, was ich aus ihm herausbekommen konnte, hat mein Schwager ein erstklassiges Pflänzchen aufgegabelt, mit dem er Gott weiß wohin durchgebrannt ist. Er war nie ein großer Schürzenjäger, so daß sich der Groom nicht auskennt. Sagte mir, er sei überzeugt, Ludlow sei verrückt geworden.«

»Ach, ich verstehe«, sagte der Captain lachend. »Nein, das wäre bestimmt nichts für Mrs. Wetherbys Ohren.«

»Verlassen Sie sich auf Trotton, er wird sie mit süßen Redensarten abspeisen«, sagte Warren vertraulich. »Er wird sich hüten, die

Geheimnisse seines Herrn preiszugeben. Er ist ihm treu ergeben, stammt noch aus der Zeit, als Gary ein kleiner Junge war. Ich staune nur, daß er es mir erzählt hat. Glaube nicht, daß er es getan hätte, wenn ihn meine Frau nicht hierherbefohlen hätte. Der dumme Kerl ist verteufelt aufgeregt. Glaubt, sein Herr steuert geradewegs in sein Verderben. Komische Sache mit diesen alten Dienstleuten: Man kann keinen davon überzeugen, daß man nicht mehr im kurzen Röckchen herumläuft.«

»Nein, beim Jupiter«, bestätigte der Captain. »Wie meine alte Amme, die überzeugt ist, daß ich nur deshalb verwundet wurde, weil sie nicht bei mir war, um mir zu sagen, ich solle den häßlichen Kanonen nicht über den Weg laufen.«

»Stimmt genau», sagte Warren mit herzlichem Lachen. »Ich sagte Trotton, ich kenne keinen Menschen, der besser als Ludlow imstande ist, auf sich selbst aufzupassen, aber ich hätte ebensogut in den Wind sprechen können. Ich muß noch herausbekommen, mit welchem Märchen er meine Frau abspeist, sonst ertappt sie mich noch bei einer Lüge.«

Als Mrs. Wetherby aber in den Salon zurückkehrte, erkannte er alsbald, daß dies unnötig war. Sie sah so belustigt drein, daß er überrascht ausrief: »Was zum Teufel erzählte dir Trotton, daß du dich so amüsierst?«

Sie warf ihm einen herausfordernden Blick zu. »Natürlich die Wahrheit! Glaubtest du wirklich, ich könnte ihn nicht dazu bringen, mir alles zu erzählen? Pah! Wie töricht von dir, anzunehmen, ich könnte empört sein, als wäre ich noch ein Schulmädel. Ich war niemals entzückter! Mußte ich doch verzweifeln, den alten Gary je wiederzusehen, der so verwegene Dinge tat, der so fröhlich war und so abenteuerlustig! Wie wünschte ich, dabei gewesen zu sein, als er das schöne Mädchen auf sein Kabriolett hob, um mit ihr auf und davon zu fahren! Welch ein Anfang! Verlaß dich drauf, er schickte Trotton weg, weil er mit seiner Amanda über die Grenze will! Hat Trotton dir nicht gesagt, wie sie heißt? Ist das nicht ein hübscher Name?«

»Was?« stieß der Captain hervor.

Sie war überrascht, denn er hatte ihr das Wort fast entgegengeschleudert. Ehe sie ihm aber zu antworten vermochte, griff Warren ein und sagte in mißbilligendem Ton: »Du sprichst Unsinn, meine Liebe, und deine romantischen Vorstellungen gehen wieder einmal mit dir durch. Die Grenze! Was du nicht sagst! Du kannst überzeugt sein, daß das nicht in Frage kommt!«

»Ach, du meinst, weil sie ihm zu entwischen versuchte und er hinter ihr dreinjagte, bis er sie in einem Kuhstall oder etwas Ähnlichem wiederfand?« sagte sie lachend. »Mein lieber Warren, wie kannst du nur so einfältig sein? Kein Mädchen mit gesundem Verstand hätte den Wunsch, Gary davonzulaufen, am allerwenigsten ein Mädel, das er ganz ohne Begleitung in einem gewöhnlichen Gasthof fand.«

»Du gibst Kendal eine sehr merkwürdige Vorstellung von deinem Bruder, wenn du ihn vermuten läßt, Gareth würde auch nur für einen Moment eine Ehe mit so einem Mädchen in Betracht ziehen«, sagte Warren dämpfend.

Mrs. Wetherby bemerkte, daß ihre angeborene Lebhaftigkeit, gesteigert durch ihre seelische Erleichterung, sie dazu verführt hatte, in einer Form zu sprechen, die über die Grenze hinausging, die noch gefällig war, und sagte errötend: »Ich habe natürlich nur gescherzt. Es kann nicht mehr sein als ein bezaubernd romantisches Zwischenspiel. Aber es wird Gary sehr gut tun. Du kannst also auch nicht erwarten, daß ich den Kopf hängen lasse und Moral predige.«

Nach dem einzigen kurzen überraschten Ausruf hatte Captain Kendal seinen Mund nicht mehr aufgetan. In Wirklichkeit waren seine Lippen in einer Weise zusammengepreßt, daß seine Gastgeberin vermutete, er sei übertrieben prüde. Er blickte finster vor sich hin, und in seinen Augen war ein Ausdruck, der sie überraschte. Er konnte ihre Lebhaftigkeit mißbilligen, warum er aber so blutdürstig dreinsah, vermochte sie nicht zu verstehen. Sie starrte ihn an. Er senkte die Augen, dann sagte er kurz, daß es an der Zeit sei, sich zu verabschieden. Er versuchte seiner Erregung Herr zu werden und erklärte, nicht zum Tee bleiben zu können. Bevor er seiner Gastgeberin die Hand reichte, sagte er allerdings noch all das, was sich gehörte.

Warren begleitete ihn zur Tür. »Wenn meine Frau in lustiger Stimmung ist, sagt sie meist Unsinn«, erklärte er. »Ich weiß, daß ich Sie nicht erst bitten muß, diesen Unsinn nicht zu wiederholen.«

»Das brauchen Sie nicht zu befürchten, Sir«, sagte Captain Kendal nachdrücklich. »Gute Nacht! Und ich danke Ihnen für einen – sehr angenehmen Abend.« Eine Verbeugung und er war gegangen.

Warren begab sich wieder zu seiner Frau, um sie auszuschelten, daß sie ihren Gast so verletzt hatte, und um ihr eine Predigt über das Übel einer geschwätzigen Zunge zu halten. Aber auch er war über das Verhalten des Captains einigermaßen verblüfft.

Inzwischen rief Captain Kendal die erste Droschke an, die des Weges kam, und befahl dem Kutscher, ihn zum Hotel Grillon zu fahren. Während das altersschwache Vehikel durch Albemarle Street rumpelte, saß er steif aufgerichtet; er ballte die Fäuste, dann öffnete er sie wieder und sah mit gerunzelter Stirn starr vor sich hin. Im Grillon angelangt, fragte er in so grimmigem Ton nach General Summercourt, daß ihn der Portier ziemlich scharf ansah. Man machte den General an einem Schreibtisch des kleinen Schreibzimmers ausfindig. Außer ihm befand sich niemand im Raum. Der General blickte auf. Als er sah, wer eingetreten war, verhärteten sich seine Züge und er sagte: »Sie? Eh? Und was wünschen Sie, junger Mann?«

»Ich möchte wissen, Sir, was Sie heute in die Bow Street führte?« erwiderte der Captain.

»So? Das möchten Sie wissen!« schnappte der General, und der Zorn eines zu sehr geplagten Mannes brach aus ihm hervor. »Dann werde ich es Ihnen sagen, Sie, Sie verdammt anmaßender Affe! Ihnen habe ich es zu verdanken, daß meine Enkelin seit mehr als vierzehn Tagen von zu Hause verschwunden ist. Da! Lesen Sie das!«

Captain Kendal entriß ihm fast das Briefpapier, das ihm der General reichte, und überflog rasch die Zeilen mit Amandas kindlicher Handschrift. Als er zu Ende gelesen hatte, sah er auf und sagte wütend: »Mir zu verdanken? Bilden Sie sich ein, Sir, daß Amanda diesen Schritt mit meinem Wissen unternahm? Daß ich ihr gestatten würde – Bei Gott, wenn das Ihre Meinung von meinem Charakter ist, dann wundere ich mich nicht, daß Sie sich weigern, Ihre Zustimmung zu unserer Heirat zu geben!«

Der General starrte ihn einen Moment durchbohrend an. »Nein, ich glaube es nicht«, sagte er kurz. »Hätte ich es geglaubt, dann wäre ich zu Ihnen gekommen und hätte Sie so lange gewürgt, bis ich Amandas Aufenthaltsort aus Ihnen herausbekommen hätte! Aber wenn Sie nicht gekommen wären, um ihr Flausen in den Kopf zu setzen und sie aufzuhetzen, mir zu trotzen –«

»Sir, weit entfernt, sie aufzuhetzen, Ihnen zu trotzen, habe ich ihr vielmehr gesagt, daß ich sie, solange sie so jung ist, nicht ohne Ihre Einwilligung heiraten werde. Und sie weiß, daß es mein Ernst ist, wenn ich etwas sage.«

»Ja, und das ist das Ergebnis! Man will mich zwingen, meine Einwilligung zu geben. Nun, Neil Kendal, dessen können Sie sicher sein – ich gebe sie nicht! Verdammt, ich tue es nicht!«

»Sir, ich entnehme Ihren Worten, daß Sie keine Annonce in die Morning Post gesetzt haben?«

»Nein. Ich habe die Angelegenheit in die Hände von Detektiven gelegt. Sie suchen sie nun schon seit einer Woche.«

»Und seit ungefähr vierzehn Tagen ist sie verschwunden«, schleuderte ihm der Captain wütend entgegen. »Sie scheinen es ja ungeheuer kühl aufzunehmen, Sir, was?«

»Verdammte Unverschämtheit. Ich war überzeugt, daß sie sich im Wald versteckt hat. Der kleine Wildfang hat das schon einmal gemacht, als sie ihren Willen nicht durchsetzen konnte.«

»Beordern Sie die Detektive zurück«, sagte der Captain. »Ich kann Ihnen mehr sagen, als Sie entdeckt zu haben scheinen – und es ist eine nette Geschichte! *Wo* Amanda ist, weiß ich nicht, aber ich weiß, mit *wem* sie ist!«

»Um Himmels willen, Neil, was wollen Sie damit sagen?« fragte der General und wurde leichenblaß. »Heraus damit!«

»Sie ist mit einem Burschen zusammen, der Ludlow heißt – Gareth Ludlow – er griff sie in einem gewöhnlichen Gasthof auf, ich weiß nicht wo, und entführte sie nach Kimbolton. Ich habe heute bei Ludlows Schwester, einer Mrs. Wetherby, diniert, und was ich in diesem Haus hörte – Mein Gott, ich weiß nicht, wie es mir gelang, meine Zunge im Zaum zu halten.«

»Ludlow?« sagte der General wie betäubt. »Entführt? Meine kleine Amanda? Nein, nein, das ist unmöglich. Erzählen Sie mir das Ganze, verdammt noch einmal!« Er lauschte schweigend Captain Kendals kurzem Bericht, aber es schien, als könnte er ihn nicht verstehen, denn er saß starr da, sah den Captain verblüfft an und wiederholte nur verständnislos: »Entführte sie – versuchte ihm zu entkommen – wurde in einem Kuhstall gefunden?« Schließlich raffte er sich auf und sagte in gefaßterem Ton: »Es ist unmöglich! Sie ist doch noch ein Kind! Haben Sie durch diese Wetherbys erfahren –«

»Genau das, was ich Ihnen berichtet habe. Sie wissen auch nicht mehr, und sie können sich darauf verlassen, daß ich keine Fragen stellte. Sie nehmen an, daß Amanda zur Sorte leichter Dämchen gehört: ein erstklassiges Pflänzchen – dieses Ausdrucks bediente sich

Wetherby. Unter keiner Bedingung hätte ich ein Wort gesagt, das sie auf die Wahrheit gebracht hätte.«

»Es ist unmöglich«, wiederholte der General. »Ein Mann von Ludlows Stand – du gütiger Gott, unter welchen Umständen er sie auch getroffen hat, muß er doch mit einem Blick erkannt haben, daß sie noch ein Kind ist – ein Kind aus vornehmem Haus – und so unschuldig – Warum zum Teufel brachte er sie mir denn nicht zurück? Oder, wenn sie ihm ihren Namen nicht verraten wollte, warum übergab er sie nicht der Obhut einer anständigen Frau?«

»Ja, *warum*?« sagte der Captain mit rauher Stimme. »Das ist die Frage, die er mir beantworten muß, ehe er viel älter geworden ist! Was für eine Sorte Mann ist er?«

Der General machte eine hoffnungslose Gebärde. »Wie soll ich das wissen? Ich kenne ihn nicht persönlich. Ein Salonlöwe: Er gehört zum Zirkel der Modenarren. Gutaussehender Bursche, mit einer blendenden Gestalt, und dazu ist er reich genug, um sich jeden Herrensitz zu kaufen. Er ist nicht verheiratet – ich glaube, vor Jahren hat sich irgendeine Tragödie abgespielt. Ich habe bisher nie etwas Nachteiliges über ihn gehört – im Gegenteil, er ist überall gerne gesehen. Aber was hat das in diesem Fall zu bedeuten? Wenn sie die ganze Zeit über bei ihm war – bei Gott, er muß sie heiraten! Er hat sie kompromittiert – meine Enkelin! – und wenn er glaubt –«

»*Er* sie heiraten –?! Das wollen wir sehen«, unterbrach ihn der Captain grimmig. »Nun, Sir! Als erstes müssen Sie die Detektive abberufen, um diese verdammte Angelegenheit mit so wenig Aufsehen wie möglich zu ordnen. Ich fahre morgen nach Kimbolton, und wenn ich dort über Ludlow nichts erfahren kann, dann werde ich versuchen, seine Fährte aufzuspüren. Irgend etwas muß ich doch erfahren. Er kann durch einen so kleinen Ort nicht unbemerkt gefahren sein. Wollen sie es mir überlassen, ist es gut! Ziehen Sie es vor, mich zu begleiten, um so besser!«

»*Sie begleiten,* Sie unbotmäßiger junger Hund?« schrie der General wütend. »Welches Recht haben Sie, sich in meine Angelegenheiten zu mischen? Bilden Sie sich ja nicht ein, daß ich in Ihre Heirat mit Amanda einwillige! Das werde ich niemals tun! Glauben sie, daß sich meine Enkelin an einen bettelarmen Bengel in einem Linienregiment wegwirft? Nein, bei Gott! Ich fahre nach Kimbolton und wünsche weder Ihre Hilfe noch Ihre Gesellschaft!«

»Wie es Ihnen beliebt«, sagte Captain Kendal achselzuckend. »Ich fahre morgen bei Morgengrauen los – und das würde Ihnen ja doch nicht passen. Ich bitte, nicht zu vergessen, einen Brief in die Bow Street zu schicken. Wir sehen uns in Kimbolton wieder! Gute Nacht!«

17

Fast zur gleichen Zeit, als sich diese aufregenden Ereignisse in London abspielten, erhielt Lord Widmore von seinen beiden jüngeren Schwestern Briefe, denen er entnahm, daß Lady Hester bei keiner von ihnen Zuflucht gesucht hatte. Da er sich in den Glauben hineingeredet hatte, daß sie nirgend anderswohin gefahren sein könne, erschütterte ihn diese Nachricht maßlos und veranlaßte ihn, unbedacht auszurufen: »Gertrude und Contanze haben von Hester nichts gehört und nichts gesehen, seitdem wir London verlassen haben!«

Bis zu diesem Moment hatte man Mr. Whyteleafe in Unkenntnis des wahren Sachverhaltes gelassen, da Lord Widmore weit vorsichtiger war als sein Vater. Aber Mr. Whyteleafe war zugegen, als die Briefe vom Postamt gebracht wurden, und dieser unwillkürliche Ausruf erregte nicht nur seine Aufmerksamkeit, sondern veranlaßte ihn auch, von Seiner Lordschaft eine Erklärung zu verlangen. Er erhielt diese Erklärung durch Lady Widmore. Lady Widmores Mißachtung der herkömmlichen Spielregeln der Gesellschaft veranlaßte sie, diese Eskapade wie einen ausgezeichneten Spaß zu behandeln, eine Geisteshaltung, die Seine Lordschaft dermaßen abstieß, daß es ihm eine große Erleichterung bedeutete, dem Kaplan sein Herz ausschütten zu können. Mr. Whyteleafes Reaktion war genauso, wie sie sein sollte. Er wechselte die Farbe und sagte: »Nicht bei Lady Ennerdale?! Nicht bei Mistress Nutley oder Lady Cookham?! Guter Gott, Sir, das ist ja entsetzlich!«

Lord Widmore, der ihn beifällig ansah, beschloß, ihn ins Vertrauen zu ziehen. Als Ergebnis erfuhr er zum erstenmal etwas von der Existenz Hildebrand Ross'. Bis zu diesem Augenblick hatte ihm niemand gesagt, daß dieser Mensch, den Lady Ennerdale angeblich geschickt hatte, um ihre Schwester auf der Reise zu begleiten, etwas anderes war als ein Angestellter. Er erfuhr jetzt, daß Hester mit einem unbekannten jungen Mann von unbestreitbar vornehmer Geburt, aber verdächtigem Gehaben weggefahren war, und rief entsetzt aus: »Sie hat sich entführen lassen!«

Aber Mr. Whyteleafe glaubte nicht daran, daß Hester durchgebrannt war. Mr. Ross, obwohl hinlänglich verderbt, um einen Mann, dessen Kleid ihm hätte Respekt einflößen müssen, ohne Erröten Lügen zu erzählen, stand kaum in dem Alter, um eine Heirat mit einer Lady in Betracht zu ziehen, die sich ihrem dreißigsten Lebensjahr näherte. Er befürchtete vielmehr, daß Mr. Ross nichts anderes als ein Zwischenträger war.

Lady Widmore fragte, vulgär lachend, wer zum Teufel denn das sein könne, für den Mr. Ross als Zwischenträger fungieren sollte, aber es hörte niemand auf sie. In rascher Folge avancierte Mr. Ross zum teuflischen Agenten, der entweder im Dienste eines heimlichen, aber offenbar nicht gesellschaftsfähigen Liebhabers stand oder im Sold eines verwegenen Menschenräubers. Lady Widmore erklärte, sie werdc verrückt, wenn es einen Menschenräuber geben sollte, der annahm, einer Familie auch nur einen Penny entreißen zu können, die so bettelarm war wie sie. Er müßte derart verblödet sein, daß selbst eine Gans wie Hester imstande sein müßte, seinen Klauen zu entkommen. Ihrer Meinung nach hatte Hester, schlauer als jemand vermutete, Mr. Ross dazu veranlaßt, ihr behilflich zu sein, sich, ohne Überraschung oder Widerspruch zu erregen, aus Brancaster wegzustehlen. Sie empfahl ihrem Gatten, seinen Butler einem strengen Verhör zu unterziehen. Sie meinte, wenn irgend jemand wußte, welches Spiel Hester getrieben, dann sei es Cliffe, dafür könne er seine Hand ins Feuer legen, derselbe Cliffe, dessen sentimentale Zuneigung zu Hester Lady Widmore oft gegen ihn aufgebracht hatte.

Lord Widmore gelang es nicht, Cliffe irgendwelche Geständnisse zu entlocken, doch Mr. Whyteleafe war erfolgreicher. Cliffe, bereits sehr besorgt und mehr als bedenklich, ob es klug gewesen war, Hester Vorschub zu leisten, brach unter den mächtigen Beschwörungen des Kaplans zusammen. Es wurde ihm zu Bewußtsein gebracht, daß der gute Ruf seiner Herrin, vielleicht selbst ihr Leben auf dem Spiele standen, worauf er weinend den einzigen Anhaltspunkt preisgab, den er hatte. Er vertraute Mr. Whyteleafe an, daß er den Postillon der Chaise, die Lady Hester entführte, als einen Burschen erkannt hatte, der in St. Ives im Gasthof »Zur Krone« bedienstet war.

Von da an übernahm Mr. Whyteleafe das Kommando. Er trug Cliffe in einer Weise striktes Schweigen auf, die darauf berechnet war, den zitternden Butler zu überzeugen, daß er Lady Hester dabei Vorschub geleistet hatte, eine Unbesonnenheit zu begehen, die die ganze Familie in einen ungeheuren Skandal stürzen mußte. In fast ebenso eindrucksvoller Weise wies er Lord Widmore darauf hin, daß nicht das leiseste Geflüster über diese Angelegenheit andere als ihre eigenen Ohren erreichen dürfe. Er und Seine Lordschaft sollten gemeinsam in St. Ives das Ziel der Chaise ausfindig machen; und ebenso gemeinsam sollten sie die Flüchtlinge aufspüren. Weder Kutscher noch Postillon sollten mit ihnen kommen: Sie würden sich in dem Kabriolett, das sich der Earl zum eigenen Gebrauch für Fahrten nach Cambridge hielt, auf den Weg machen. »Und ich«, fügte Mr. Whyteleafe hinzu, als er sich erinnerte, daß Lord Widmore ein recht mittelmäßiger Fahrer war, »ich werde kutschieren!«

Inzwischen machte die Genesung Sir Gareths, der in seliger Unkenntnis der feindlichen Kräfte lebte, die auf ihn zustrebten, so gute Fortschritte, daß sein Arzt sich selbst dazu beglückwünschte. Es würde noch einige Zeit dauern, bis ihm die Wunde keine Beschwerden mehr machen werde – ein Umstand, der, wie Lady Hester nicht zögerte zu behaupten, den empörend rohen Methoden zuzuschreiben war, die bei der Entfernung der Kugel angewendet worden waren – und noch länger, ehe er seine vollen Kräfte wiedererlangte. Aber die Fortschritte hielten weiterhin an, und es währte nicht lange, bis er seine diversen Betreuer überredete, ihm die Erlaubnis zu geben, das Bett zu verlassen, um festzustellen, wie wohltuend die Wirkung der frischen Luft auf ihn wäre. Hinter dem Gasthof lag ein kleiner Obstgarten, und da das Wetter weiterhin schwül war, ein herrlicher Tag dem andern folgte, verbrachte er seine Tage dort in einem idyllischen Dasein, das nicht einmal die üble Laune Mrs. Chicklades zu trüben vermochte. Als strenge Moralistin konnte sie von der Achtbarkeit der Gesellschaft, die sie zu bedienen hatte, nicht überzeugt werden. Und als sie gar mitansehen mußte, daß die Stühle ihres Salons, gemeinsam mit einem Tisch und allen Kissen, die im Gasthof aufzutreiben waren, in den Obstgarten getragen wurden, und überdies entdeckte, daß ihr irregeleiteter Gatte eingewilligt hatte, die Mahlzeiten auch dort zu servieren, wußte sie, daß ihr schlimmster Argwohn nicht weit von der

Wahrheit lag, Chicklades vornehme adelige Damen und Herren waren nichts weiter als eine Bande heidnischer Zigeuner, und keiner sollte kommen und ihr etwas anderes einreden! Aber Chicklade sagte, er erkenne den Adel auf den ersten Blick, und solange Geld vorhanden sei, könnten seine Gäste ihre Mahlzeiten auch auf dem Dach einnehmen, wenn sie sich's in den Kopf setzten. Und was die Moral der Gesellschaft betreffe, so stehe es ihm nicht an, einen Teufelskerl zu kritisieren, der mit dem Zaster reichlich um sich werfe wie Sir Gareth.

Mrs. Chicklade, besänftigt durch das Gold, das in die Kasse ihres Gatten floß, fuhr also fort, täglich drei reichliche Mahlzeiten für ihre zweifelhaften Gäste zu kochen, und überraschte die Nachbarn dadurch, daß sie plötzlich mit einer neuen gewichtigen Haube und in einem grell purpurfarbenen Kleid erschien.

Was die zweifelhaften Gäste anbelangt, war lediglich Amanda mit ihrem Aufenthalt in Little Staughton nicht restlos zufrieden. Sir Gareth hatte seine besonderen Gründe dafür, eine Beendigung seines Aufenthaltes nicht zu wünschen. Lady Hester, die ihn pflegte und stundenlang neben ihm unter den fruchtbeladenen Bäumen saß und die man allgemein schätzte wie noch nie in ihrem Leben, blühte sichtlich auf. Und Hildebrand, von der ländlichen Einsamkeit angeregt, machte mit seinem Tragödienstoff einen vielversprechenden Anfang. Er war keineswegs erpicht, in eine anspruchsvolle Welt zurückzukehren. Er hatte auch sein Pferd zurückerhalten, da er sich dem Befehl seines Adoptivonkels fügte, der erklärte, es sei nun genug mit den Torheiten und er solle das edle Tier ohne weitere Umstände zurückholen. Er schlief noch immer auf dem Feldbett, das in Sir Gareths Zimmer aufgestellt worden war, nicht weil seine Dienste als Nachtwache noch benötigt wurden, sondern weil es in dem Gasthof nur zwei Fremdenzimmer gab.

Auf diese Art wurde Sir Gareth über die Fortschritte des Dramas ständig auf dem laufenden gehalten, denn er las ihm die tägliche literarische Ausbeute allabendlich vor und bat um Kritik und Anregungen. Hildebrand litt keineswegs unter Gewissensskrupeln. Er versicherte Sir Gareth vielmehr, daß seine Eltern, die ihn auf einer Fußtour in Wales wähnten, nicht erwarteten, Briefe von ihm zu erhalten; und was die Freunde betraf, denen er sich anschließen sollte, würden sie eben annehmen, er habe seine Pläne geändert oder seine Abreise verzögert und werde sie zweifellos irgendwo einholen.

»Ja, willst du das denn nicht tun?« fragte Sir Gareth. »Ich bin wirklich sehr gut imstande, mich jetzt allein zu behelfen, und ich möchte nicht, daß du glaubst, meinetwegen hierbleiben zu müssen. Chicklade kann alles für mich tun, was ich brauche.«

»Chicklade?!« rief Hildebrand angeekelt. »Was? Ich sollte es zulassen, daß er ihnen die Halstücher mit seinen großen ungeschickten Händen knüpft? Das kommt gar nicht in Frage! Noch dazu jetzt, wo Sie mir beibrachten, wie man einen Wasserfall arrangiert. Außerdem sind Tante Hester und ich übereingekommen, daß ich Sie, wenn Sie soweit hergestellt sind, um nach London reisen zu können, begleiten soll, damit ich Ihnen auf der Reise zu Diensten stehe. Und sollte sich's Amanda in den Kopf setzen, wieder durchzubrennen, können Sie, Onkel Gary, nicht hinter ihr herjagen. Vielleicht wäre es auch schade, die Arbeit an meinem Stück abzubrechen, solange ich mich in dieser schöpferischen Periode befinde. Hätten Sie etwas dagegen, wenn ich Ihnen die zweite Szene nochmals vorlese, nachdem ich sie umgearbeitet habe?«

So wurde Hildebrand zu bleiben gestattet, wenn Sir Gareth auch nicht glaubte, daß Amanda nochmals davonzulaufen beabsichtigte. Zum erstenmal befand sich Amanda in Verlegenheit. Es wäre ihr nie eingefallen, daß ihr Großpapa ihre Wünsche und Befehle nicht befolgen würde, und wie sie auf ihn einen erhöhten Druck ausüben könnte, war ein Problem, für das es keine Lösung zu geben schien. Die Zeit eilte dahin, und es war leicht möglich, daß Neil bereits den Befehl erhalten hatte, sich wieder zu seiner Brigade zu begeben. Sie hatte das Stadium der bedingungslosen Kapitulation noch nicht ganz erreicht, und sie durchforschte noch immer erschöpfend die Morning Post, die Mr. Vinehall täglich zuvorkommenderweise in den Gasthof sandte. Sir Gareth hoffte, zu dem Zeitpunkt, da man ihn für reisefähig erklären würde, wenig Schwierigkeiten zu haben, sie zu überreden, ihn nach London zu begleiten. Nichts vermochte sie indes zu bewegen, die Identität ihres Großvaters preiszugeben. Doch sie begann mit dem Gedanken zu spielen, daß nicht ihr Großpapa, sondern Neil zu etwas gezwungen werden müsse. Glaubte Onkel Gareth nicht auch, daß Neil, wenn er annehmen mußte, ihr Ruf sei vernichtet, sie auf der Stelle heiraten würde?

»Das erscheint mir höchst unwahrscheinlich«, erwiderte er. »Warum sollte er auch?«

Sie saß auf dem Boden, einen halbfertig gebundenen Primelstrauß in der Hand, und sah, während sie ihren schändlichen Plan entwikkelte, so lächerlich jung aus, daß es ihm schwerfiel, ernst zu bleiben.

»Um meinen guten Namen zu retten«, sagte sie leichthin.

»Er würde bestimmt nichts Derartiges tun«, wandte er ein, »sondern Ihnen einen ganz anderen Namen geben.«

»Ja – aber – wenn man seinen guten Ruf verliert, dann muß man rasch heiraten«, widersprach sie. »Das weiß ich ganz genau, denn als Theresa – ich meine irgendein Mädchen, das ich kenne, den ihren verlor – wenngleich ich nicht genau weiß, wie es geschah –, sagte jemand anderer, den ich kenne, zu meiner Tante, es gäbe für sie, um ihren guten Ruf zu retten, nichts anderes, als auf der Stelle zu heiraten. Nun also! Wenn man mit einem Gentleman allein bleibt, dann verliert man eben sofort seinen guten Ruf, und wenn ich behaupte, daß Tante Hester und Hildebrand nicht hier sind, würde Neil glauben, es sei seine Pflicht, mich zu heiraten, ganz egal, was mein Großpapa auch sagen mag.«

»Nein. Es wäre viel wahrscheinlicher, daß er von mir erwarten würde, ich soll Sie heiraten. Das wäre Ihnen doch nicht recht, oder?«

»Nein, natürlich nicht. Sie könnten sich aber doch weigern, mich zu heiraten, nicht wahr? Da würde Neil schön in der Klemme sitzen.«

»Ja, in der Tat«, bestätigte ihr Hester, keineswegs aus der Fassung gebracht. »Ich glaube aber, er hielte es für seine Pflicht, Onkel Gary zu einem Duell zu fordern; wenn sich dein Onkel auch viel besser fühlt, wäre er doch noch nicht kräftig genug, um ein Duell auszutragen. Du willst doch auch nicht, daß er sich überanstrengt?«

»Nein«, sagte Amanda widerstrebend. »Dann muß eben Hildebrand herhalten. Hildebrand, *Hildebrand*!«

Hildebrand, der in einiger Entfernung von ihnen auf dem Bauch liegend, im Ringen um eine poetische Inspiration mit den Fingern durch seine zerwühlten Locken fuhr, würdigte sie nur eines geistesabwesenden Grunzens.

»Hildebrand, würden Sie mir einen Gefallen tun und sich den Anschein geben, mich zu kompromittieren, um sich dann zu weigern, mich zu heiraten?« sagte Amanda einschmeichelnd.

»Nein! Sehen Sie denn nicht, daß ich beschäftigt bin? Fragen Sie Onkel Gary!«

Das war nicht ermutigend. Als er sich schließlich bereit fand zu hören, was man zu ihm sagte, gab er auch keine befriedigendere Antwort. Er empfahl ihr, nicht so töricht zu sein, und fügte hinzu, sie wisse nicht, was sie rede.

»Ich finde Sie unhöflich und ungefällig!« rief Amanda wütend.

»Ach nein. Ich bin überzeugt, es ist nicht sein Ernst«, sagte Hester und suchte ihre Schere. »Wahrscheinlich – ach, da ist sie – wie ist sie nur hierhergekommen? – wahrscheinlich verstand er die ganze Sache nicht richtig. Hildebrand, Sie haben wirklich nichts anderes zu tun, als sich zu weigern, Amanda zu heiraten. Das ist doch bestimmt nicht viel verlangt?«

»Ach, *dagegen* habe ich nichts einzuwenden«, sagte er grinsend.

»Hester, Sie sind eine lasterhafte Frau«, sagte Sir Gareth bei der ersten Gelegenheit.

»Ja, das glaube ich selbst«, bestätigte sie nachdenklich.

»Darüber gibt es keinen Zweifel! Haben Sie allen Ernstes die Absicht, Amanda die Erlaubnis zu geben, ihrem Brigademajor die abscheuliche Geschichte aufzutischen, die sie sich da ausgebrütet hat?«

»Aber, Gareth, ich kann dabei nichts Schlimmes sehen«, sagte sie etwas befremdet. »Aus diesem Grund wird sie wünschen, nach London zu fahren. Und das wird ihr auch Gelegenheit geben, Pläne zu schmieden. Das braucht sie dringend! Seitdem man das niedliche Kälbchen von der Farm auf den Markt schickte, ist es für sie hier wirklich sehr langweilig geworden. Und der Brigademajor kann unmöglich so töricht sein, diese Geschichte zu glauben. Jeder muß doch sofort bemerken, daß sie keine Ahnung hat, was es bedeutet, kompromittiert zu sein.«

»Halten Sie nach all dem noch immer aufrecht, daß man ihr gestatten solle, diesen Burschen zu heiraten?« fragte er.

»Es hängt ganz davon ab, wie er ist«, erwiderte sie nachdenklich. »Ich möchte ihn zuerst sehen, ehe ich dazu Stellung nehme.«

Ihr Wunsch wurde am folgenden Tag erfüllt. Sir Gareth, im Halbschlaf unter einem mächtigen Apfelbaum liegend, den in tiefen Schlaf versunkenen Joseph auf den Knien, hatte, noch völlig schlaftrunken, das Gefühl einer drohenden Gefahr. Er öffnete die Augen. Sie fielen auf einen untersetzten jungen Gentleman mit rötlichem Haar, der, ihn grimmig musternd, einige Schritte von ihm entfernt stand. Zorn und

Verachtung flammten in seinen blauen Augen, als sie den reichverschnürten prächtigen Dressinggown gewahrten, den Sir Gareth zu tragen gezwungen war, weil seine Röcke für seine bandagierte Schulter bei weitem zu knapp saßen. Interessiert und ein wenig überrascht, suchte Sir Gareth sein Monokel, durch das er seinen unbekannten Besucher prüfend betrachtete.

Captain Kendal zog den Atem hörbar ein und sagte entschlossen und mit furchteinflößender, übertriebener Höflichkeit: »Sir, irre ich in der Annahme, mit Sir Gareth Ludlow zu sprechen?«

»Sir«, erwiderte Sir Gareth gemessen, aber seine Lippen zuckten, »Sie irren nicht.«

Captain Kendal schien um Fassung zu ringen. Er ballte seine Fäuste und knirschte mit den Zähnen. Dann zog er den Atem nochmals mühsam ein und sagte ebenso gemessen: »Es tut mir leid, Sir – verdammt leid! –, sehen zu müssen, daß Sie Ihren Arm in der Schlinge tragen!«

»Sir, Ihre Besorgnis«, sagte Sir Gareth unverzüglich darauf eingehend, »rührt mich zutiefst! Um die Wahrheit zu gestehen, tut es mir selbst sehr leid, ihn in der Schlinge tragen zu müssen.«

»Weil Ihre kampfunfähige Lage es mir unmöglich macht«, sagte Captain Kendal durch seine geschlossenen Zähne, »mit Ihnen zu verfahren, wie Sie es verdienen! Es ist mein heißester Wunsch, daß Sie den Gebrauch Ihres Arms wiedererlangen, ehe ich mich gezwungen sehe, England zu verlassen.«

»Du gütiger Himmel«, rief Sir Gareth und ein Licht dämmerte ihm auf. Er hob erneut sein Monokel. »Wissen Sie, daß ich mir von Ihnen ein ganz anderes Bild machte? Ich wäre Ihnen dankbar, wenn Sie mir Ihren Namen verraten würden.«

»Sir, den werden Sie noch rechtzeitig erfahren. Sie werden mir gestatten, Ihnen zu sagen, daß mich die Dinge, die ich in Kimbolton erfahren mußte, mit zwei übermächtigen Wünschen hierherführten: erstens, Sie zur Rechenschaft zu ziehen, und zweitens, dem jungen Mann die Hand zu schütteln, der das Mädchen, dessen Jugend und Unschuld sie vor jedem, außer vor einem ruchlosen Schurken, geschützt hätte, aus Ihren Klauen zu retten versuchte.«

»Ich fürchte, Sir, Sie werden die erste Ihrer sehr natürlichen Begierden nicht verwirklichen können«, sagte Sir Gareth bedauernd, »aber nichts ist leichter, als den zweiten Wunsch zu erfüllen.« Er richtete sich auf, blickte sich um, wodurch er Josephs Ruhe empfindlich störte, der beleidigt aufstand, nieste und schließlich von seinem Knie sprang. »Als ich ihn zuletzt sah, lag er dort drüben. Die Geburt seiner Tragödie bereitet ihm offenbar große Pein. Ja, dort ist er – wie ich sehe – nicht mehr im Ringen mit seiner Muse begriffen.«

»Was?!« rief Captain Kendal verblüfft. »Sir, wollen Sie mich zum besten halten?!«

»Keineswegs! Hildebrand, wach auf! Wir haben Besuch.«

»Sir«, rief der Captain, »halten Sie mich für einen Mann, der auf Ihren Schwindel hereinfällt?«

»Sir, ich bin vom Gegenteil überzeugt«, erwiderte Sir Gareth beschwichtigend. »Sie scheinen mir etwas voreilige Schlußfolgerungen zu ziehen – aber ich weiß natürlich nicht genau, was Sie in Kimbolton erfuhren.«

»Warum«, schleuderte ihm der Captain entgegen, »fand das Zimmermädchen die Tür Ihrer Schutzbefohlenen verschlossen? Warum hielt es Ihre Schutzbefohlene für nötig, ihre Tür zu versperren?«

»Das tat sie doch nicht. *Ich* versperrte die Tür, um zu verhindern, daß sie ein zweitesmal durchbrennt. Ja, Hildebrand, komm hierher! Unser Besuch wünscht dir die Hand zu schütteln. Sir, gestatten Sie, daß ich Ihnen Mister Ross vorstelle. Und Hildebrand, das ist – es sei denn, daß ich mich sehr irre – der Brigademajor!«

»Was? Amandas Brigademajor?« rief Hildebrand. »Nun, das ist aber die Höhe! Wie gelang es Ihnen, uns zu entdecken, Sir?«

»Um Himmels willen, habe ich mich in ein Tollhaus verirrt?« donnerte der Captain. *»Wo ist Amanda?!«*

»Ich weiß es nicht«, sagte Hildebrand überrascht. »Ich glaube aber, sie ist auf der Straße spazierengegangen, die zur Farm führt. Soll ich sie suchen gehen? Ach Sir, ich wäre Ihnen sehr dankbar, wenn Sie mich über etwas aufklären wollten – wird Amanda, wenn sie nach Spanien geht, tatsächlich gezwungen sein, den Hühnern den Hals selbst umzudrehen?«

»Den Hals umdrehen – nein!!« sagte der Captain, diesmal völlig aus der Fassung geratend.

»Ich wußte, daß alles nur Unsinn ist!« sagte Hildebrand triumphierend. »Ich sagte es ihr auch, aber sie glaubt doch immer, alles besser zu wissen.«

»Neil!!!«

Der Captain wirbelte herum. Amanda, die auf einem kleinen Tablett ein Glas Milch und eine Obstschale trug, hatte den Garten soeben betreten. Nach diesem unwillkürlichen Aufschrei ließ sie das Tablett fallen und stürmte über den Rasen, um sich an die breite Brust des Captain zu werfen. »Neil! Neil!« rief sie und schlang beide Arme um seinen Hals. »Ach, Neil, bist du endlich gekommen, um mich zu retten? Oh, wie wunderbar! Ich wußte nicht, was ich tun sollte, und verzweifelte fast – aber jetzt wird ja alles gut.«

Der Captain, der sie in seiner Umarmung fast erstickte, murmelte: »Ja. Alles. Laß das nur meine Sorge sein.« Er machte sich von ihr frei, legte beide Hände auf ihre Schultern und schob sie etwas von sich. »Amanda, was ist dir geschehen? Heraus mit der Wahrheit, aber ohne eine deiner phantastischen Ausschmückungen!«

»Oh, du würdest gar nicht glauben, was ich für Abenteuer erlebte«, sagte sie stolz. »Zuerst kam die abscheuliche Frau, die mich nicht als Gouvernante engagieren wollte, dann kam Sir Gareth Ludlow, der mich entführte; der nächste war Mr. Theale, der mir erklärte, er wolle mich vor Sir Gareth retten; er war aber so ekelhaft, daß ich mich gezwungen sah, ihm durchzubrennen; und dann kam Joe, der furchtbar nett war und mir das süße kleine Kätzchen schenkte. Ich wäre gerne bei Joe geblieben, obwohl es seine Mutter scheinbar nicht wollte. Aber Sir Gareth entdeckte mich dort und erzählte den Ninfields die häßlichsten Lügen, die sie ihm glaubten, und dann entführte er mich wieder. Er sperrte mich sogar in mein Zimmer ein und benahm sich in der *abscheulichsten* Weise, obwohl ich ihn inständig bat, mich fortzulassen. Deshalb schoß auch Hildebrand auf ihn, was ich wahr und wahrhaftig nicht wollte, es ist ihm aber recht geschehen – O Neil, das ist Sir Gareth! Onkel Gary, das ist Neil! – Captain Kendal! Und das, Neil, ist Hildebrand Ross. Ach, Onkel Gary, es tut mir so schrecklich leid, aber ich habe Ihre Milch fallen lassen. Hildebrand, würden Sie so gut sein, ein Glas frische Milch zu holen?«

»Ja, gut, aber Sie dürfen nicht glauben, ich würde es dulden, daß Sie hier über Onkel Gary Lügen erzählen«, sagte Hildebrand ungehalten. »Er hat Sie *nicht* entführt, und was Ihre Behauptung betrifft, daß er Lügen über Sie erzählte – na ja! Sie erzählten über ihn weit ärgere! Sie erzählten mir sogar, er zwinge Sie, ihn zu heiraten, weil Sie eine reiche Erbin sind!«

»Ja, das mußte ich doch, sonst hätten Sie mir nicht geholfen, ihm zu entwischen.«

Der Captain, nicht wenig verblüfft, ließ seine Verlobte los und wandte sich Sir Gareth zu. »Ich verstehe noch nicht ganz, was sich wirklich ereignet hat, Sir, ich glaube aber, daß ich Ihnen unrecht tat. Sollte es der Fall sein, dann bitte ich um Vergebung. Aber warum haben Sie Amanda nicht unverzüglich zu General Summercourt zurückgebracht oder ihm geschrieben, um ihm mitzuteilen–«

»Das konnte er nicht«, sagte Amanda stolz. »Obwohl er alle meine Kriegspläne vernichtete und mich gewaltsam entführte, gelang es ihm doch nicht, mich dazu zu bringen, ihm meinen Namen, den von Großpapa oder von dir zu verraten. Ich fürchtete, er würde auch darin Sieger bleiben, denn er beabsichtigte, mich nach London zu seiner Schwester zu verschleppen und deinen Namen bei den Horse Guards herauszubekommen. Aber dazu kam es nicht, denn durch den größten Glücksfall lernten wir Hildebrand kennen, und Hildebrand schoß auf ihn – obwohl er es natürlich nicht wollte.«

»In dieser Angelegenheit gibt es sehr viel, was ich nicht verstehe. Aber eine Sache ist klar«, sagte der Captain, seine Geliebte streng anblickend. »Amanda, du hast dich sehr schlecht benommen!«

»Ja, aber das mußte ich doch«, verteidigte sie sich und ließ den Kopf hängen. »Ich hatte Angst, du könntest ärgerlich sein, aber–«

»Du wußtest genau, daß ich sehr böse sein würde. Glaub ja nicht, mein Mädchen, daß du mich beschwatzen kannst. Das kannst du dir für deinen Großpapa aufheben. Er wird jeden Augenblick hier eintreffen, soviel kann ich dir verraten. Er kommt mir von London nach, und ich hinterließ ihm eine Nachricht in Kimbolton. Weißt du, daß er Detektive aus der Bow Street zu Hilfe rufen mußte, um dich zu suchen?«

»Nein!« rief Amanda wiederbelebt, als hätte sie ein Zauberstab berührt. »Onkel Gary, haben Sie gehört? Detektive sind hinter mir her!«

»Ich hörte es, und es bestätigt meine schlimmsten Befürchtungen«, sagte Sir Gareth. »Nur schade, daß sie erst jetzt davon erfahren, daß man Sie verfolgt. Welch prächtige Geschichte hätten Sie aushecken können, wenn Ihnen das eingefallen wäre!«

»Ja, das stimmt«, sagte sie bedauernd. »Dennoch wäre es besser gewesen, wenn Großpapa das getan hätte, was ich von ihm verlangte.«

»Nein, bei Gott, es wäre nicht besser gewesen«, sagte der Captain ernst. »Und wenn du dir einbildest, Amanda, ich hätte dich geheiratet, wenn der General schwach genug gewesen wäre, sich einem so abscheulichen Diktat zu beugen, dann befindest du dich in einem schweren Irrtum.«

»Neil«, rief sie. Ihre Augen richteten sich auf sein Antlitz und wurden ganz groß und verzweifelt. »Willst du – willst du mich denn nicht heiraten?«

»Das«, sagte der Captain, »ist eine andere Sache. Und jetzt komm mit mir ins Haus und gestehe alles, ohne weitere Ausflüchte oder eine deiner falschen Vorspiegelungen.«

»Das würde ich nie tun! Du weißt, daß ich es nie tun würde«, stotterte Amanda tief errötend. »Niemals dir gegenüber! Nein, du *weißt*, das könnte ich nicht.«

»Das wird auch gut sein«, sagte der Captain und führte sie unbarmherzig davon.

Hildebrand besah sich die ganze Szene mit offenem Mund. Jetzt richtete er sinen Blick auf Sir Gareth.

»Unglaublich!« rief er, nach Luft schnappend. »Sie – sie ging mit ihm – schüchtern wie ein Lämmlein! *Amanda!*«

Es währte einige Zeit, ehe Captain Kendal wieder aus dem Haus trat; als er schließlich durch den Obstgarten schritt, war er allein. Lady Hester, die vor wenigen Minuten ihren Platz neben Sir Gareth wieder eingenommen hatte, sah ihm mit zusammengekniffenen Augen, nach Art der Kurzsichtigen, entgegen, und sagte: »Du lieber Gott, Gareth, wie merkwürdig von Amanda. Ich dachte immer, er sei ein heroisch aussehender junger Mann. Sie nicht auch?«

Als Captain Kendal bei ihnen anlangte, verbeugte er sich leicht vor Hester, richtete das Wort aber an Sir Gareth. »Ich hoffe, Sir, daß Sie meine Enschuldigung entgegennehmen werden. Ich weiß nicht, wie ich Ihnen je genug danken soll. Ich habe die ganze Geschichte aus ihr herausgekriegt, und Sie können sich drauf verlassen, ich habe ihr gehörig den Kopf gewaschen. Sie müssen eine verteufelte Zeit mit ihr verbracht haben.«

»Unsinn!« sagte Sir Gareth und streckte ihm die Hand entgegen.

Der Captain erfaßte sie mit schmerzhaftem Griff. »Sie haben sie nicht richtig behandelt«, sagte er. »Läßt man ihr nicht ihren Willen, dann ist sie ein ganz artiges Kind. Das Unglück will es, daß der

General und Miss Summercourt sie schrecklich verwöhnen, und als wäre das noch nicht genug, gestattet man ihr auch, sich den Kopf mit der Lektüre minderwertiger Romane vollzustopfen. Ich kann Ihnen sagen, mir standen die Haare zu Berge, als ich die Geschichten hörte, die sie erfand. Dabei hat sie nicht die geringste Ahnung, was sie in Wirklichkeit bedeuten. Ich glaube, Sie wissen das, wenigstens hoffe ich es.«

»Selbstverständlch habe ich es gewußt. Meine Lieblingsgeschichte ist die vom verliebten Witwer – obwohl ich zugeben muß, daß ihr letzter Einfall, in dem Hildebrand die Hauptrolle spielen sollte, auch unvergleichlichen Charme besitzt. Aber jetzt müssen Sie mir gestatten, Sie meiner unehelichen Schwester, Lady Hester Theale, vorzustellen.«

Der Captain ergriff Hesters Hand, und sagte sehr ernst: »Es tut mir aufrichtig leid, Madam, und ich bitte, ihr zu verzeihen. Ich war noch nie so empört. Ich werde ihr diese Streiche schon abgewöhnen, darauf können Sie sich verlassen. Aber in gewisser Weise ist sie nicht mehr als ein Baby, was es verteufelt schwierig macht, ihr zu erklären, warum sie keine Räubergeschichten über ›Kompromittiertsein‹ und alles andere erzählen darf.«

Lady Hester warf Sir Gareth einen sanft-triumphierenden Bick zu: »Ich sagte Ihnen doch, es würde davon abhängen, wie Captain Kendal ist. Ich habe sehr gut bemerkt, daß sie mir nicht glaubten. Nun sehen Sie selbst, daß ich recht hatte. Captain Kendal, hören Sie ja nicht auf das, was irgend jemand zu Ihnen sagt, sondern heiraten Sie Amanda und nehmen Sie sie mit nach Spanien. Es wäre zu enttäuschend, wenn Sie es nicht täten, denn sie hat sich deswegen sehr große Sorgen gemacht. Außerdem hat sie gelernt, wie man einem Hühnchen den Hals umdreht und wie man genau die Frau wird, die Sie brauchen, wenn Sie nochmals verwundet werden sollten.«

»Ich möchte keinesfalls, daß sie einem Hühnchen den Hals umdreht – nein wirklich, ich möchte nicht, daß sie derartige Dinge tut – und ich hätte sie auch lieber nicht um mich, wenn ich nochmals verwundet würde – obwohl ich sehr glücklich bin, Sir, daß sie soviel Verstand hatte, Sie nicht verbluten zu lassen –, aber bei Jupiter, Madam, wenn sie glauben, daß ich sie heiraten soll, dann werde ich es tun!« sagte der Captain und schüttelte ihr neuerdings die Hand. »Ich bin Ihnen sehr dankbar. Ich weiß nur zu gut, daß es für sie besser bei mir als bei ihrem

Großpapa wäre. Aber sie ist noch so schrecklich jung, und ich möchte die Gelegenheit nicht ausnützen. Wenn Sie jedoch meinen, daß es richtig ist, kann der General zum Henker gehen! Hallo! Das klingt ja wie seine Stimme. Ja, da kommt er schon – aber wen zum Teufel bringt er da mit?«

Lady Hester, die wie versteinert den drei sich nähernden Gestalten entgegensah, sagte mit schwacher Stimme: »Widmore und Mr. Whyteleafe. Gerade jetzt, da wir so gemütlich beisammensaßen!«

18

Obwohl die drei Gentlemen gleichzeitig auf die Gruppe unter dem Apfelbaum losstürzten und sie auch gleichzeitig im Gasthof »Zum Bullen« eingetroffen waren, wurde ersichtlich, daß es nicht absichtlich geschah. Alle sahen erhitzt aus, und Lord Widmore starrte Summercourt so unverwandt an, daß er sich über die Identität der Gestalt im Dressinggown nicht eher klar wurde, bis Mr. Whyteleafe hervorstieß: »Sir Gareth Ludlow! Hier – und mit Lady Hester?!« Da er sich selbst in seiner wildesten Phantasie Hester nicht in Gesellschaft Sir Gareths ausgemalt hatte, war er so sprachlos, daß er ihn lediglich anzuglotzen vermochte. Das gab dem General die Möglichkeit, sich unverzüglich der Führung zu bemächtigen. Er eilte an Seiner Lordschaft vorbei, vernichtete Mr. Whyteleafe mit einem Blick, der in früheren Tagen das Blut in den Adern seiner Untergebenen gerinnen ließ, trat dicht an Sir Gareths Ruhebett und sagte in einer Art heiserem Bellen: »Sie werden die Güte haben, Sir, mir die Ehre einer Unterredung unter vier Augen zu gewähren! Wenn ich Ihnen sage, daß mein Name Summercourt ist – ja, Sir, Summercourt –, dann bilde ich mir ein, es wird Sie kaum wundern, daß ich die weite Reise von London hierher nur zu dem Zweck unternommen habe, um Sie aufzusuchen. Ich weiß nicht – ich wünsche es auch nicht zu wissen, wie ich hinzufügen möchte –, wer diese Personen sind«, sagte er, während er seinen angeekelten Blick über Lord Widmore und den Kaplan gleiten ließ. »Ich habe angenommen, gewöhnliche Höflichkeit würde diese Leute veranlassen, den Zweck ihres Kommens, um was es sich auch handeln mag, aufzuschieben, bis ich meine Angelegenheit geordnet habe, nachdem ich ihnen mitteilte, daß ich Sie sofort in einer unaufschiebbaren Sache sprechen muß. Lassen Sie mich noch hinzufügen, daß man sich mir mit diesen sogenannten modernen Manieren durchaus nicht empfiehlt. Allerdings hätte ich mir's nach der brutalen Art denken können, wie sie mit der Peitsche auf die Pferde einschlugen, denn diese Leute sind ebensowenig imstande, einen lahmen Esel zu lenken, wie ein Paar Equipagenpferde.«

»Sir, nicht mein Kaplan war es, der die schmale Straße in einem Tempo entlangbrauste, das ich als empörend bezeichnen möchte«, sagte Widmore aufgebracht.

»Sir, ich nehme mir die Freiheit, Ihnen zu sagen, daß der Platz eines Geistlichen auf der Kanzel ist und nicht auf dem Kutschbock eines Kabrioletts«, erwiderte der General. »Wenn Sie jetzt die Güte hätten, sich zurückzuziehen, kann ich vielleicht hoffen, die Angelegenheit zu ordnen, die mich hierhergeführt hat!«

Mr. Whyteleafe hatte Hester mit einer Miene angestarrt, die deutlich die auf ihn einstürmenden Gefühle seiner Empörung, seiner Bestürzung und seines Schreckens ausdrückte, sie dieser Art, gemeinsam mit einem abgewiesenen Freier, an einem diskret abgeschlossenen Ort wiederzusehen. Nun wendete er seinen Blick ab, um dem General einen strengen Blick zuzuwerfen. Er übersah es, daß seine Fahrkünste so übel verleumdet wurden, und sagte würdevoll: »Ich erlaube mir, zu behaupten, daß die Angelegenheit, die Lord Widmore und mich selbst veranlaßte, Sir Gareth Ludlow aufzusuchen, dringend genug ist, um Anspruch auf seine unverzügliche Aufmerksamkeit zu erheben. Überdies muß ich Sie erinnern, daß unser Fahrzeug das erste war, das bei diesem Gasthof vorgefahren ist.«

Der General starrte ihn wütend an. »Ja! So ist es in der Tat! Ich werde das nicht so bald vergessen, Herr Pfaffe! Bei meiner Seele, einer solchen Unverschämtheit bin ich bisher noch nie begegnet!«

Lord Widmore, dessen empfindsame Nerven sich noch keineswegs von dem Schock erholt hatten, als er an einem Kreuzweg plötzlich bemerkte, daß sein Kabriolett um ein Haar einen Zusammenstoß mit einer Postkutsche erlitten hätte, begann dem General sofort zu beweisen, daß seinen Kaplan keine Schuld treffe. Da seine Stimme, wenn er gereizt war, immer spitz und durchdringend wurde und die des Generals viel von ihrem schönen weithintragenden Klang beibehalten hatte, wurde die hierauf folgende Auseinandersetzung so lärmend, daß Lady Hester wie erstarrt dasaß und eine Hand schutzsuchend auf die Lehne von Sir Gareths Liegestuhl legte. Er bemerkte sofort ihre plötzliche Nervenanspannung, bedeckte ihre Hand mit der seinen und umschloß ihr Handgelenk beruhigend mit seinen Fingern. »Fürchten Sie sich nicht. Das ist nur Lärm um nichts!« sagte er ruhig.

Sie sah ihn an, und einen Moment lang zitterte ein Lächeln auf ihren Lippen. »O nein. Ich fürchte mich nicht. Es ist nur, weil ich eine so törichte Abneigung gegen laute, zornige Stimmen habe.«

»Ja, es ist in der Tat sehr unangenehm«, stimmte er bei. »Dennoch muß ich gestehen, daß ich dieses Zusammentreffen außerordentlich amüsant finde. Kendal, wollen wir wetten, welcher meiner charmanten Besucher als erster mit mir ein Gespräch unter vier Augen führen wird?«

Der Captain, der sich niedergebeugt hatte, um seine Worte zu verstehen, grinste und sagte: »Ach, keine Sorge, der alte Summercourt wird bald ausgetobt haben. Wer ist aber der andere Bursche?«

»Lady Hesters Bruder«, erwiderte Sir Gareth. Die Augen auf Lord Widmore gerichtet, fügte er hinzu: »Wie ich ihn kenne, ist er darauf erpicht, meinen Angelegenheiten ebenso zu schaden wie seinen eigenen.«

»Wie bitte?« sagte der Captain und beugte sich neuerlich hinab, um zu verstehen, was er mit unterdrückter Stimme gesagt hatte.

»Nichts. Ich habe ein Selbstgespräch geführt.«

Hester murmelte: »Ist es nicht merkwürdig, daß sie alles übrige vergessen und sich wegen solcher Kleinigkeiten streiten?« Sie schien sich jetzt erst des Griffes an ihrem Handgelenk bewußt zu werden, und versuchte, ihre Hand wegzuziehen. Sein Griff wurde aber noch fester, und leicht errötend gab sie jeden weiteren Versuch auf.

Mr. Whyteleafe, dessen eifersüchtigem Blick dieses Zwischenspiel nicht entgangen war, trat rasch einen Schritt vor und befahl zornig: »Lassen Sie Lady Hesters Hand augenblicklich los, Sir!«

Hester sah ihn überrascht an. Sir Gareth sagte liebenswürdig: »Gehen Sie zur Hölle.«

Die in scharfem Ton gesprochenen Worte des Kaplans riefen den hitzig Streitenden weit wichtigere Angelegenheiten ins Gedächtnis, als es eine Schramme an der Karosserie war. Der Streit brach plötzlich ab, und der General, seinen durchbohrenden Blick auf Sir Gareth geheftet, schien plötzlich der Dame gewahr zu werden, die neben seinem Stuhl stand. Seine Brauen zogen sich zusammen; er fragte: »Wer ist diese Dame?«

»Was kümmert Sie das«, rief Lord Widmore und warf Sir Gareth einen Blick zu. Sir Gareth erwiderte ihn freundlich und wandte sich dem General zu. »Diese Dame, Sir, ist Lady Hester Theale. Sie hat nicht nur das Unglück, Lord Widmores Schwester zu sein, sondern verabscheut auch lärmende Auseinandersetzungen.«

Der zornige, völlig zusammenhanglose Protest Seiner Lordschaft wurde durch die mächtigere Stimme des Generals übertönt. »Wurde ich denn zum Narren gehalten?« donnerte er los. Er kehrte sich gegen Captain Kendal. »Sie junger Esel, ich sagte Ihnen doch, Sie sollen sich nicht um meine Angelegenheiten kümmern. Ich hätte mir denken können, daß Sie mich nur zu einer ebenso unnützen wie planlosen Verfolgung verleiten werden!«

Captain Kendal, durch diesen wütenden Angriff keineswegs aus der Fassung gebracht, erwiderte: »Ja, Sir, in einer Beziehung stimmt es. Aber alles ist in bester Ordnung. Wenn es Ihnen beliebt, einige Minuten mit mir ins Haus zu treten, kann ich Ihnen alles erklären.«

Ungeheure Erleichterung malte sich auf dem Antlitz des Generals; er fragte in weit milderem Ton: »Neil, wo ist sie?«

»Hier, Sir. Ich habe sie hinaufgeschickt, damit sie sich das Gesicht wäscht«, sagte der Captain.

»Hier? Mit diesem – diesem – und Sie behaupten, daß alles in Ordnung ist?«

»Ja, Sir. Und Sie sind Sir Gareth zu unauslöschlichem Dank verpflichtet, wie ich Ihnen gleich beweisen werde.«

Ehe der General etwas zu erwidern vermochte, trat eine Unterbrechung ein. Amanda und Hildebrand, durch den Lärm des jüngsten Wortwechsels aufmerksam geworden, waren aus dem Haus getreten und überrascht stehen geblieben, so viele Menschen um Sir Gareths Liegestuhl versammelt zu sehen. Amanda hatte das Gesicht gewaschen, sie sah aber ungewöhnlich demütig und bescheiden aus. Hildebrand trug behutsam ein bis an den Rand gefülltes Milchglas.

Als der General seine Enkelin sah, verließ er die übrige Gesellschaft und eilte ihr mit ausgestreckten Armen entgegen: »Amanda! Oh, mein Liebling, wie konntest du das tun?«

Sie flog in seine Arme und erklärte weinend, es täte ihr leid, und daß sie es nie wieder tun werde. Der Captain, der mit Befriedigung feststellte, daß sein strenger Befehl befolgt worden war, richtete seinen leidenschaftslosen Blick auf den Kaplan, der, als er Hildebrand erkannte, die Arme emporwarf, mit strafendem Finger auf den erstaunten jungen Gentleman deutete und hervorstieß: »Mylord, das ist der Schurke, der Lady Hester an diesen Ort lockte. Unseliger Knabe, du bist erkannt! Versuche nicht, dich mit Lügen herauszureden, denn sie werden dir nichts nützen!«

Hildebrand, der ihn mit halboffenem Mund angestarrt hatte, blickte sich hilfesuchend nach Sir Gareth um, aber ehe dieser etwas zu sagen vermochte, erklärte Mr. Whyteleafe, jeder Versuch, sich hinter seinem Auftraggeber zu verstecken, sei zwecklos.

»Ach, Hildebrand, ist das Onkel Gareths Milch?« sagte Hester. »Was für ein guter fürsorglicher Junge Sie sind. Aber ich bilde mir ein, ich hätte Amanda schon ein Glas mitgegeben; das beweist wieder einmal, was für ein schrecklich schlechtes Gedächtnis ich habe.«

»Sie haben es ihr ja gegeben, sie hat es aber fallenlassen«, erwiderte Hildebrand. »Hier, Sir. Es tut mir leid, daß ich so lange brauchte, ich hatte es aber ganz vergessen.«

»Der einzige Fehler dabei ist, daß du es dir jemals in den Kopf gesetzt hast«, sagte Sir Gareth. »Ist das der Augenblick für Milchgläser? Nimm es wieder fort!«

»Nein, Gareth, bitte nicht. Doktor Chantry sagte, Sie müssen viel Milch trinken, und ich dulde nicht, daß es weggeschüttet wird, nur weil diese lächerlichen Leute Sie quälen«, sagte Hester und nahm Hildebrand das Glas aus der Hand. »Und damit Sie es nur wissen, Sir Gareth ist nicht der Auftraggeber von Mr. Ross«, teilte sie dem Kaplan mit. »Ebensowenig wie er ein Angestellter meines Schwagers ist. Aber lassen wir das. Es war einzig und allein meine Schuld, daß er sich gezwungen sah, Ihnen gegenüber nicht völlig aufrichtig zu sein.«

»Lady Hester, ich bin bestürzt! Ich weiß nicht, mit welchen Mitteln man Sie hierhergebracht hat –«

»Hildebrand holte mich mit einer Postkutsche ab. Jetzt trinken Sie aber, Gareth!«

»Sie mißverstehen mich. Da ich mir darüber klar bin, daß Ihnen der Antrag Sir Gareths unangenehm war, kann ich nicht bezweifeln, daß Sie durch irgendeine List von Brancaster weggelockt wurden. Welche Kniffe – ich will nicht sagen Drohungen! – angewendet wurden, um Ihr heutiges scheinbares Wohlbefinden zu erzwingen, kann ich nur ahnen. Aber sie können versichert sein–«

»Jetzt ist es genug!« unterbrach Sir Gareth in scharfem Ton.

»Ja, das alles ist nichts anderes als üble Verleumdung«, sagte Hildebrand. »Ich habe sie nicht weggelockt. Ich brachte sie lediglich hierher, weil Onkel Gary – ich meine Sir Gareth – sie brauchte! Sie kam her, um ihn zu pflegen, und wir gaben sie zum Schein als seine Schwester aus. Sie können es sich also ersparen, den strengen Sittenrichter zu spielen, was an sich eine Unverschämtheit ist, wie ich hinzufügen möchte, wenn ich auch gegen einen Geistlichen nicht unhöflich sein will. Und was die Drohungen anbelangt, so möchte ich den sehen, der das bei Lady Hester versucht. Das ist alles!«

»Ach, Hildebrand«, seufzte Hester überwältigt, »wie gut Sie sind.«

»Braver Junge!« sagte Sir Gareth beifällig und reichte ihm das geleerte Glas. »Widmore, sollte es Ihnen gelingen, sich aus einem Zustand zu befreien, der aufs Haar einem Starrkrampf gleicht, dann raffen Sie das bißchen Verstand zusammen, das Gott Ihnen verliehen hat, und hören Sie mich an, denn ich bin überzeugt, daß ich imstande bin, Ihre brüderlichen Besorgnisse zu zerstreuen.«

Lord Widmore, der seit der Ankunft Amandas auf dem Schauplatz wie unter einem Zauberbann gestanden war, erschrak und stammelte: »Was bedeutet das? Bei meiner Seele! Ich weiß nicht, was ich denken soll. Das übersteigt alle Grenzen! Das ist doch das Mädchen, das sie unverschämterweise nach Brancaster brachten. *So* brachten Sie sie also zu ihren Verwandten, nicht wahr? Und darum jagten Sie hinter meinem Onkel her, was? Nicht, daß ich das mit den Verwandten je geglaubt hätte – ein solcher Narr hoffe ich nicht zu sein.«

»Das Mädchen, Sir«, sagte Captain Kendal und legte, während er seine durchbohrenden Blicke auf Lord Widmores Antlitz richtete, eine Hand beruhigend auf Sir Gareths Schulter, »ist Miss Summercourt. Sie wird in kurzer Zeit meine Frau sein. Falls Sie über diesen Punkt noch weitere Bemerkungen zu machen gesonnen sind, haben Sie die Güte, sie an mich zu richten!«

»Widmore, versuch einmal, nicht so albern zu sein«, bat Hester. »Ich verstehe nicht, wie man so wenig gesunden Menschenverstand haben kann. Es ist die volle Wahrheit, daß ich hierherkam, um Sir Gareth zu pflegen, da er einen schweren Unfall erlitten hatte und nahe daran war, zu sterben. Ich kam aber auch her, um Amanda zu chaperonieren – was allerdings nicht nötig gewesen wäre, da sie sich in Gareths Obhut befand. Wenn ich selbst auch nicht allzuviel Verstand besitze, so weiß ich doch, wie Leute deines Schlages denken. Und ich muß sagen, Widmore, es ist schrecklich demütigend, mit jemandem so nahe verwandt zu sein, der so entsetzlich gewöhnliche Ansichten hat wie du!«

Durch diesen beispiellosen Angriff völlig verblüfft, fand er keine Worte. Amanda, die ihrem Großpapa inzwischen die Geschichte ihrer Odyssee anvertraut hatte, ergriff die günstige Gelegenheit, um gleichfalls das Wort an ihn zu richten. »Oh, Lord Widmore, bitte entschuldigen Sie, daß ich so unhöflich war, mit Ihrem Onkel durchzubrennen, ohne mich von Ihnen, Lady Widmore und Lord Brancaster zu verabschieden oder mich für den bezaubernden Aufenthalt bei Ihnen zu bedanken. Und Onkel Gary, bitte verzeihen auch Sie mir, daß ich so lästig und so ungezogen war und den Leuten erzählte, daß Sie mich entführten, was Sie eigentlich gar nicht getan haben, wie Neil mir erklärte – obwohl es in meinen Augen eine Entführung bleibt, wenn man Leute zwingt, mit ihnen zu kommen. Wie dem auch sei, ich bin Ihnen aufrichtig dankbar, daß Sie so gütig zu mir waren und mir auch erlaubten, Joseph mitzunehmen. Und ebensoviel habe ich Tante Hester zu verdanken. So, jetzt habe ich alle außer Hildebrand um Verzeihung gebeten«, fuhr sie ohne Pause fort, »und jetzt darfst du mir nicht mehr böse sein, Neil.«

»So bist du mein braves kleines Mädchen«, sagte ihr Verlobter, legte einen Arm um sie und drückte sie leicht an sich.

»Amanda!« rief der General in scharfem Ton, als sie ihre Wange liebevoll auf Captain Kendals Arm legte. »Komm hierher, Kind!«

Der Captain gab sie unverzüglich frei, und ihr Großvater befahl ihr, hinaufzugehen und ihre Hutschachteln zu packen. Es sah aus, als wolle sie gegen diesen Befehl rebellieren, aber Captain Kendal pflichtete ihm bei, worauf sie seufzend und zögernden Schrittes das Haus betrat.

»Wohlan, Sir!« sagte der General und wandte sich Sir Gareth zu. »Ich bin überzeugt, daß Sie sich meiner Enkelin gegenüber wie ein Ehrenmann benommen haben. Ich möchte noch hinzufügen, daß ich Ihnen für alle Fürsorge dankbar bin. Wenn ich auch nicht behaupten möchte, daß es Ihre Schuld ist, so war es doch eine böse Sache – eine sehr böse Sache! Sollte es ruchbar werden, daß meine Enkelin fast drei

Wochen unter Ihrem Schutz lebte, dann ist der Schaden, der ihrem guten Ruf zugefügt wurde, so groß, daß–«

»Du lieber Gott, hat sie Ihnen denn nicht gesagt, daß auch ich die ganze Zeit über hier war?« erkundigte sich Lady Hester.«

»Madam«, erwiderte der General, »in Kimbolton waren Sie nicht anwesend!«

»Bitte um Vergebung, Sir«, warf Hildebrand ein, »aber dort sah sie niemand außer mir – mit Ausnahme der Dienerschaft natürlich – und die glaubten nichts anderes, als daß sie das Mündel von Onkel Gary ist. Ich selbst meinte es ja auch.«

»Junger Mann«, sagte der General vernichtend, »was Sie glaubten, ist völlig belanglos! Haben Sie die Freundlichkeit, mich nicht wieder zu unterbrechen! Ludlow, ich bin überzeugt, daß es nicht nötig sein wird, Sie aufzufordern, den einzigen Weg zu beschreiten, der einem Ehrenmann offensteht. Sie kennen die Welt. Es war unmöglich, das Verschwinden meiner Enkelin aus meinem Haus vor den Nachbarn geheimzuhalten. Ich bin nicht einfältig genug, anzunehmen, daß sie keine Gerüchte in Umlauf setzten, und auch – daß der Eifer, mit dem Sie sie verfolgten, rein altruistischen Motiven entsprang. Sie ist jung, und ich leugne nicht, daß ihr Kopf voll der närrischsten Phantastereien steckt, ich zweifle aber nicht, daß es einem Mann Ihrer Lebenserfahrung sehr rasch gelingen wird, ihre Zuneigung zu erringen.«

»Sir, Sie schmeicheln mir!« sagte Sir Gareth trocken.

»Ludlow, muß ich von Ihnen verlangen, den einzigen Schritt zu tun, der in Ihrer Macht steht, um den guten Ruf meiner Enkelin zu retten?«

»Ich beginne einzusehen, daß ich unrecht hatte, als ich den Leihbibliotheken die Schuld für die übertriebene sensationelle Phantasie Amandas zuschrieb«, bemerkte Sir Gareth. »Sir, Sie werden mir erlauben, Ihnen zu sagen, daß Ihre Haltung lächerlich ist.«

»Nicht lächerlich«, fiel Captain Kendal ein, »sondern ehrgeizig!«

Lord Widmore, in eine Gedankenkette versunken, die ihm durch den Kopf ging, machte sich nunmehr ebenfalls bemerkbar. »Völlig lächerlich! In der Tat – lächerlich! Miss Summercourt – pah – ein Schulmädel! Ich gestatte mir zu erwähnen, daß ihre Jugend allein Schutz genug ist. Beruhigen Sie sich, General, ich erteile Ihnen die Erlaubnis, Ihren Bekannten mitzuteilen, daß sie in Brancaster bei Lady Widmore zu Besuch war, falls Sie es schon für nötig halten, eine Geschichte zu erfinden, um die Neugierde des Pöbels zu befriedigen.

Die Lage meiner unglücklichen Schwester dagegen ist eine ganz andere Sache. *Sie* ist kein Kind mehr! Ludlow, ich will damit nicht sagen, daß ich Ihnen die Schuld gebe, weil sie verrückt genug war hierherzukommen, aber für ihren so lange währenden Aufenthalt betrachte ich Sie im höchsten Grade verantwortlich. Ich hätte nie geglaubt, daß Sie ihrem guten Ruf gegenüber so sorglos sein könnten, wenn ich nicht schon in Brancaster bemerkt hätte, was sich zwischen euch beiden abspielt. Es bleibt mir nichts übrig: Ich muß die Mittel verurteilen, die sie anzuwenden für richtig fanden, um meine Schwester zu einer anderen Antwort zu zwingen als die, die Sie vor nicht allzu langer Zeit erhielten. Mir steht kein anderer Weg offen, als ihr auseinanderzusetzen, daß ihr jetzt keine Wahl bleibt: Sie muß Ihre Frau werden!«

»Kendal!« sagte Sir Gareth. »Haben Sie die Güte, als mein Bevollmächtigter zu fungieren. Werfen Sie Widmore hinaus! Und trachten Sie zu diesem Zweck einen Misthaufen zu finden!«

»Ja, bitte tun Sie es«, sagte Lady Hester.

»Mit dem größten Vergnügen«, sagte der Captain und trat auf sehr zweckdienliche Weise vor.

»Halt!« kommandierte jetzt Mr. Whyteleafe in so vibrierendem ominösem Ton, daß sich ihm alle Augen zuwandten. »Seine Lordschaft befindet sich im Irrtum. Es gibt noch einen Weg, der Lady Hester offensteht, und den sie, wie ich wohl annehmen darf, einer Verbindung mit einem Modeaffen bei weitem vorziehen wird. Lady Hester, ich biete Ihnen den Schutz *meines* Namens an!«

»Zwei Misthaufen!« rief Sir Gareth wütend.

»Nein, nein, ich bin überzeugt, daß er es gut meint«, vermittelte Hester. »Ich bin Ihnen aufrichtig dankbar, Mr. Whyteleafe, aber es ist ganz unnötig, daß mir irgend jemand den Schutz seines Namens anbietet. Widmore redet bloß Unsinn, und das weiß er auch ganz genau. Im übrigen wäre ich Ihnen noch viel dankbarer, wenn sie ihn von hier fortschaffen würden.«

»Sie haben doch nicht die Absicht, hier zu bleiben«, rief der Kaplan, von Entsetzen erfaßt.

Sie antwortete nicht, da sie etwas erregt war. Doch Hildebrand rief eifrig: »Sie braucht sich deswegen keine Skrupel zu machen, denn ich werde Onkel Gary nicht verlassen. Und ich kann Ihnen versichern, daß ich gut aufpassen werde. Das heißt, ich müßte es nur dann, wenn er der Mann wäre, für den Sie ihn halten – und so ist er bestimmt nicht! Onkel Gary, bitte, darf ich ihn hinauswerfen?«

»Nein«, sagte Sir Gareth. »Du kannst mir statt dessen aus dem Liegestuhl heraushelfen. Danke! Nein, ich brauche keine weitere Stütze. Nun also – Sie alle haben sich, wie ich glaube, nunmehr ausgesprochen. Jetzt aber will *ich* einige Worte sagen. Erstens erlauben Sie, daß ich Ihnen völlig klarmache, daß ich nicht die geringste Absicht habe, mich dazu zwingen zu lassen, um eine der beiden Damen anzuhalten, deren guten Ruf ich angeblich vernichtet haben soll. Zweitens: Ich habe in Wirklichkeit niemandes guten Ruf zerstört. Es wäre auch schwer vorstellbar, wie mir das in der Zeit gelungen sein sollte, in der ich mich in diesem Gasthof befand; und was die eine Nacht in Kimbolton betrifft, so hielt man Ihre Enkelin, General, für mein Mündel, wie Ihnen Hildebrand bereits mitteilte. Lassen Sie mich noch hinzufügen, daß ich sie während der ganzen Zeit meiner Bekanntschaft mit ihr nie in einem anderen Licht betrachtet habe. Weit entfernt, ein *tendre* für sie zu haben, wie Sie anzunehmen scheinen, kann ich mir kaum ein ärgeres Geschick vorstellen als die Ehe mit einem Mädchen, das nicht nur jung genug ist, meine Tochter zu sein, sondern das auch, wie ich argwöhne, die unausrottbare Gewohnheit hat, sich in die Arme eines Angehörigen unserer glorreichen Armee zu stürzen. Wenn Sie das Gefühl haben, daß Ihr schöner Name in den Augen Ihrer Nachbarn befleckt ist, dann schlage ich vor, daß Sie keine Zeit verlieren, Amanda außer Landes zu bringen. Captain Kendal wird sich zweifellos glücklich schätzen, Ihnen behilflich sein zu dürfen, dieses Ziel zu erreichen.«

»Danke! Das will ich«, rief der Captain stürmisch.

»Nichts wird mich dazu bringen –« begann der General.

»Bitte, Sir, lassen Sie mich nur sagen, was ich zu sagen habe«, warf Captain Kendal ein. »Bisher habe ich mich immer Ihrem Beschluß gefügt, daß Sie Amanda nicht gestatten, meine Frau zu werden, solange sie noch so jung ist. Unsere Neigung besteht zwar schon ziemlich lange, aber die Gültigkeit Ihrer Einwendungen wurde von mir eingesehen. Ich will mich über diesen Punkt nicht weiter verbreiten, denn der Streich, den sie gespielt hat, ließ mich anderen Sinnes werden. Es ist mir völlig klar, Sir, daß weder Sie noch Miss Summercourt ihr gegenüber auch nur den Schimmer einer Autorität besitzen, und wenn ich sie nicht jetzt in die Hände bekomme, werden Sie beide ihren Charakter völlig zugrunde richten. *Mir* spielt sie keine solchen Streiche, also brauchen sie nicht zu befürchten, daß sie etwa ins Unglück geraten könnte, wenn ich sie nach Spanien mitnehme: Dafür lassen Sie nur mich sorgen! Sie brauchen auch nicht zu befürchten, daß sie nicht glücklich wird, denn auch dafür will ich sorgen. Ich beabsichtige sie – mit Ihrer Zustimmung – mittels Spezialgenehmigung zu heiraten. Sollten sie aber Ihre Zustimmung verweigern, dann wäre ich gezwungen, die Zeremonie aufzuschieben, bis wir in Lissabon eintreffen. Sir, das ist alles, was ich zu sagen habe.« Da er bemerkte, daß sich seine Verlobte zwischen den Bäumen näherte, rief er: »Komm her, Amanda, ich brauche dich!«

»Hören Sie, General, ich bin felsenfest davon überzeugt, daß Captain Kendal genau der richtige Mann für sie ist«, sagte Hester überredend.

Der General stöhnte. »Daß sie sich an einen Neil Kendal wegwerfen kann! Das war es bestimmt nicht, was ich ihr wünschte!«

»Sich wegwerfen?« sagte Sir Gareth. »Mein verehrter Herr, dieser junge Mann ist aus dem Stoff, aus dem man Marschälle macht.«

»Was, der junge Neil?!« sagte der General, als wäre ihm ein derartiger Gedanke neu.

»Gewiß! An Ihrer Stelle würde ich mich mit Anstand darein fügen. Denn selbst wenn es Ihnen gelänge, Amanda einzusperren, bis Kendal das Land verlassen hat, wäre ich nicht erstaunt, zu erfahren, daß sie sich in einem nach Spanien fahrenden Schiff als blinder Passagier versteckt hat.«

Der General schauderte. Seine Enkelin, die ihr tatkräftiger Geliebter sehr freundlich davon in Kenntnis setzte, daß er sie, vorausgesetzt, daß sie ein braves Mädchen sein und das tun werde, was man von ihr verlangte, schließlich doch heiraten und nach Spanien mitnehmen wolle, gab zuerst ihm einen glühenden Kuß, dann schlang sie ihre Arme um den Hals ihres Großpapas und endete damit, Lady Hester und Sir Gareth stürmisch zu umarmen.

Es dauerte eine volle Stunde, ehe der Gasthof »Zum Bullen« wieder in seine gewohnte Ruhe zurücksank. Die Gesellschaft des Generals verließ ihn zuerst. Wenn er auch mit dem Verlöbnis seiner Enkelin nicht ausgesöhnt war, hatte der Vorschlag seines künftigen Schwiegerenkels, das Brautpaar bis nach Lissabon zu begleiten, unstreitig seinen Beifall gefunden.

Lord Widmore zögerte noch mit seiner Abreise, um seine Schwester abwechselnd zu beschwören und ihr dann wieder zu befehlen, unverzüglich in ihr Heim zurückzukehren. Bei seinen Beschwörungen wurde er von dem Kaplan kräftig unterstützt. Lady Hester hörte ihnen geduldig zu; wenn sie auch erklärte, es täte ihr leid, ihren Bruder zu ärgern, blieb sie doch fest entschlossen, ihren Patienten nicht zu verlassen. Lord Widmore erklärte hierauf, da sie volljährig sei, könne sie tun, was ihr beliebe, er für seinen Teil wolle aber mit dieser Sache nichts mehr zu tun haben.

»Oh, wirklich?!« rief sie. »Das freut mich, denn danach habe ich mich schon *so* lange Zeit gesehnt. Bitte, grüße Almeria. Und jetzt muß ich Gareths Medizin holen – bitte, entschuldigt mich.«

Sir Gareth, im Obstgarten alleingeblieben, um sich von den Strapazen seiner recht anstrengenden Besucher zu erholen, sah ihr entgegen, als sie, seine Medizin in der Hand, wieder zu ihm zurückkehrte.

»Ich bin sehr glücklich, daß Sie mich nicht meinem Schicksal überließen«, sagte er.

»Ach was, welcher Unsinn! Hier, nehmen Sie diese übelriechende Medizin, die Ihnen Doktor Chantry verordnet hat.«

»Danke«, sagte er, nahm ihr das Glas ab und schüttete seinen Inhalt ins Gras.

»Gareth!«

»Ich habe jetzt genug von Doktor Chantrys Medizinen. Glauben Sie mir, sie schmecken noch weit ärger, als sie riechen. – Hester, Ihr Bruder ist ein Trottel.«

»O ja, das weiß ich«, stimmte sie ihm zu.

»Wissen Sie, daß ich das, was ich sagte – auch wirklich meine? Ich fühle mich wirklich nicht verpflichtet, Ihnen den Schutz meines Namens anzubieten – haben Sie übrigens schon je einen derartigen Schwulst gehört? Ich kann's beschwören, ich nicht! –, weil die Vorstellung, ich könnte Sie kompromittiert haben, ebenso lächerlich wie widerlich ist!«

»Sie haben ganz recht. Sprechen wir nicht mehr davon. Es ist zu dumm!«

»Wir wollen es also nie mehr erwähnen. Können sie mir aber die Versicherung geben, keine Gewissensskrupel zu haben? Schauen Sie mir in die Augen!«

Sie gehorchte mit einem winzigen Lächeln. »Gareth, das ist *zu* töricht. Wie können Sie mich so etwas fragen?«

»Mein Liebes, ich könnte den Gedanken nicht ertragen, daß Sie mich aus diesem Grund heiraten könnten«, sagte er gelassen.

»Nein«, antwortete sie, »oder daß Sie mir aus diesem Grund einen Antrag machen könnten.«

»Das würde ich nie tun, Hester, darauf kannst du dich verlassen. Ich bitte dich heute, nicht zum erstenmal, meine Frau zu werden.«

»Nicht zum erstenmal, ja, diesmal ist es aber ganz anders – nicht wahr?« sagte sie schüchtern.

»Ganz anders. Als ich dich in Brancaster fragte, schätzte ich dich und war dir herzlich zugetan, aber ich glaubte damals, ich könnte mich nie wieder verlieben. Ich habe mich gründlich geirrt. Willst du mich heiraten, du meine größte und letzte Liebe?«

Sie nahm sein Gesicht zwischen ihre Hände und sah ihm tief in die Augen. Ein Seufzer entschlüpfte ihr, als wäre eine große Last von ihr gefallen. »Ja, Gareth«, sagte sie. »O ja, ich will, ich will es *wirklich*!«